Le Petit
Roberge
un petit peu
illustré

Le Petit Roberge un petit peu illustré
Jonathan Roberge et Mathieu Genest

Textes: Jonathan Roberge, Mathieu Genest et Odrée Rousseau

Direction de création: Noémie Graugnard
Design et mise en page: Nathalie Caron
Illustrations: Anouk Noël
Édition: Emilie Villeneuve
Révision: Annie Paré
Correction d'épreuves: David Rancourt et Pierre Duchesneau
Coordination: Mathilde Bessière et Marie Guarnera

Un ouvrage sous la direction d'Antoine Ross Trempe

Publié par:
Les Éditions Cardinal inc.
7240, rue Saint-Hubert
Montréal (Québec) H2R 2N1
editions-cardinal.ca

Dépôt légal: 2017
Bibliothèque et Archives nationales du Québec
Bibliothèque et Archives Canada
ISBN : 978-2-924646-18-2

Financé par le gouvernement du Canada
Funded by the Government of Canada | Canadä

Nous reconnaissons avoir reçu l'aide financière du gouvernement
du Québec – Crédit d'impôt remboursable pour l'édition de livres
et Programme d'aide à l'édition et à la promotion – SODEC.

JONATHAN ROBERGE ET MATHIEU GENEST

Le Petit
Roberge
illustré

un petit peu

FOPLA / AABPO

cardinal

À Xavier et Jules. Papa est cerné, et c'est à cause de ce genre de projet. D'après moi, ce n'est pas génétique, les poches sous les yeux : vous êtes OK. Papa vous aime… J'ai un préféré pis je ne dis pas c'est qui… Devinez.

Jonathan Roberge

Pour Flavie et Marion. Je vous aime et j'espère que le fait d'avoir coécrit ce livre me donnera plus de crédibilité, ainsi qu'un net avantage lors nos disputes futures, lorsque vous serez adolescentes.

Mathieu Genest

P.-S. — En cas de décès, empaillez-moi, mettez-moi dans le milieu du salon et placez une copie de ce livre dans ma main droite et mon Gémeaux dans la gauche, pour vous rappeler chaque jour de votre vie à quel point votre père était *weird*… En plus, ça va faire freaker les petits gars qui vont vouloir vous *dater*.

PRÉFACES

Préface de Mélanie Maynard

Jonathan Roberge : Nom masculin, peu commun et propre (la plupart du temps). On peut reconnaître le Jo Roberge à son pelage fourni, à sa peau bariolée mais surtout à son cœur et son esprit surdimensionnés. Créateur émérite du *Petit Roberge un petit peu illustré*, il compte parmi ses nombreux exploits celui d'être parvenu à faire rire chaque matin une population entière, et ce, dès sa première année de radio. Véritable chirurgien des mots et créateur de nouveautés, il excelle dans l'art de dilater les rates et de nourrir les cerveaux. Bref, Jonathan Roberge tient bien mal dans une simple petite définition. Pour bien parler de lui, il faudrait lui consacrer toute une encyclopédie !

Bisouxxxx
Mélanie xx

Préface de Dominic Arpin

Jonathan Roberge : Nom (très) propre, malgré ce que suggère la présence de ses innombrables tatouages. Doté d'une culture à faire rougir Gregory Charles, le Jonathan Roberge d'Amérique manie la langue d'une manière habile et exquise, ce qui explique son succès retentissant auprès des madames.

La légende veut qu'il tire son talent avec les mots de sa barbe hirsute, mais une étude exhaustive de son habitat a plutôt révélé qu'il obtient son succès grâce à un travail acharné et méticuleux.

L'ouvrage que vous tenez entre les mains a été responsable d'un nombre incalculable de fous rires et de petites fuites urinaires de l'animateur lors de ses présentations à Énergie le matin.

Je vous souhaite autant de plaisir en le lisant… en vous recommandant fortement l'achat de quelques couches Fiables !

Dominic

Préface de Martin Lemay

Quand Jonathan Roberge m'a demandé d'écrire une préface pour son livre, c'est là que j'ai compris qu'il était complètement fou. Visiblement, il ne m'écoute pas quand je parle à la radio, il n'entend pas toutes les erreurs de français que je peux faire dans une seule phrase. Il n'est sûrement pas au courant que lorsque j'écris pour RDS.ca, quatre personnes prennent quatre heures pour corriger mes textes.

C'est un peu ça, Jo Roberge : un gars de gang qui ne laissera jamais le maillon faible seul derrière. Il fait bien paraître tous ses coéquipiers à la radio. C'est un homme d'une générosité incroyable… Un sapristi de bon gars. La preuve : après deux semaines de radio ensemble, je lui ai craché ma gorgée d'eau en plein visage alors qu'il se préparait à livrer un *Petit Roberge live* à la radio, et il a trouvé ça drôle. Pas juste un peu ! Plus capable de parler, plus capable de lire : que des larmes de fou rire. Dans le milieu radiophonique, bien des égos auraient pété les plombs. Jo Roberge ne le sait pas, mais il est rapidement devenu une personne importante dans ma vie.

Ce que vous allez lire, vous l'avez peut-être déjà entendu à la radio, mais jamais comme il est écrit ici, parce que le boss d'Énergie 94,3 n'a pu le censurer. Jonathan Roberge est un être exceptionnel et, dans cet ouvrage, vous allez découvrir son talent.

Martin

OYEZ! OYEZ!

Vous tenez entre vos mains le fruit du dur labeur de notre équipe, qui a travaillé d'arrache-pied nuit et jour durant une année en se rendant aux quatre coins du globe, allant jusqu'à pogner des maladies pas possibles (même qu'un de nos chercheurs a eu, tsé, le genre de petit mosus de poisson d'Amazonie qui te rentre dans l'urètre?). Tout cela dans le seul but de compiler ce qui, nous l'espérons, constituera un ouvrage de référence pas pire crédible.

Idéalement, il serait apprécié que ce livre trouve une place de choix dans votre bibliothèque. Genre pas dans le bas, dans la section poussiéreuse, à côté de votre copie du *Malade imaginaire* que vous gardez depuis le cégep juste pour ploguer que vous avez du Molière chez vous. Mettons que l'idéal serait entre un Bescherelle et un gros livre de médecine super pesant qui comporte une section d'images de cas d'herpès beaucoup trop *hardcore*.

Dans le meilleur des mondes, vous auriez, à proximité de la bibliothèque, plusieurs diplômes encadrés (ce serait vraiment le *best*) ET, SI POSSIBLE, toujours dans cette même pièce, un magnifique bureau sculpté dans l'ébène, sur lequel vous auriez un genre de pendule avec des boules en métal qui s'entrechoquent, que vous utiliseriez pour tuer le temps jusqu'à ce que la voix de votre secrétaire provenant d'un interphone dise :

«La banque vient d'appeler, patron. Félicitations! Vous êtes maintenant l'heureux propriétaire de Dubaï.»

Maintenant, passons aux recommandations d'usage. Tout d'abord, sachez que cet ouvrage devrait être utilisé avec sagesse. Il est possible que la prof de votre *kid* vous convoque si ce dernier s'est servi du *Petit Roberge un petit peu illustré* comme référence pour faire son oral sur les dauphins. Premièrement, parce qu'il ne comporte aucun passage traitant de cet animal fétiche de madames de Pointe-aux-Trembles friandes de tatouages de chevilles, et deuxièmement, parce qu'étant membre de l'intelligentsia, la prof doit sans aucun doute posséder elle aussi ce livre, et sait très bien qu'il ne faut jamais le laisser entre les mains d'un enfant.

Fallait qu'on vous le dise, mais honnêtement, si vous vous êtes rendus aussi loin dans l'introduction, c'est que le mal est fait et que le livre est acheté... Bref, c'est pu notre problème, et nous sommes probablement en train de flauber les 8,50 $ que la totalité des ventes de ces livres nous ont rapportés dans les arcades du cinéma StarCité.

Affectueusement vôtre,

~~Stephen Hawking~~

Ben non. Il n'a jamais rappelé, et il paraît qu'il n'est pas super bon pour taper dans Word, alors nous avons écrit notre propre intro (*losers*).

Jonathan Roberge et Mathieu Genest

A

Adolescence *n.f.*

Période où le jeune humain à fleur de peau éprouve le désir de se distancer de ses parents et de se construire une identité propre en claquant sa porte de chambre parce que, supposément, ses parents seraient des fascistes : ils refusent de signer une autorisation pour qu'il puisse se faire faire des tatouages de visage comme Lil Wayne… avant de ressortir entre 4 et 12 minutes plus tard pour se téter un lift en vue d'aller chez son ami Steven, là où la vie est beaucoup plus cool[1].

Paradoxalement, si l'adolescent déploie énormément d'efforts pour se définir en tant qu'être humain à part entière, la dernière chose qu'il souhaite est d'être perçu comme un marginal aux yeux de ses pairs. Ajoutons également qu'à cet âge, le cerveau n'est pas encore complètement développé, ce qui résulte malheureusement en une tendance à être fortement influençable et à faire des affaires épaisses, comme : sortir en souliers dans deux pieds de neige pour ne pas passer pour un faible, sniffer du butane dans un party de sous-sol parce que tout le monde le fait, ou encore finir aux urgences avec un tampon de vodka pogné dins fesses à cause d'un « t'es pas *game* » qui a mal viré.

À cette période de sa vie, l'adolescent est aussi en quête d'indépendance. Et quel meilleur moyen d'être indépendant que d'emprunter le char de ses parents en vue d'aller au cinéma avec l'argent de poche que ces derniers lui ont donné pour vider le lave-vaisselle ? Son indépendance devient toutefois relative quand il pogne un *ticket* de parking parce qu'il s'est stationné dans la ruelle en arrière du cinéma… Là, c'est souvent à maman et à papa de payer ça.

---

1 *Jonathan Roberge tient à profiter de cette tribune pour remercier ses propres parents, qui ont eu la décence et la présence d'esprit, en 1999, de l'empêcher d'aller de l'avant avec son projet ridicule de se faire tatouer «Limp Bizkit 4 ever» sur l'avant-bras. Sans cette intervention, qui sait où sa carrière artistique aurait abouti ? Probablement à la radio.*

Cependant, à force d'observer la jeunesse d'aujourd'hui, il est important de préciser que les mœurs semblent s'être beaucoup adoucies. Fut un temps où «adolescence» était synonyme de se faire des plombs au couteau sur le rond de poêle en écoutant du Marilyn Manson. Aujourd'hui, c'est davantage se poser en faisant des *duckfaces* sur Snapchat tout en écoutant du Ed Sheeran.

Et tout ça à cause qu'on peut pas se faire des couteaux avec un four à induction. Surface chauffante en vitrocéramique, tu brises des adolescences!

Précision: jeune fille! Tu n'as pas le droit de porter un t-shirt de Nirvana ou des Ramones si tu es incapable de nommer au moins le titre d'une de leurs chansons. C'est ainsi. Il y a des lois. Ne t'approprie pas NOTRE culture. C'est comme si je portais un t-shirt d'Ariana Gomez ou de Selena Grande. Est-ce que je vais tomber sans connaissance dans les shows du petit Justin Bieber, moi? *Nope*! J'espère qu'on se comprend.

Un des traits communs qu'ont tous les adolescents est qu'ils semblent persuadés d'être le summum de l'évolution humaine, que tout ce qui est venu avant eux est aussi pertinent qu'un numéro de *stand-up* français dans un gala Juste pour rire. Si ce trait de caractère vous agace et que vous en avez votre truck de leur petit air fendant, faites comme tout bon parent: allez ajouter des commentaires gênants sur leur page Facebook. Si vous commentez «beau bonhomme» sur la photo de profil de l'ado, vous avez un point. Si vous racontez une anecdote gênante sur son mur, c'est deux points! Et si vous voulez gagner, attendez qu'il soit sous la douche et changez son statut pour: «J'vas être un peu en retard, y'a fallu que je retourne me changer. J'ai fait un pet sauce dans mes *skinny*. LOL, bonhomme sourire, 69-69.»

Ami et amie *n.m. et f.*

Nom masculin et féminin désignant un être humain qui entretient une forme d'affection pour un autre être humain sans pour autant avoir envie d'y jouer dans les shorts.

Il n'existe pas de manière précise pour se faire de VRAIS amis. L'amitié est généralement le résultat d'un concours de circonstances. Par exemple, vous êtes voisins et il a une piscine ; vous avez des noms de famille qui commencent par R, donc vous êtes toujours assis un à côté de l'autre à l'école ; ou encore une situation du genre :

À l'école primaire, tu détestes ton yogourt aux pêches, tu le *trades* contre un Ficello au petit *weirdo* avec des barniques assis à côté de toi et vous trouvez tous les deux que c'est le *deal* du siècle !

BANG ! UNE AMITIÉ EST NÉE !

Les deux humains échangeurs de cossins qui traînent dans leur boîte à lunch deviennent des inséparables. Mais, après une joute du roi de la montagne, ils se menaceront et s'insulteront avec des phrases du genre :

« T'es pu mon meilleur ami, t'es... t'es... **mon deuxième meilleur ami.** »

Cette phrase qui semble aujourd'hui insignifiante fait mal en christie dans le *chest* d'un ti-cul de cinquième année.

Car il y a quatre types d'amis. Le premier, c'est justement celui-là : **l'ami de longue date**, celui que vous pouvez ne pas voir pendant deux ans et quand vous le revoyez, tout est comme avant.

Voici quelques indices concernant l'ami de longue date.

- Il se pointe à ton déménagement.
- Il te tient les cheveux quand tu vomis.
- Il te prête de l'argent.
- Il connaît l'existence et l'emplacement de ton tatouage de Tweety Bird.
- Il te gosse pas pour que tu lui remettes l'argent.
- Il laisse la porte des toilettes ouverte et continue à te parler même quand il pisse.
- Il vient te chercher à 4 h du matin quand tu as une panne.
- Il blaste ton ex pour te remonter le moral.
- Il va toujours accepter d'arroser tes plantes ou de garder ton chien quand tu pars en voyage.
- Vous avez une poignée de main personnalisée.
- TES PARENTS ont une poignée de main personnalisée avec lui !
- Il connaît tes plus grands secrets... même les expériences bisexuelles que tu as faites au cégep, quand tu avais de l'ouverture d'esprit !

Tout cela fait de lui (ou d'elle) un excellent ami, mais un individu redoutable quand vient le temps de concocter un bien-cuit à ta fête ou à ton mariage.

Ceux qui n'entrent pas dans la catégorie précédente entrent dans la deuxième : **le chum de brosse**. Ça, c'est le genre d'ami dont tu connais pas le nom au complet, genre que tu l'as toujours appelé «J-F» pis que t'apprends un jour que c'est pas Jean-François, mais Jean-Félix. Il a souvent un piercing dans le sourcil pis une casquette pognée gratuitement dans une caisse de bière. Le chum de brosse t'appelle habituellement par ton nom de famille suivi d'une insulte.

«Hey Roberge! Comment c'qu'y va l'gros tas ?!» C'est souvent le même moron qui, une fois paqueté, tente de te claquer les gosses sans raison pendant l'épluchette de blé d'Inde.

Il t'a été présenté par l'entremise d'un ami lors d'un événement quelconque, par exemple une *game* de balle-molle. C'est le genre de gars avec qui tu passes des soirées mémorables et que tu prends par la nuque à 2 h du matin avec ton haleine de Stinger pour chanter tout croche : «ON EST TROP FIERS LES BOYS!»

Cependant, la relation avec le chum de brosse reste souvent superficielle parce qu'il est le genre à t'emprunter 100 $ un soir en prenant bien soin de ne plus jamais aborder le sujet par la suite.

C'est le gars que t'es ravi de croiser dans un bar – ça se peut même que tu y payes un shooter. Mais si tu le croises avec sa blonde à l'épicerie, ça se peut que t'ailles te cacher dans les aliments bio, pour être sûr qu'il vienne pas te parler.

Le troisième type d'ami est celui qu'on appelle «**l'ancien collègue de travail**». Ça, c'est une personne avec qui, jadis, tu avais une affinité, sans plus. Votre relation dépassait peu ou pas du tout les frontières de votre lieu de travail. Généralement, quand vous vous croisez aujourd'hui au centre d'achats, c'est toujours un peu malaisant. C'est le genre de personne à qui tu dis «on ira prendre un café!» en espérant secrètement de ne jamais aller prendre ledit café!

Le quatrième genre d'ami, c'est **celui qui est plus ami avec toi que toi t'es ami avec**.

Celui-là, c'est bien maudit, parce que tu t'en rends pas compte tout de suite qu'il est dans ce genre-là. Ça ne te dérange pas d'être sur une terrasse avec lui, d'aller au cinéma ou de faire un mini *road trip* à son chalet. Mais c'est quand il te demande d'être le parrain de son premier-né que tu réalises dans quel merdier t'as mis les pieds !

Peu importe la sorte d'amitié, que vous ayez ou non un collier «Best Friends», ce qui est certain, c'est qu'une fois dans votre vie, quand vous étiez paqueté, vous l'avez déjà pris par les épaules en lui disant :

«C'pas parce que je suis saoul, *man*, hey! R'gard-moé, *man*, pou vrai... R'GARD... MOÉ... JE T'AIME, T'ES MON AMI...»

Animateur et animatrice télé *n.m. et f.*

Nom désignant une personne dont le métier est de diriger et de dynamiser une émission de télévision. Cet emploi demande trois prérequis :

1. Avoir une belle dentition.

2. Ne pas être le genre de personne qui sécrète du «p'tit blanc de coin de bouche», aussi appelé «feta buccale».

3. Ne pas trop transpirer dans les vêtements trop serrés qu'il faut remettre le lendemain à la boutique qui commandite le show.

Le métier d'animateur peut sembler facile, mais il est plus difficile qu'on le pense de garder un sourire Crest, fendu d'une oreille à l'autre, quand tu jases avec une vieille matante sénile qui te montre sa collection de napperons ou avec un membre de l'UDA qui n'a pas pris ses pilules cette journée-là !

Aussi, l'animateur doit avoir l'air intéressé, en tout temps, par ce qui est dit sur son plateau, même s'il s'en torche de son chroniqueur humoriste de la relève qui vient lui parler «d'un café Internet où tu peux amener ton chat»!

Enfin, à chaque type d'émission de télé correspond un type d'animateur ou d'animatrice télé :

1. L'animateur de show du matin

Comme il est un des premiers visages que le téléspectateur voit dans sa journée, il est impératif qu'il soit inoffensif. Il faut qu'il soit aussi doux que la crémette que l'on met dans son café le matin en regardant le soleil se lever.

C'est le genre de personne qu'on ne peut imaginer, sous aucun prétexte, en train d'avoir une relation sexuelle.

D'un point de vue pratico-pratique, ça prend quelqu'un qui est relativement sage dans sa vie et qui ne passe pas ses nuits à se torcher dans les bars avec des gens peu recommandables. Non seulement parce qu'il se lève autour de 3 h chaque matin, mais également parce qu'il doit se tenir loin du trouble.

Il perdrait beaucoup de crédibilité auprès des madames si on apprenait que quelques heures avant d'annoncer quelles écoles sont fermées, il zignait une fille sur une machine ATM pour ensuite se battre avec un portier en scandant «Tu le sais-tu j'suis qui ? TU L'SAIS-TU J'SUIS QUI ?!?! J'AI DES CHOCOLATERIES, MOI!» tout en tambourinant sur ses pectoraux.

2. L'animateur d'émission de sport

Habituellement, ce rôle est donné à des messieurs en complet Moores un peu trop grands qui ne semblent pas au courant que les «si» n'aiment pas les «rais». Le métier d'animateur d'émission de sport est à l'animation ce que la job de prof d'éduc est au métier d'enseignant. Dans le sens que ses collègues professeurs le regardent en se disant : «Ouin, OK, techniquement, c'est un prof... c'est écrit sur la porte de son bureau, mais honnêtement, c'est foutrement pas à lui que je confierais l'organisation de la sortie scolaire à Boston!»

Ce n'est pas que l'animateur sportif ne soit pas intelligent. C'est juste que, souvent, il s'agit d'un ancien sportif professionnel, et on ne se rend pas loin dans la LNH sans avoir fait plusieurs commotions cérébrales et manqué deux ou trois dictées parce qu'on devait prendre part à des tournois quand on était plus jeune.

Notez bien que cette sorte d'animateur a aussi un sourire vendeur, mais dans son cas, c'est un vendeur de pick-up ou de lotion qui fait pousser les cheveux, et souvent, ce sourire, il le met dans un verre d'eau avant d'aller se coucher!

3. Le chef d'antenne

S'il a précédemment été établi qu'un animateur de show du matin doit être un parfait exemple de discipline, le lecteur de nouvelles, lui, doit être encore plus pur que l'animateur du show du matin. Pas question pour lui de revenir chaudasse d'un donjon échangiste avec des *chaps* de cuir les foufounes à l'air, pointant des maisons aléatoirement au chauffeur de taxi en disant: «J'PENSE QUE C'EST ELLE MA MAISON!»

En fait, selon une rumeur, si l'on baisse le pantalon d'un lecteur de nouvelles, on ne trouve aucun organe reproducteur, mais plutôt une belle grande *patch* de peau lisse, lisse, lisse, comme sur une poupée Ken.

Les lecteurs de nouvelles, tels des robots à heure de grande écoute, doivent être toujours prêts. La rumeur circule qu'ils n'auraient pas de maison et qu'on les garderait en *stand-by* dans des genres de caissons réfrigérés. Tout ça afin qu'ils expriment le moins d'émotions possible, et ce, même si la nouvelle est quelque chose du genre:

«Nouvelle de dernière minute! Un gorille de 800 livres se serait échappé du Zoo de Granby, pour ensuite voler une voiture dans le but d'aller se bourrer dans le bar à pain d'un Pacini avant d'être abattu par l'armée devant des élèves du primaire en sortie scolaire.»

Quand il a besoin de plus d'informations ou de témoignages touchants pour souligner la gravité des événements, le chef d'antenne consulte son envoyé sur le terrain, lequel est, dans le fond, juste un gars avec un manteau

Kanuk qui se gèle le derrière en cognant aux portes de personnes venant de vivre un drame pour les gosser devant une caméra.

4. L'animateur de quiz

S'il a déjà été établi que les humoristes occupent une grande place dans le paysage télévisuel québécois, cette notion prend particulièrement son sens lorsqu'il est question des jeux télévisés. Pour pourvoir le poste d'animateur de quiz, les producteurs ont deux options: soit un comédien «avec du charisme» dont l'industrie ne raffole pas particulièrement, soit un humoriste.

Dans les deux cas, tu ne sais pas exactement pourquoi ce sont eux qui animent, parce qu'ils ont à peu près autant de culture générale qu'un candidat de l'émission *L'arbitre* a de dents dans la bouche… Et ça, c'est pas beaucoup!

Bref, pour un humoriste ou un comédien dans le besoin, l'animation d'un quiz est une occasion en or! C'est l'équivalent, en termes de showbiz, de tendre la main à un vieil ami qui vient de se séparer en le laissant dormir sur son divan pendant un boutte, le temps qu'il se refasse.

5. L'animateur de show estival

Le show estival est souvent animé par quelqu'un qui travaille à longueur d'année, mais soit qu'il a beaucoup de dettes, soit qu'il est workaholic ou qu'il a fait quelque chose de vraiment sale à son ex et se retrouve à payer une pension EXORBITANTE! C'est la seule hypothèse pour expliquer qu'en plein été, quelqu'un qui gagne bien sa vie le reste du temps se donne le trouble de sortir de la piscine pour aller faire semblant d'avoir du *fun* sur une fausse terrasse en écoutant des *has been* qui viennent lui confier des trucs pour réussir «des super de bonnes papillotes sur le barbecue».

6. L'animateur de show d'avant-midi

De tout le lot, c'est celui qui a la job la plus ingrate. Souvent, malgré qu'il soit diplômé en théâtre et qu'il ait jadis incarné de grands rôles au cinéma, au théâtre ou au petit écran, il est désormais contraint d'abaisser ses standards pour se transformer en un genre d'animateur de camp de jour pour une douzaine de personnes âgées.

Outre les gens du troisième âge, le public cible de ce genre d'émission est constitué de buzzés qui n'ont rien de mieux à faire que de fumer un *splif*, manger des Doritos et regarder une madame qui leur apprend comment faire du couponing en attendant que *Les Simpson* passent à Télétoon.

C'est d'ailleurs dans le but de ramasser de l'argent et des subventions que le contenu présenté est «du manger mou» télévisuel. Dans ces émissions, on nous montre comment faire un centre de table pour le temps des Fêtes, ou une chroniqueuse avec des p'tits cartons vient nous apprendre des choses que personne ne veut savoir, comme l'origine du «temps des sucres» ou «comment faire des rameaux comme dans le bon vieux temps». Des fois, on invite un chanteur autrefois populaire qu'on regarde en se demandant: «C'est-tu du Botox ou il a pris de l'avance et a commencé à se faire embaumer?»

C'est habituellement à ce moment de l'émission que les buzzés changent de poste parce que la face du vieux chanteur leur fait faire un *bad trip*.

7. L'animateur de télé locale

La télévision communautaire représente l'eldorado pour ceux ou celles qui ont toujours rêvé de passer à la télé, mais qui n'ont pas nécessairement l'expérience… ni le talent! À la télévision locale, il n'est pas rare qu'une émission d'affaires publiques soit confiée à la madame qui, deux semaines auparavant, cousait des rebords de pantalons dans un centre d'achats de région. À la télévision locale, AUCUNE APTITUDE N'EST REQUISE, que ce soit pour la diction, la culture générale ou le charisme.

8. L'animateur d'émission culturelle et ses chroniqueurs arts et spectacles

Malgré le fait qu'ils sont censés éclairer le peuple et nous abreuver de leur culture en nous disant si c'est bon ou si ce n'est pas bon, le dernier film de Michael Bay, l'animateur d'émission culturelle et ses chroniqueurs arts et spectacles n'aiment JAMAIS les mêmes affaires que le reste du monde et consacrent beaucoup trop de temps d'antenne à parler d'affaires dont la grande majorité des gens se foutent éperdument. Personne ne veut réellement savoir ce qui se passe à l'activité de slam sur Molière au Musée d'art contemporain. La question qui nous brûle les lèvres : «Ça vaut-tu la peine qu'on aille flauber 100 $ avec nos enfants au Colossus pour aller voir une vue de robots qui se battent?»

Sans vouloir voler la job des journalistes culturels, voici quelques petites suggestions de sujets pour remplacer toutes ces interminables critiques de show de théâtre expérimental et de spectacle de *gumboots* pas écoutables: «les 10 meilleures machines d'arcade du StarCité», «les 10 sortes de jujubes dont le sac est pas trop difficile à ouvrir dans le noir au cinéma», et finalement «les 10 astuces pour être le plus douche des douches au Ciné-Parc Saint-Eustache».

9. La fille au contenu Web

La nouvelle tendance pour les réseaux télé qui se font reprocher de ne pas avoir un assez grand ratio femmes/hommes est d'engager une jeune femme avec un joli minois, armée d'un iPad, pour une fois de temps en temps lui demander ce qui se passe sur le fil Twitter — même si, techniquement, Raymonde qui écoute l'émission n'a aucune foutue idée c'est quoi, «un fil Twitter». Raymonde, m'en va te donner un indice : un fil Twitter, ce n'est pas un fil qui dépasse d'un t-shirt qu'on arrache avec un briquet!

Cette stratégie de foutre une femme avec un iPad dans les mains à la TV n'est bien sûr qu'un leurre pour apaiser «les gens», car dans les faits, on sait très bien que ce poste est l'équivalent télévisuel de donner un couteau en plastique qui ne coupe pas et une carotte à son enfant de deux ans qui braille pour nous aider à préparer le souper.

Argent *n. m.*

Métal précieux (Ag 47) qui est aussi la seule véritable religion universelle. Les hommes ont un jour compris qu'il était ben smatte, le barbu hippie qui faisait apparaître du poisson à volonté dans la Bible, mais que ce n'est foutrement pas lui qui leur permettrait de se payer des pepperonis au dep'.

L'humain commence très tôt sa relation avec l'argent. Enfant, ses parents lui offriront ce qu'on appelle communément «un petit cochon», dans lequel l'enfant mettra son «petit change». Bien important de préciser ici que les enfants n'enfoncent pas des trente sous dans le troufignon d'une réelle truie, mais bien dans un cochonnet de céramique avec une fente sur le dos. Les premières économies s'accumulent avec des 10 $ venant de cartes de fête données par grand-maman ou des fonds de poche que les parents laissent traîner, ou bien la récolte de *screening* dans les craques du divan.

Autour de cinq-six ans, l'enfant videra son cochon pour aller flauber ses économies au dépanneur du coin, dépensant ainsi près de six ans d'accumulation d'argent en cinq minutes top chrono sur des cochonneries telles que des jujubes bleus en forme de dauphin, un modèle à monter d'avion en styromousse (qui, une fois lancé, pique du nez automatiquement) et un *shitload* de petites pailles multicolores remplies de sucre. C'est ainsi qu'il devient UN CONSOMMATEUR!

Dès lors, tel un petit Gérard Depardieu dans un *all you can eat*, il en voudra toujours plus.

L'enfant considérera alors ses parents comme un puits sans fond de bidous. Il voudra ceci ou cela, toutes des affaires de plus en plus niaiseuses, mais qu'un mythique «gars à l'école» a déjà. Pour cette raison, les parents désireux de rendre leur progéniture davantage responsable tenteront de lui inculquer la notion voulant que «si tu veux de l'argent, tu devras travailler pour». Ils lui donneront alors certaines tâches à effectuer dans la maison en échange d'une compensation financière variant de 5 à 10 $.

Par exemple : aller porter les ordures au coin sans avoir à se le faire répéter 563 fois (et finir par courir en famille après le truck de vidanges), faire son lit (même si l'enfant fait juste garrocher sa douillette par-dessus un motton de draps), mettre les assiettes dans le lave-vaisselle (mais finalement se les faire enlever des mains de peur que le morveux brise les assiettes en les foutant n'importe comment).

Automne *n. m.*

L'automne est la saison des «pieds gelés que ma blonde
me colle sur les mollets le soir, quand on se couche».

— *L'équipe du* Petit Roberge un petit peu illustré

Nom masculin désignant l'instable saison succédant à l'été et précédant l'hiver. Dame Nature termine donc sa ménopause, puis arrête d'avoir des bouffées de chaleur et d'être fertile et humide pour commencer à devenir stérile, frette et sèche.

À peine le commun des mortels finira-t-il de chialer sur les désagréments de l'été que l'automne se montrera le bout du nez qui coule. Les premiers signes seront une température bipolaire froide le matin et chaude en après-midi. L'individu passera donc l'avant-midi avec une petite laine pour ensuite suer dedans comme un gros porc en après-midi avant de regeler parce que son chandail est rendu humide en soirée.

L'automne vient aussi émerveiller la femelle humaine, qui capote toutes les deux secondes à cause des feuilles de couleur.

Dans la tête du mâle humain, le raisonnement se fait de la façon suivante. Beaucoup de feuilles de couleur = beaucoup de feuilles qui vont tomber = moé qui les ramasse = moé qui se bat avec un sac de vidanges qui pogne dans le vent en essayant de rentrer les mottons de feuilles dedans avec une permagoutte de morve sur le bord du nez qui revient tout le temps peu importe le nombre de fois que je l'essuie avec ma mitaine.

Durant la saison des vendanges, il est aussi impossible de se commander un café sans qu'un commis trop motivé essaie de vendre un de ses foutus produits aux épices d'automne et à la citrouille. Tsé, la citrouille... La pire de toutes les courges. Celle qu'on déteste tellement collectivement qu'on l'utilise juste comme décoration.

Comme toutes les saisons, l'automne comporte son lot d'activités qui lui sont propres :

1. **Aller aux pommes :** passe-temps que personne n'aime vraiment, qui consiste à rouler en char plus de 20 minutes – c'est-à-dire beaucoup trop longtemps – pour aller cueillir soi-même, pour plus cher, un fruit disponible À TOUS LES COINS DE RUE. Certains pomiculteurs offrent même de passionnants tours du verger dans une remorque tirée par un tracteur, pointant des pommiers qui ont tous l'air identiques en namedroppant une fois de temps en temps, d'un air blasé, des sortes de pommes. Comme si on voyait la différence entre une Macintosh et une Honeycrisp. C'est rond, pis c'est rouge.

2. **La chasse :** activité que l'humain moderne pratique prétendument dans le but de renouer avec la nature primitive et sauvage de ses ancêtres en s'équipant d'une caisse de 24, d'un VTT et d'un *suit* de camouflage badigeonné de pipi pour aller tirer du *gun*. Par souci de sécurité, le Rambo de fin de semaine avec une haleine de 50 ajoutera un dossard fluo à son camouflage qui, finalement, une fois ledit Rambo bien dissimulé dans un trou, lui donnera l'air d'une brigadière qui joue à la cachette.

Et finalement, pour les enfants :

3. **Se faire un scrapbook de feuilles mortes :** pour mener à bien cette activité automnale, il faut, dans un premier temps, ramasser de jolies feuilles mortes de toutes sortes. Ensuite, on doit les coller dans un scrapbook et, finalement – et c'est l'étape la plus importante – ne plus JAMAIS regarder le scrapbook en question pour le sacrer aux vidanges cinq ans plus tard ou lors du prochain déménagement.

L'autre option est de presser les feuilles dans un dictionnaire ou une encyclopédie et de les oublier là, jusqu'à la prochaine *game* de Scrabble où on va s'obstiner sur l'orthographe du mot *titine*… C'est *tétine*, en passant.

Avion *n.m.*

Nom masculin désignant un objet de plus de 300 tonnes qui vole miraculeusement dans les airs. Pensez qu'en comparaison, un humain de 200 lb a de la misère à sauter en bas de deux marches sans se fouler une cheville. Cela nous semble une raison suffisante pour respecter les ingénieurs derrières ces magnifiques engins qui nous emmènent en vacances.

Dans l'avion, on trouve toutes sortes de voyageurs. Par exemple :

Les patchoulis citoyens du monde

Eux, ils partent en voyage humanitaire en packsac et n'ont pas pris la peine d'apporter de l'antisudorifique, faute d'espace dans leurs bagages. L'énorme fierté qu'ils trimbalent partout avec eux prend beaucoup trop de place. Une fierté qui vous juge parce qu'eux, cégépiens fendants, peindront des orphelinats dans le tiers-monde alors que vous prendrez des shooters entre les seins d'une barmaid de tout-inclus.

Les jeunes familles

Souvent, autour d'un bébé se trouvent des passagers apeurés à l'idée de passer huit heures avec un bambin qui braille *non-stop*. Il est accompagné de ses jeunes parents qui, en entrant dans l'avion, s'excusent déjà d'avoir amené un nourrisson à bord. Parce qu'ils le savent, ils vont déranger tout l'avion en marchant de bord en bord de l'allée pour essayer de calmer leur poupon. Et tout le monde va se regarder hypocritement avec un sourire qui cache les mots : «Ta yeule, *esti* de bébé!»

Vous y trouverez aussi :

Monsieur chemise courte

C'est celui qui n'a point pris la peine de bien remplir son bagage à main. Il a pris un sac informe qu'il est incapable de faire entrer dans le petit compartiment qui se trouve par hasard au-dessus de votre tête. Il ne se rend pas compte qu'il bloque toute l'allée, empêchant les usagers d'aller s'installer à leur siège. Vous vous ramassez alors avec une vingtaine de personnes qui regardent ce gros épais essayer d'enfoncer son énorme sac à grands coups de poing, les deux bras dans les airs, la petite chemise courte qui remonte, *shakant* ainsi son surplus de bedaine à deux pouces de votre visage alors que vous obtenez un *eye contact* avec son fond de nombril…

Les hommes et femmes d'affaires

Ils sont faciles à reconnaître, car ils sont habillés comme dans les pubs de parfum. Ce sont ceux qui sont déjà beaucoup trop bien installés et que vous accrochez avec votre cul alors que vous traversez l'allée pour aller vous asseoir à côté des chiottes.

Les riches en première classe

Ce sont les seuls qui dormiront confortablement dans l'avion avec leur oreiller, leur couverture et le cossin qui va sur les yeux pour bloquer la lumière. Les maudits riches, toujours beaux, bien placés sur leur siège. Ils ne bavent pas en dormant, les riches: ils fredonnent du Mozart.

Les gens comme nous essayons de dormir entre une Guylaine qui a peur de l'avion et un Raymond qui déborde sur votre appuie-bras. Tout ce qu'il vous reste à faire, c'est de regarder un film d'avion. Le parfait film d'avion est un film que vous étiez curieux d'enfin voir, mais pour lequel vous n'aviez pas envie de payer 20 $ au cinéma. Là, vous venez de payer 800 piasses pour le regarder sur un écran de la grosseur d'une tranche de baloney.

Le commun des mortels fait semblant d'être à l'aise en avion en se félicitant d'appartenir à l'espèce qui a inventé une machine qui vole. Mais dès qu'il y a une turbulence, il se remémore tous les épisodes de *Mayday* avec Gaston Lepage sur Canal D. Il watche par le hublot et imagine les ailes de l'avion en feu, regarde Raymond et Guylaine à côté de lui et se dit: «J'veux pas mourir à côté d'eux autres!»

Mais la plupart du temps, l'avion poursuit son chemin, le calme revient, et le seul et véritable problème est à nouveau ce foutu de bébé qui braille.

B

Baignade *n.f.*

Activité qui, peu importe ton âge, te brûle les yeux à cause du chlore, te ratatine les doigts et te donne des cils en étoile en sortant de l'eau.

Un enfant n'éprouvera généralement aucun problème à se baigner dans une piscine frette aux alentours de 59 °F en plein milieu du mois de mai, tandis qu'un homme adulte entrera lentement dans une piscine chauffée à 85 °F pour ralentir encore plus radicalement lorsqu'il arrivera à la cérémonie du «mouillage de la fourche». Cette cérémonie le fera souffrir le martyre comme s'il s'était saucé le paquet dans de l'azote liquide. Une dame âgée prendra encore plus de temps à entrer dans l'eau parce que Dieu seul sait ce qui pourrait arriver si elle osait mouiller ses sacrés cheveux.

Souvent, le besoin de se laisser tremper dans l'eau survient lors des grandes chaleurs. Soit que l'humain devra économiser plusieurs milliers de dollars dans le but de s'acheter sa propre piscine, soit qu'il gardera son argent et ira se baigner dans une (pas propre) piscine publique. Cette dernière est un véritable nid de microbes. Il ne faut surtout pas se laisser berner par l'apparence trompeuse de ses eaux cristallines: il suffit de regarder dans le filtreur pour constater qu'il contient plus de *plasters*

que l'infirmerie d'une école secondaire. Aussi, conseil aux jeunes dames: tassez-vous de devant les jets, les *lifeguards* le savent ce que vous faites.

Autre option: l'humain s'achètera un spa, qu'il tiendra à 70 °F l'été et à température spaghetti *al dente* l'hiver. Bien que le spa soit très amusant en couple, lorsque vous vous y trempez à plusieurs survient toujours ce moment malaisant où vous frôlerez la jambe de quelqu'un d'autre en faisant comme si de rien n'était. À la fin d'une longue journée d'été, on verra toujours une fine pellicule de crème solaire et de sueur de tout le monde flotter à la surface de l'eau, rappelant un marécage avec de la bave de crapaud.

Jamais à bout de ressources pour se saucer, l'humain pourra aussi se rendre chez ce que l'on appelle des «amis de baignade» pour profiter de leur piscine creusée de luxe. C'est souvent là que l'humain fait la connaissance du monsieur qui connaît trop les piscines; celui qui connaît la différence entre le brome et le chlore, et qui lance toujours un: «Moi, ma piscine est au sel. C'est plus cher, mais ça fait la peau douce.» C'est aussi le gars qui est constamment en sueur sur le bord de la piscine à surveiller l'eau, mais qui ne se baigne JAMAIS! S'il se baigne, profitez bien de ce moment unique et mythique, car c'est sûrement pour replacer le robot qui nettoie le fond de la piscine.

Dans le but de briser le malaise, un baigneur lancera inévitablement la question suivante: «HEILLE, ON FAIT-TU UN TOURBILLON?» Faire un tourbillon est une activité qui consiste à tourner en gang dans la piscine jusqu'à ce qu'un effet de courant se fasse ressentir. Le point culminant de cette activité est atteint lorsque le baigneur se tient après l'échelle à l'horizontale tellement le courant est fort en criant: «Heille, mais y'est vraiment fort c'te courant-là, CHECKE MES PIEDS!»

Pour les puristes ou les amants de la nature, il est encore possible de se baigner comme nos ancêtres, c'est-à-dire en plein air, dans un cours d'eau. Toutefois, ce type de baignade n'est pas pour tous. S'il est vrai qu'à première vue, l'idée de se baigner dans un lac ou dans une rivière peut sembler alléchante, l'humain désireux de se rafraîchir constatera que nos cours d'eau sont en majorité de gigantesques flaques remplies d'une eau brune-gastro dont il est impossible de voir le fond.

Il tentera tout de même l'expérience pour se rendre compte de deux choses:

1. Il n'existe aucune sensation plus angoissante que celle éprouvée alors que ses pieds frôlent un objet indéterminé dans une eau foncée dont il est impossible de voir le fond. Le premier réflexe sera de penser que c'est un requin, mais on vous assure qu'il n'y a pas de requin... dans un lac de Chertsey.

2. Même s'il était persuadé, avant de se baigner dans un lac, de n'avoir jamais totalement compris le sens de l'expression «avoir frette», l'humain parviendra, en à peine quelques minutes d'immersion (même en pleine canicule), à ressentir les symptômes de la rétraction de sa verge vers l'intérieur – ce qui lui fera sérieusement se demander s'il devra apprendre à vivre avec ce tout nouveau clitoris.

En conclusion, il est important de mentionner qu'une fois rendu à l'âge adulte, la baignade entre amis devient un phénomène relativement étrange puisqu'elle consiste, grosso modo, en un groupe d'adultes pas très habillés qui se regardent flotter. Car lorsque l'humain est enfant, son but est d'aller le plus creux possible, alors qu'une fois adulte, l'enjeu sera de rester le plus possible à la surface de l'eau en flottant sur n'importe quelle bébelle achetée à fort prix.

Banlieusard *n.m.*

Nom masculin familier pour désigner un représentant de l'espèce connue sous le nom *Homo bungalus*, qui signifie, en vieux latin : celui qui prend son VUS pour aller à malle.

Bien que les raisons de la migration vers la banlieue soient sujettes au débat, les experts attribuent souvent l'exode de l'*Homo bungalus* d'un centre urbain vers les cieux plus cléments de la banlieue au fait qu'il en a plein son truck de la tyrannie de l'empereur Coderre et de la mégalomanie du pharaon Ferrandez 1er. L'*Homo bungalus* y serait un jour allé d'un shakespearien « *FUCK THAT SHIT…* Mascouche, *here I come* ! »

Ses amis l'interrogeront d'abord sur sa décision de s'exiler dans ce *no man's land* à 28 km de Montréal. Puis, ils se résigneront à lui faire leurs adieux puisqu'il leur sera impensable de payer les 6,50 $ d'essence pour aller le voir en ces terres interdites, situées de l'autre bord de la 25.

Les premières étapes de l'exode vers la banlieue consisteront à spotter ce qu'on appelle la Sainte Trinité banlieusarde, soit : le centre d'achats[1], le Costco[2] et le Canadian Tire[3], qui, à eux trois, suffiront à combler ses moindres besoins.

Dans le but de mieux communiquer avec ses semblables et de se mélanger à eux, le néo-banlieusard aura avantage à apprendre certains mots du dialecte *bungalus,* tels que :

- Pergola
- Thermopompe
- *Backwash*
- Drain français

Attention. Il est important d'agir avec précaution pour éviter d'effrayer les autres banlieusards. L'aspirant *Homo bungalus* devra faire preuve de retenue afin de ne pas trop se montrer différent, ce qui risquerait de causer son rejet par la tribu. Il lui est donc recommandé de faire comme le troupeau et de s'abonner au *Journal de Montréal* pour être certain d'avoir, lors des discussions, son grain de sel d'opinion préchiée concernant l'actualité. La phrase « J'pas raciste, mais… eux autres, j'pas capable ! » deviendra un passe-partout utile.

Par exemple, lorsqu'un voisin évoquera quoi que ce soit par rapport à l'islam, il lui suffira d'orienter la conversation pour qu'elle se termine de la manière suivante :

« Entéka… Moé, j'pas raciste, mais… eux autres, j'pas capable. »

Une fois bien intégré à la tribu, l'*Homo bungalus* sera initié aux savoirs mystiques de la banlieue. Il apprendra tous les secrets de l'art ancien et vénérable de l'alchimie du pH de sa piscine et il saura tout sur les 1000 variétés de gazon qui existent sur le marché.

Enfin, il ne saura jamais exactement ce que ça veut dire, mais lors d'un party de cour, tel un Confucius en tablier de totons, il devra fièrement déclarer : « C'te barbecue-là, c'tun 60 000 BTU ! »

---

1   Voir *centre d'achats*, p. 37.
2   Voir *Costco*, p. 50.
3   OK… Avez-vous vraiment besoin qu'une note de bas de page vous dise quoi faire ?

Banque *n.f.*

Établissement utilisé pour aller stocker ou retirer ton argent. Dans le but d'accommoder sa clientèle, est ouvert une fois de temps en temps, à des heures pas possibles – genre deux heures par jour, quand ça lui tente, juste dans les années bissextiles. Bref, jamais quand tu peux t'y rendre, ce qui te fait sérieusement considérer de faire suer ta banque en retirant TOUT ton argent pour le cacher dans ton matelas ou l'enterrer à la Pablo Escobar dans le fond de ta cour.

L'ouverture d'un compte en banque est une étape cruciale pour le jeune humain et aura comme fonction de rendre son argent plus difficilement accessible lorsqu'il entrera dans l'adolescence et voudra tout dépenser pour impressionner les filles aux arcades du cinéma. La responsabilité d'avoir un compte en banque contribue à développer chez le jeune la notion du sacrifice, l'instinct de survie ainsi que la débrouillardise en le forçant à «ne pas manger à la cafétéria avec l'argent que ses parents lui ont refilé mais plutôt garder les bidous pour se payer une cinq de *weed* ou des toppes à l'unité».

Lorsqu'il sera assez mature, le jeune humain pourra se procurer une carte de crédit. Pour les néophytes, une carte de crédit est comme une sorte de petit *shylock* de poche que l'on conserve dans son portefeuille. Contrairement au *shylock* avec des tatouages dans la face qui te casse les jambes pour un 200 $ remis en retard, la carte de crédit, elle, y va plus en douceur en détruisant ta réputation auprès des compagnies de crédit et tes chances de pouvoir un jour t'acheter une voiture ou une maison.

Bowling *n. m.*

Nom masculin désignant un loisir probablement inventé quelque part aux *States* lorsque la population a commencé à manger trop de *junk food* pour pratiquer de vrais sports.

Le bowling est habituellement une activité proposée par la gent féminine qui commence à trouver que les vendredis soir en mou, collés devant *The Walking Dead*, manquent de piment. Elle se lancera alors dans le pire *pitch* de vente :

« On fout jamais rien. On pourrait… Je sais pas… Faire de quoi, sortir de la maison… Aller aux quilles ! »

Il est à noter que la femelle ne trouve pas ça réellement amusant, les quilles. Elle veut juste que le mâle la prenne en photo avec ses souliers de bowling pour son Instagram. Elle sera toutefois surprise, puisque ce qu'on ne voit pas sur les photos Instagram, c'est l'odeur. Des souliers de bowling, ça pue le dépotoir de Mumbai. Oui, ma chouette, des souliers que 300 personnes s'échangent chaque semaine, ça pue. Et il n'y a pas assez de filtres ou de pouch-pouch sur Terre pour camoufler ça !

Loin de nous l'idée de foutre la marde dans le respectable monde des quilles.

Mais mettons qu'on décide de jouer une *game* avec des souliers ordinaires, il se passe quoi, hein ? Y a-t-il une vraie bonne raison pour laquelle on nous force à porter des petits souliers de cuirette laids ? Vus de haut, ils nous donnent l'impression d'avoir des tout petits pieds minces et pointus, comme un danseur de claquettes des années 1920. Ce qui fait en sorte que ça déforme notre *shape* en nous donnant le sentiment d'avoir de trop longues jambes et un cul deux fois plus gros que d'habitude. Cela explique d'ailleurs que l'humain est rarement au top de sa confiance lorsqu'il marche avec ces souliers du diable pour aller se commander des pichets de bière flatte à la petite cantine. En plus, le plancher glissant comme un lac gelé donne l'impression au joueur de quilles qu'il est à un pas de voir un de ses pieds partir en diagonale alors qu'il marche un peu écarté et sans aucune fierté.

Si on apprenait qu'un hectare de forêt amazonienne était détruit chaque fois que l'on joue aux quilles sans souliers de bowling ou que ça donne une fausse couche à une maman dauphin, là, on fermerait peut-être notre gueule et on mettrait les savates sans rechigner.

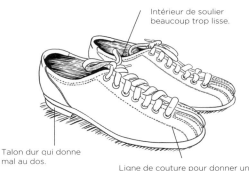

Intérieur de soulier beaucoup trop lisse.

Talon dur qui donne mal au dos.

Ligne de couture pour donner un look italien à un soulier *cheap*.

En attendant, qu'on nous laisse jouer avec nos Converse et notre dignité. Voici les deux sortes de salles de bowling qui coexistent :

1. La *old school*. Un genre de salle d'attente précédant la morgue et remplie de petits vieux qui attendent de mourir dans un décor désuet. Le look délabré et l'ambiance générale font poindre la même question que lorsqu'on entre dans un restaurant Nickels : «Pourquoi ça a pas encore fait faillite, c'te place-là ?!»

Le tenancier de cet établissement (parce qu'il est tellement vieux qu'il mérite le titre de tenancier) a habituellement une tête de Gérard sur un corps de Yoda. Ceux qui disent que les femmes sont meilleures que les hommes pour le *multitasking* n'ont jamais vu un Gérard d'allée de bowling à l'œuvre.

C'est lui qui te fait payer, c'est lui qui te montre comment compter tes points, c'est lui qui te sert la bière et c'est aussi lui qui va en arrière des allées quand les quilles s'entremêlent (immanquablement). C'est aussi lui qui fait les grilled cheese et qui te donne tes souliers… Et plus il est vieux, plus il a de chances de deviner ta pointure juste en te regardant dans les yeux.

Même si ça peut sembler glauque comme endroit, c'est sûrement là que vous aurez le plus de plaisir. Parce que les habitués de la place seront juste contents de voir de nouveaux visages, alors ils vont vous encourager même si vous faites 20 dalots de suite. Et si vous faites vraiment pitié, ils pourraient même vous montrer leur swing du poignet pour faire backspinner votre boule comme un pro.

2. L'autre salle de bowling est un peu moins chaleureuse. C'est la «nouvelle génération» de salons de quilles, plus *high tech* que la *old school*. C'est une machine qui compte vos points. La machine vous permet même de mettre votre nom de joueur de quilles sur un écran de 20 pouces au-dessus de l'allée. Et il y aura obligatoirement un groupe d'ados énervés qui se trouveront drôles parce qu'ils ont nommé un de leurs chums «Pénis Plotte Cul».

Dans ce genre d'endroit, l'éclairage est plus sombre, et il y a souvent des néons ou des *blacklights* qui font que votre t-shirt blanc s'illumine dans le noir, tout comme les pellicules et les traces louches sur vos jeans.

C'est aussi dans ce genre de salle que l'on trouve des soirées disco-techno-laser, parce que rien ne rime mieux avec «techno» que des boules de 10 livres qui frappent un parquet en bois sur une chanson d'ABBA.

(La comprenez-vous ? ABBA… abat… L'équipe du *Petit Roberge un petit peu illustré* s'excuse sincèrement pour ce gag douteux.)

Dans ce type de salle, on trouve souvent des adolescents qui se sont dit que de cruiser dans un endroit où l'on sert de la Slush Puppie bleue, c'est une bonne idée. Mais rendus sur les lieux, ils manquent habituellement de courage, alors les gars se mettent dans une allée et les filles dans une autre, ce qui fait qu'il ne reste que les allées du centre pour jouer au milieu de la «pas de tension sexuelle naissante». Il est vrai que l'on a rarement entendu un ami commencer son anecdote par «on est allés aux quilles» et finir par «c'était la meilleure orgie de ma vie : un moment donné, je crossais quelqu'un, pis je ne savais même pas c'était qui tellement y'avait du monde».

Alors, la prochaine fois que votre douce moitié vous proposera d'aller aux quilles plutôt que de rester confortablement à la maison, faites-lui sentir vos vieilles espadrilles et dites-lui que vos boules préférées sont à la maison.

(Excusez-nous pour celle-là aussi, on essaie de faire rire le plus de monde différent possible.)

Buffet chinois *n.m.*

Désigne un type de restaurant qui sert à passer devant en se disant : « Me semble que ça fait longtemps que chu pas allé dans un buffet chinois. »

En effet, les buffets chinois sont des établissements qui, mystérieusement, semblent – peu importe le contexte économique – tirer leur épingle du jeu en restant ouverts année après année, et ce, même si le Québécois moyen est pas mal certain que la dernière fois qu'il a mangé à cet endroit, Vanilla Ice était à la mode.

Frappé de nostalgie, le Québécois sera tenté de se remémorer une époque plus simple où la gastronomie ne consistait pas à payer 100 $ pour déguster une caille et deux carottes servies sur un morceau de bois dans un resto qui se qualifie d'« urbain ».

Au moment où l'humain passera les portes vitrées du temple des descendants des empereurs Ming, il sera saisi par le fait qu'en 25 ans, la décoration semi-asiatique *cheap,* semi-décors du téléroman *Chop Suey* n'a pas changé d'un poil.

À côté d'un gros aquarium rempli d'eau crottée et plein de poissons tropicaux qui donnent l'impression de pas trop feeler, l'humain attendra qu'une hôtesse qui tient des menus (généralement, c'est la fille des propriétaires, et elle ne semble pas super contente d'être obligée de travailler là) lui assigne une place dans cet élégant espace vide.

Une fois assis, le dîneur promènera son regard sur d'intrigantes photos de drinks qui font de la boucane sur son napperon. Il passera son tour et sera habituellement *over* servi de verres d'eau par une waitress pas chinoise pantoute, qui s'appelle genre Colette et qui fait des ballounes par en dedans avec sa Clorets pour décompresser après avoir servi un autobus rempli de personnes âgées venues téter des pattes de grenouille en ne laissant aucun tip.

Colette posera alors « LA » question cruciale au client :

« Vas-tu prendre le buffet, mon pit ? »

Or, chacun SAIT que l'humanité complète prend TOUJOURS le buffet. D'après les grands livres d'histoire, la rumeur veut que JAMAIS un être humain n'ait commandé QUOI QUE CE SOIT À LA CARTE DANS UN BUFFET CHINOIS. C'est justement pour cette raison qu'il va au buffet.

Le gars qui commanderait quelque chose à la carte dans un buffet chinois serait à peu près aussi mythique que le yéti et le sasquatch.

Le client, fébrile comme un enfant à 6 h du matin un 25 décembre, se dirigera solennellement en direction des petits réchauds, où il se prendra une assiette. Il fera ensuite deux-trois pas, puis se rendra compte qu'il y a comme une *shit* dans son assiette. Il la grattera avec son ongle, reviendra sur ses pas pour se prendre une autre assiette et en examinera une autre, puis une autre – jusqu'au moment où, après en avoir sorti une dizaine de la pile, il s'en trouvera une pas trop pire avant de poursuivre son «aventure chinoise».

Au début, l'individu sera étourdi, voire confus devant ce choix apparemment quasi illimité de nourriture que l'on pourrait qualifier de *so-so*. En réalité, il ne s'agit que d'une illusion. La vérité est que les choix sont plutôt restreints et se divisent en trois catégories :

1. des affaires dans du riz ou des nouilles funky ;

2. des affaires cuites dans panure ;

3. une viande louche qui trempe dans du gras.

Après sa première assiette, le client aura déjà apaisé sa faim. Il se demandera néanmoins s'il n'a pas envie de retourner au buffet. Il se rappellera ensuite qu'au prix que ça lui coûte, «mets-en qu'il va y retourner, au buffet».

Le slogan numéro un des buffets chinois est : «À défaut d'avoir de la qualité, garroche-toé dans la quantité.» L'humain ira même se prendre trois ou quatre desserts pas mangeables pour tenter de mieux faire passer ses portions exagérées du buffet.

Il faut savoir quelque chose d'important sur les desserts des buffets chinois. S'ils sont aussi exécrables, c'est parce que les propriétaires espèrent secrètement que le client se bourre tellement la face dans les *egg rolls* pis les *spare ribs* qu'il ne se rendra pas au dessert. C'est pourquoi au lieu de mettre des desserts comestibles dans leurs présentoirs, ils y mettent du Jell-O pas de goût et des pâtisseries qui sont en réalité un mélange de papier mâché et de calfeutrant à fenêtre.

C'est en faisant des rots chauds par en dedans, émanant des effluves dignes d'une *dump* de Shanghai, que le client se dirigera à la caisse pour payer sa facture. Pris d'un haut-le-cœur occasionné par le trio manger comme un cochon – dessert sucré qui étourdit – viande louche, il se prendra quand même une poignée de bonbons dégueulasses dans un petit pot sur le bord de la caisse en espérant que ça passe !

L'humain qui sort d'un buffet chinois se doit de respecter la cérémonie traditionnelle de l'après-buffet chinois, laquelle consiste à chialer qu'il a beaucoup trop mangé en détachant sa ceinture alors qu'il embarque dans le char.

Oui, un voyage au buffet chinois est vraiment incomplet si vous ne vivez pas la pression de bas du ventre qui vous force à rouler rapidement en faisant vos stops à l'américaine pour aller rejoindre votre bol de toilette en marchant les fesses sorties.

Cadeaux (de Noël) *n.m.pl.*

Nom masculin, malheureusement toujours au pluriel, provenant du latin *caput* – sûrement pour désigner l'état de nos comptes en banque après le magasinage desdits cadeaux.

L'humain commencera généralement par choisir quelque chose pour sa douce moitié, car c'est elle qui risque d'être la plus fâchée s'il l'oublie. Voici donc un extrait de ce qui traversera sa tête en sillonnant les allées d'un centre commercial bondé de gens un 23 décembre. Car, oui, il commence à faire ses emplettes le 23 décembre.

«OK, elle aime les vêtements, j'pourrais y'en acheter, mais je comprends rien dans leurs affaires de grandeurs de linge de madame. "Je porte du 12 ans", ben non, t'as pas 12 ans, madame, t'en as 48. Ah pis si j'y donne la mauvaise taille, j'vais en entendre parler jusque dans ma tombe. Anyway, tout est laitte. J'ai chaud. Y'a trop de monde. J'abandonne. J'vais lui acheter un certificat-cadeau. Elle viendra se choisir elle-même ce qu'elle veut. J'vais même y aller avec elle si à veut!»

C'est à ce moment qu'une petite voix à l'intérieur de lui viendra le gosser, telle une voix de GPS :

«Ouin… Mais ça se peut que ton certificat-cadeau de chez Winners passe mal… J'dis ça de même, mais si ça ne te tente pas d'avoir la discussion sur "y'a plus de spontanéité dans notre couple, j'ai l'impression que tu me tiens pour acquise", ben achètes-y donc pas la même affaire que t'offrirais à matante Odette pour l'échange de cadeaux.»

Désemparé, l'humain errera sans but dans le centre commercial (qui aura prolongé ses heures d'ouverture expressément pour l'accommoder, lui et ses semblables), le temps qu'il prenne son courage à deux mains et qu'il demande à une vendeuse de l'aider, ou simplement qu'il appelle la meilleure amie de sa blonde pour savoir ce qu'elle veut. La suggestion de la meilleure amie est probablement la meilleure option, puisque sa douce moitié le connaît et qu'elle a sûrement prévu ce moment où il aurait juste envie de mourir recroquevillé sous un étalage de chaudrons; bref, cet instant précis où il allait oser appeler sa meilleure amie.

Une fois ce problème réglé, il lui restera à trouver un cadeau pour sa progéniture, ce qui signifie trouver quelque chose d'amusant, qui ne va pas le ruiner et que le petit voisin fendant n'aura pas en version 1000 fois plus cool pour se vanter au retour des vacances des Fêtes.

Il devra aussi trouver un cadeau pour ses propres parents, ce qui est plus facile à dire qu'à faire, parce que : qu'est-ce qu'on donne à des gens qui nous ont donné la vie, qui nous ont élevé et qui nous ont déjà enlevé nos crottes de nez à mains nues ? Si vous trouvez une suggestion intéressante, n'hésitez pas à la faire parvenir à l'équipe du *Petit Roberge un petit peu illustré*.

Et enfin, il y a les cadeaux d'échange de cadeaux. Qu'il s'agisse d'un échange de cadeaux de job ou de famille, ce sera toujours la dernière chose sur la liste, et ce sera toujours choisi à la va-vite.

Voici donc, tel un conte de Noël *full* déprimant qui ne passera jamais à *Ciné-Cadeau,* le triste destin d'un cadeau *cheap* d'échange de cadeaux.

Le cadeau *cheap* ouvre pour la première fois les yeux pour se rendre compte qu'il se fait charrier sur le tapis convoyeur d'une *shop* pas *legit* de Hong Kong. Il croise le regard d'un petit humain... un enfant. Il essaie tant bien que mal d'appeler à l'aide, mais aucun son ne sort de son petit corps de plastique. De petites mains l'agrippent fermement, lui mettent deux batteries triple A dans le cul avant de l'enfermer dans une boîte dans laquelle il étouffe, puis s'évanouit.

À son réveil, il est dans l'obscurité la plus totale d'un conteneur qu'un bateau transporte jusqu'à sa prochaine destination : un Walmart de Joliette. Dès son arrivée, un rayon de lumière aveuglant entre par la fissure laissée par l'exacto d'un quelconque assistant-gérant qui, en défaisant sa commande, le sort sans ménagement de la grosse boîte dans laquelle il était paqueté pour le mettre sur une tablette. Pour la première fois de sa «vie», il voit son reflet dans l'emballage de la gogosse à côté de lui et comprend qu'il est en réalité un petit ventilateur poche qui fait un peu de vent.

Peu de temps après, un humain pressé, en Canada Goose, l'agrippe sans le regarder puis le lance sur le comptoir. Une voix féminine de madame qui fume trop se fait entendre : «Ça va être 20 $, s'il vous plaît», ce à quoi le pressé répondra : «C'est correct, la limite, c'était 25 $!»

Une fois de plus, le cadeau *cheap* est plongé dans les ténèbres, cette fois-ci celle d'un sac-cadeau, parce que l'humain est trop *cheap* ou tout simplement pas capable de faire des beaux emballages comme ceux de sa blonde.

Le soir même, il entend les bruits réconfortants d'une musique festive, de gens qui s'amusent et de rires d'enfants. «Peut-être connaîtrai-je enfin le bonheur», se dit-il.

Il sentira une main prendre le sac dans lequel il se trouve, puis sentira cette même main fouiller à tâtons avant de l'agripper. Espérant croiser le regard d'un ami, le cadeau *cheap* sera un court instant rempli d'espoir. Hélas, au lieu de trouver le visage bienveillant d'un être humain prêt à lui ouvrir son cœur, le cadeau *cheap* sera plutôt confronté à une face de Guylaine qui ne tripe pas tant que ça et qui laissera échapper un «ah euh... wow...» mal à l'aise.

Toutefois, une longue vie attend le cadeau *cheap* : six mois dans la valise du char pas déballé, deux ans dans le fond d'un garde-robe, puis 10 ans d'affilée à être à vendre 50 cennes dans des ventes de garage avant de finalement finir aux vidanges après que son dernier propriétaire eut hésité longuement en se demandant si ça allait dans le recyclage ou non, un petit ventilateur qui fait un peu de vent.

Camping *n.m.*

Nom masculin désignant une activité récréative réalisée en plein air et inventée par le citadin pour aller chiller dans les bois. Cette activité consiste grosso modo à quitter le confort intérieur de son chez-soi pour aller dormir dans du pas-confort extérieur loin de chez soi et potentiellement dangereux.

Le citadin dormira alors dans ce qu'il appelle une tente, mais qui pourrait aussi s'appeler housse-en-nylon-trop-frette-la-nuit-et-qui-se-transforme-en-un-insupportable-sauna-le-lendemain-matin.

Pour une raison obscure, certains humains ressentent le besoin de se rapprocher du mode de vie ridicule de leurs ancêtres nomades. Ils n'ont comme pas compris que les théories de Darwin, c'est censé être *one-way*. Ils se feront alors croire qu'ils sont des sauvages survivant dans la nature, vivant d'eau fraîche et des fruits de la chasse, quand dans le fond ils ne sont que des épais munis d'un iPhone qui chialent parce qu'ils n'ont pas de réseau et qui ont comme **seule responsabilité** d'uriner sur le feu pour l'éteindre avant de quitter le site.

Le soir venu, les campeurs s'agglutineront en effet autour d'un feu de camp où ils pourront faire cuire des guimauves pour se rendre compte qu'après deux, c'est foutrement dégueulasse, des guimauves. Ils mangeront aussi des saucisses à hot-dog calcinées en dehors mais encore frettes dans le milieu en fredonnant à peu près les paroles d'une toune de Piché.

L'une des raisons qui pourraient pousser le campeur à écourter son séjour est le fait que chaque fois qu'il essaie d'aller faire sa grosse besogne matinale, il doive le faire dans les bécosses. (Des bécosses sont en fait un genre de cabine d'essayage dans laquelle tu poses ton péteux dans un trou gossé dans une feuille de gyproc.) En effet, le campeur pourrait être rebuté par la présence de toiles d'araignées et de perce-oreilles. Il pourrait aussi être habité par l'étrange sentiment qu'une créature pourrait lui mordre le cul à tout instant. Bref, le genre d'endroit tellement puant qu'il préférerait juste faire ça dehors, accroupi derrière une grosse roche en s'accrochant de son mieux après un arbre pour pas salir ses shorts.

Attention. Il ne faut pas mélanger «aller en camping» et «aller dans UN camping». Si le premier rapproche davantage de la nature, le second, lui, s'apparente plus à la vie de banlieue. Le camping de ce genre limite considérablement les risques liés à la cohabitation avec des animaux sauvages, mais augmente de façon significative tes chances de croiser un bonhomme chaudaille que tout le monde appelle genre «Ti-Mike» et qui va venir te demander, dans son kart de golf, si ça te tente d'embarquer dans son tournoi de *washer*.

Ce type de camping est aménagé sans AUCUNE logique. À ce jour, les plus grands scientifiques de ce monde ne comprennent toujours pas ce mystère de Winnebago cordés comme des maisons de banlieue peuplé d'organisatrices de moitié-moitié, de monsieurs qui font du cholestérol, d'enfants en pyjama qui courent partout et de gens trop à l'aise de se promener en public avec leur papier de toilette dans les mains.

Si vous aimez faire dodo sur des petits matelas pas de *springs* et danser la macarena avec une quinquagénaire *willing* d'enlever son partiel pour faire des blagues, vous allez adorer aller dans UN camping.

Si vous êtes prêt à fouiller dans une glacière transformée en piscine pour déjeuner à la Carling en puant le swing dans vos joggings, vous êtes prêt pour faire DU camping.

Dans les deux cas, attention aux ratons laveurs. Ces bêtes-là sont féroces et n'hésiteront pas à vous déchiqueter pour manger votre restant de saucisses à hot-dog crues.

Canadian Tire *n.pr.*

Nom propre désignant une chaîne de **très grands magasins** spécialisés dans la vente de… d'à peu près tout ce qui existe sur la planète! C'est un endroit où l'humain peut folâtrer en s'enivrant de la réconfortante odeur du *rubber*.

Le Canadian Tire peut répondre sans problème aux besoins de tous. Il est possible de s'y procurer un Magic Bullet, une arbalète, un set de patio, une paire de salopettes, des luminaires, des balles de 12 ou de la terre pour vos plantes, le tout pendant qu'on change vos pneus.

Il n'y a rien de plus canadien que de franchir les portes automatisées d'un Canadian Tire en sirotant son café Tim Hortons, surtout au moment où l'on contourne une pyramide de rondelles de hockey. La seule chose qui pourrait s'en approcher serait de surprendre en flagrant délit le chanteur de Nickelback en train d'embrasser sensuellement Wayne Gretzky sous les chutes Niagara.

Le temps s'arrête quand on entre dans un Canadian Tire. À un point tel que l'humain entendra à peine la dame à l'entrée qui lui demande, d'une voix fatigante :

« Seriez-vous intéressé à avoir une carte de crédit du magasin ? »

Fait intéressant: le Canadian Tire est l'une des seules chaînes de magasins à produire sa propre devise. Le banlieusard les accumule pendant 12 ans pour enfin finir par avoir 5 $…

Mais il ne s'en servira jamais puisque chaque fois, il réalisera à la caisse qu'il a oublié sa liasse dans le tiroir à la maison.

Tel un enfant dans une confiserie, l'humain adulte ne sait plus où donner de la tête, tellement son cerveau est stimulé par l'offre de produits merveilleux dont il ignorait jusqu'à maintenant l'existence.

Comment a-t-il pu vivre si longtemps sans savoir qu'il y avait sur le marché un genre de sifflet qu'on peut mettre sur son *hood* de char pour éloigner les chevreuils ?

Comment a-t-il pu effectuer des travaux manuels toute sa vie sans connaître l'existence du tournevis avec une lumière et un p'tit aimant au bout ?

Avec l'euphorie du jeune amant qui dégrafe le soutien-gorge d'une jouvencelle, il plongera sa main dans l'une des grosses bennes près de la caisse pour pouvoir examiner de plus près les divers produits qui s'y trouvent, telle cette *flashlight* que l'on peut plier dans tous les sens.

Il lira l'emballage avec autant d'intérêt qu'un érudit se délecterait d'un classique de la littérature, le souffle court à cause de toutes les choses merveilleuses que ce chef-d'œuvre de lampe de poche peut supposément faire.

Ému, il ne saura retenir les larmes qui naîtront au coin de ses yeux en apprenant qu'il peut même la congeler dans un bloc de glace et rouler dessus en 4 x 4 sans qu'elle se brise…

Le plus beau, lors d'une visite au Canadian Tire, c'est que le tout se déroulera dans la plus grande tranquillité puisque le client ne verra pas l'ombre d'un commis. Les mauvaises langues et les cyniques y verront une faille dans le service à la clientèle, mais l'amoureux de Canadian Tire saura, lui, que les employés, dotés d'un grand respect, préfèrent le laisser effectuer son pèlerinage le plus sereinement possible.

Comme l'étoile qui appelait les Rois mages vers la crèche à Bethléem, le logo, ce triangle rouge marqué en son centre d'une feuille d'érable verte qui ressemble à une décoration de Noël, propage un message d'espoir à tous les êtres qui ressentent le besoin de venir flâner dans l'un des meilleurs magasins du monde!

Centre d'achats *n.m.*

Nom masculin qui définit un bâtiment contenant des boutiques, une fontaine remplie de cennes noires et un espace appelé foire alimentaire (*food court*) où se réunit le staff de tous les magasins pour manger un wrap au poulet avec deux choix de salade baignant dans la mayo.

Le *food court* est l'endroit par excellence pour rencontrer des personnes âgées qui aiment se regrouper six heures avant l'ouverture des commerces pour gratter des gratteux en tétant un café dans un *cup* en styromousse. Cet endroit précis du centre d'achats est l'équivalent des cimetières à éléphants, où les plus vieux animaux viennent flâner avant de mourir.

Engrenage majeur dans l'économie nord-américaine, le centre commercial, avec ses multiples boutiques, est un important pôle d'emploi – principalement pour les adolescents. Au cours de ces années d'expérience fondatrice, ils apprennent entre autres que le service à la clientèle, c'est de la marde. Les centres d'achats emploient aussi plusieurs Ginette – leur permettant ainsi de payer leurs faux ongles – et des douchebags, qui s'achètent ainsi des jeans avec trop de motifs. Pour ces spécimens, travailler dans un centre commercial est le troisième choix de carrière le plus populaire juste après barman/barmaid et participant/e de téléréalité.

Le vendeur est un prédateur facilement reconnaissable à différents cris, dont les plus familiers sont «Est-ce que je peux vous aider?», «Est-ce que tout est beau ici?» ou encore le fameux «J'ai pas votre grandeur, mais je peux appeler dans une autre succursale pour voir s'ils l'auraient pas».

Certaines boutiques branchées préfèrent une autre approche en engageant des commis *hipsters* appartenant à l'espèce des «ch'tellement *nice* et branché que ch'te méprise, sale paysan». Cette approche sert à donner l'impression au client que le commis est un être supérieur qui lui accorde une faveur en l'éclairant de ses goûts avant-gardistes pour lui vendre un jacket fait par des enfants du tiers-monde et un t-shirt de Mumford and Sons.

Il te fait quasiment un honneur en te laissant payer pour tes articles avec ta vulgaire carte de débit, alors que lui fait sûrement du troc avec des bières de microbrasserie et de l'huile pour la barbe. Mais dans le fond, tout le monde se tanne un peu de son attitude de marde, pis c'est le magasin où les gens se sentent le moins coupables de faire du vol à l'étalage.

Or, il ne faut pas en vouloir au commis *hipster*: il a l'excuse d'appartenir à une espèce que l'on trouve beaucoup trop à Montréal, ceux que l'on appelle les «ch'tellement *nice* et branché que tu devrais te compter chanceux de respirer le même air que moé».

Doté d'un toit, le centre d'achats offre une excellente protection contre les intempéries, ce qui occasionne, par jour de grisaille, l'apparition d'une autre espèce que les consommateurs: les ouèreux.

Le ouèreu, même s'il fréquente le centre d'achats, n'a aucunement l'intention d'y dépenser ses bidous. Il vient pour faire déballer des CD et les écouter sans les acheter, essayer tous les échantillons de cosmétiques possibles à la pharmacie, triper sur les kiosques de *buckles* de ceinture installés dans les allées et utiliser le Wi-Fi gratis du *food court* pour regarder des compilations de batailles sur YouTube bien écrasé dans les fauteuils à massage en étant surpris qu'à un moment donné, ça se mette à sonner parce qu'il ne met pas d'argent dedans.

C'est le 1er novembre à minuit et une que le Walmart (*big boss* de la fin si les centres commerciaux étaient des jeux vidéo) sort ses décorations de Noël, donnant le coup d'envoi pour que le centre commercial entre dans sa phase la plus active : le TEMPS DES FÊTES!

S'il sert habituellement aux parents à montrer à leur ado comment conduire manuel, et ensuite à l'ado à faire du *break* à bras le soir pour impressionner des filles avec des t-shirts Ferrari, le stationnement du centre d'achats prend, pendant le temps des Fêtes, des allures de cauchemar post-apocalyptique.

L'humain moyen ira de grandes déclarations telles que :

«Tasse-toé, le crotté, j'ai vu ce parking-là en premier!»

«C'parce qu'habituellement, y'a des lignes pour dire où se parker, pis là ben la neige, à cache les lignes!»

Ces lignes recouvertes de neige donneront l'impression à tous les *wannabe* Mad Max de banlieue que c'est correct de se stationner comme un cul. Genre en diagonale sur un banc de neige ou dans un espace réservé aux personnes à mobilité réduite.

Mettons que tu ne dois pas être en haut de la liste du père Noël si t'obliges des personnes handicapées à magasiner de chez elles sur Internet parce que tu te stationnes tout croche à leur place réservée. L'équipe du *Petit Roberge* souhaite à tous ces sans-cœur d'être sur le bord d'éternuer pour le restant de leurs jours. Genre de se promener la tête relevée, les yeux à moitié fermés avec le nez qui chatouille et les narines gonflées 24 heures sur 24, 7 jours sur 7.

À l'intérieur du centre commercial, rien ne va plus et ça ne s'appelle pas «la magie de Noël». Le chaos règne et la bête prend le dessus sur l'homme soi-disant civilisé. La mère, normalement douce et attentionnée, est inexplicablement prise du désir de faire une jambette à la madame qui marche pas assez vite en avant d'elle.

Le père, parti de son bord pour acheter le cadeau de la mère, sue comme un cochon dans son *coat* d'hiver en affichant le regard fou de Jack Nicholson dans *The Shining* tandis qu'il cherche un commis dans les allées pour qu'il lui explique la différence entre deux modèles d'extracteurs à jus.

Les enfants qui ont attendu toute l'année pour se faire prendre en photo avec le père Noël braillent en se rendant compte qu'un gros barbu habillé en rouge, finalement, ça fout la chienne. Mais le petit humain peut brailler comme il veut, les parents le forceront à aller sur les genoux du barbu pareil. De toute manière, qu'est-ce que ça fait qu'il soit traumatisé? L'important, c'est que la famille voie que vous avez les moyens de vous payer une photo Polaroïd à 47 $.

Tout ça sous les regards amusés des gratteux de gratteux et des téteux de café, qui, pour une fois dans l'année, ne sont pas les plus ridicules du centre d'achats.

Chat *n.m.*

Désigne l'animal de prédilection des dépendants affectifs incapables de se caser.

Mammifère carnivore domestiqué qui se trouve aussi à l'état sauvage, souvent derrière chez vous, dans une ruelle, dans la nature ou dans le mélange à dumpling d'un buffet chinois pas *legit*.

Il possède un museau court et arrondi, ainsi qu'une morphologie de pédant qui laisse transparaître un non-respect sans borne. La preuve : il viendra se lécher la rondelle sous votre regard pendant que vous lunchez, le tout en vous fixant directement dans les yeux. Il peut aussi uriner dans votre sacoche, sacoche que vous utilisez habituellement pour magasiner **SA** nourriture. Si un chat pouvait parler, la seule phrase qu'il ronronnerait en boucle serait :

« J'en ai rien à chier de toé. »

Le chat est un animal hypocrite et démoniaque qui, selon les théoriciens du *Petit Roberge un petit peu illustré*, veut exterminer la race humaine. La preuve : les femmes enceintes ne peuvent même pas changer la litière d'un chat, parce qu'il y a des genres de bactéries dans leur caca qui pourraient leur faire faire une fausse couche.

C'est vrai. C'est un fait, ils en ont parlé à l'émission *Découverte* à un moment donné.

Le chat se fera aussi un plaisir de scrapper tous vos meubles avec ses petites griffes ; il grimpera sur votre table de salon pour vous cacher la télé pendant que vous regardez un film ; il ignorera constamment vos :

« Descends de d'là, Choupette, j'ai dit non. Descends ! Choupette, descends ! »

Il se fout des ordres et vous fixe droit dans les yeux jusqu'à ce que vous leviez l'arrière-train et que vous ayez fait la moitié du chemin pour rien.

Car, oui, le chat est assez intelligent pour comprendre les ordres et tel un adolescent, il choisit simplement de ne pas les écouter.

Dans son plan démoniaque qui vise à exterminer l'humain, le chat a prévu être actif environ 3 heures sur 24, et ce, au beau milieu de la nuit, pendant votre ti-dodo réparateur, histoire de s'assurer que la fatigue vous affecte le lendemain au travail, que vous ne soyez plus efficace et que vous perdiez votre emploi.

Il profitera pleinement de ce moment nocturne pour vous gosser royalement avec TOUT ce qui peut faire du bruit dans votre maison, de la petite corde de vos stores jusqu'à une simple facture qui traîne par terre. S'il peut faire du bruit, il le fera.

Au printemps, la chatte ira tempérer ses chaleurs en émettant un miaulement lancinant et en se frottant la noune sur votre sectionnel à 4000 $.

Pour ce qui est du mâle, durant ses chaleurs, il vaporisera vos meubles d'une urine remplie de phéromone odorante, pire qu'un motton de cheveux qui brûle sur une montagne de marde. Et qui passera des heures à essayer d'éliminer cette odeur, même s'il n'a pas dormi la nuit dernière parce que minou a décidé de courir le marathon sur ses couvertes ? Vous !

Car n'oubliez jamais sa doctrine :

« J'en ai rien à chier de toé. »

Vivre avec un chat, c'est exactement comme vivre avec un tout petit coloc bipolaire. Une seconde, tout va bien, il dort sur le bord de la fenêtre. Puis, d'un coup sec, il se lève, s'étire, court un peu partout et vient se recoucher sur votre clavier d'ordinateur pendant que vous essayez de travailler.

D'un autre côté, le chat est un animal qui nécessite peu d'entretien. On n'a pas desoin de le promener dehors : il s'occupe de marcher tout seul une fois de temps en temps, entre ses 87 siestes quotidiennes. Il choisira d'ailleurs, pour s'exercer à passer entre vos jambes, le moment précis où vous marchez avec une assiette de bouffe ou un verre plein. Il adore vous fixer lorsque vous êtes sur le trône, vous foutre ses pattes dans le visage quand vous dormez et gosser avec une boîte de carton gratuite alors que vous lui avez acheté pour 460 $ de modules.

Fait divers : en 1954, dans la ville de Hillsboro, en Oregon, un chat de type *american short hair* aurait sauvé plus d'une centaine de vies en courant dans les corridors de l'orphelinat du père Andrew et en émettant un miaulement strident pour avertir les occupants qu'un feu faisait rage…

CE N'EST PAS VRAI ! NON ! Il ne se rendait sûrement même pas compte qu'il y avait un feu. Il voulait juste garder des orphelins éveillés après avoir déféqué dans les casseroles de gruau… parce qu'il n'en a rien à chier de toé !

Chien *n.m.*

Désigne un mammifère caractérisé par sa domestication, son excellent odorat et sa capacité à se nettoyer le pinceau avant de lécher le visage de vos enfants. De multiples races de canidés existent. Elles varient de «Wow! Regarde, un majestueux golden retriever» à «Honnêtement, une chance que tu m'as dit que c'était un chien parce que pour vrai, je ne différenciais pas sa tête de son cul».

Cette grande variété au sein de l'espèce canine explique entre autres pourquoi certains chiens ont des déformations génétiques qui font que chacune de leurs respirations fait le bruit d'un gros souffrant d'apnée du sommeil, mais aussi pourquoi certains chiens peuvent *fitter* dans une sacoche ou que d'autres ont l'air d'un croisement entre un loup et un pouf de salon.

De garde, il ne sera guère effrayé par quatre dangereux voleurs armés jusqu'aux dents qui s'introduisent chez vous; il donnera sa vie pour sauver sa famille adoptive, mais un seul coup de tonnerre suffira à le faire pleurer et aller se cacher sous un lit en faisant des pipis nerveux. Le chien est une créature capable de gruger après un os de steak, mais qui peut passer à deux doigts de la mort à cause de simples petits bouts de chocolat noir. Il est doté d'une grande intelligence, peut détecter de la drogue dans des valises et mener les aveugles à bon port, mais malgré ses merveilleuses aptitudes, il peut aussi se retrouver chez le vétérinaire parce qu'il a mangé des Q-tips.

Par le passé, le chien domestiqué fut utilisé dans le but de faciliter diverses tâches dont l'humain devait jadis s'acquitter lui-même, comme chasser, surveiller les troupeaux et sniffer les fourches pour déterminer «qui c'est qui est dû pour se laver».

D'ailleurs, ce réflexe serait resté chez plusieurs membres de la gent canine. Ce fléau serait responsable de l'embarras que ressentent plusieurs jeunes hommes déjà pas *full* à l'aise de rencontrer leur nouvelle belle-famille pour la première fois et qui doivent composer avec un caniche royal nommé Gucci ne pouvant pas s'empêcher de leur sniffer le lunch tandis qu'ils essaient d'avoir une conversation avec leur nouveau beau-père.

Ne pas aimer les chiens est un phénomène extrêmement tabou en société. Il est même presque impossible d'avouer que vous n'aimez pas ces bêtes. Il serait préférable et mieux vu de pousser par terre une rangée d'enfants rattachés ensemble par une petite corde rouge lors de leur promenade de CPE que de dire en public que vous n'aimez pas les chiens.

Malheureusement, l'humain a tendance à faire preuve de beaucoup plus d'empathie pour son toutou (qui abîme les meubles et défèque dans son lit pour démontrer son mécontentement) qu'avec ses personnes âgées qu'il laisse dans leur couche pleine au CHSLD.

On dit souvent que le chien est le meilleur ami de l'homme... Un genre d'ami qu'on regarde des fois frotter longuement son cul sur le tapis du salon, mais un meilleur ami pareil!

Cinéma *n. m.*

Désigne un genre d'amphithéâtre rempli de grosses télés dans lequel, pour une étrange raison, l'humain ressent le besoin de s'asseoir avec des inconnus dans le but de regarder une vue avec des explosions quand il pourrait très bien faire la même chose seul, tranquille, chez lui, uniquement en bobettes, en se grattant l'entrejambe.

Si, par le passé, aller au cinéma était une sortie accessible à tous, ce n'est malheureusement plus le cas à notre époque.

Aujourd'hui, un spectateur doit donner l'équivalent de son poids en pièces d'or, son pancréas et, si le film est en 3D, un petit 5 $ de plus pour emprunter des lunettes sales qu'il redonnera après le film. S'il s'agit d'un film en IMAX, c'est encore pire. Les propriétaires financent ainsi les études universitaires de leur descendance pour les siècles à venir.

Une fois le don d'organe fait à la billetterie, le spectateur se dirigera vers le kiosque à friandises avec l'idée fixe d'acheter le strict minimum. Cependant, une fraction de seconde plus tard, sans qu'il sache trop comment, le commis ado à la caisse l'aura convaincu de prendre un combo aussi cher qu'il en coûte pour fuller un Winnebago de la meilleure essence sur le marché. Le combo sera constitué d'un popcorn format piscine olympique, d'un baril de liqueur, d'un sac de Skittles, d'une palette de chocolat, d'un hot-dog, d'une pointe de pizza, de M&M's pis de 50 cennes d'extra beurre sur le popcorn.

Pas pire capacité de vente pour un adolescent dont le *name tag* stipule que son film préféré, c'est *Zohan*, soit la mauvaise comédie d'Adam Sandler qui coupe des cheveux.

Peu fier de sa *shot*, le «cinéphile» tentera de se rassurer en se disant que ça va être correct et qu'il ne lui suffira que de faire un peu plus de sport cette semaine.

Même s'il sait qu'il aura de la misère à passer au travers de cette scandaleuse quantité de friandises, le spectateur aux mains pleines, désireux de ne pas perdre un seul grain de popcorn, s'empressera de MANGER IMMÉDIATEMENT le popcorn qui dépasse du sac, avec une technique appelée «rien qu'ak la yeule», lui donnant un air qui n'est pas sans rappeler celui des animaux du Parc Safari qui se bourrent la face dans la moulée.

Le spectateur, aux mains loadées de cochonneries, aura pris la précaution de soigneusement placer son billet entre l'index et le majeur de la main avec laquelle il tient sa boisson gazeuse pour le tendre du mieux qu'il peut à un autre employé de 17 ans, question que celui-ci le déchire. Pour des raisons inconnues, ce poste est souvent confié à l'employé du cinéma qui a le moins de charisme, le plus d'acné, qui n'a pas encore terminé de muer et dont le film favori est *Deuce Bigalow : European Gigolo*.

«Salle 7, troisième porte à votre gauche, bon film!»

Une fois dans la salle de projection, il est possible de croiser différents types de cinéphiles :

1. Monsieur/madame «Ouais, j'ai une tite vessie pis je pisse 12 fois, mais je m'assois pareil dans le milieu, faque lève-toé sinon mon péteux va frôler ta face».

2. Monsieur/madame «Ouais, j'ai des kids hyperactifs et je ne suis pas capable de les gérer quand ils courent dans les escaliers pendant le film pis qu'y fessent dans le dos de ton siège ; deale avec».

3. Monsieur/madame «Ouais, je suis louche, pis même si y'a 200 sièges libres, je viens m'asseoir juste à côté de toi en respirant fort, pis des fois mon coude effleure le tien».

4. Madame «Ouais, j'ai un bébé naissant qui pleure, *so what*, c'est pas vrai que c'est ça qui va m'empêcher d'aller au cinéma parce que MOI, J'AI DONNÉ LA VIE».

5. Les adolescents. Eux, pour la première fois de leur vie, ils n'ont pas eu besoin de leurs parents pour se rendre au cinéma ou pour payer leur billet, donc la salle de cinéma leur appartient. Faque si t'aimes pas ça qu'ils checkent leur téléphone ou qu'ils parlent entre eux, deale avec.

Si les frères Lumière avaient pu voir tout ça d'avance, on aurait pu lire sur leur *name tag* : «D'la marde, le septième art, bourre-toi de cochonneries en regardant des mauvais films d'Adam Sandler.»

Cochonneries *n.f.pl.*

Sous-catégorie alimentaire qui est à la nourriture ce que la téléréalité des Kardashian est à la culture… C'est vide, on s'haït un peu de consommer ça, mais comme un gros sac de Lay's aux *pickles*, une fois qu'on commence, c'est extrêmement difficile d'arrêter.

Dans la Grèce antique, lorsque les philosophes – étendus en toge blanche qui laissait entrevoir l'aréole de leurs mamelons velus – étaient blasés de se faire nourrir de raisins par des adolescents au torse nu, ils se rendaient à la ruche la plus proche pour y plonger leurs gros doigts pleins de bagues dans le but d'en extirper le précieux miel.

Contrairement à ce qui se passe avec les cochonneries contemporaines, le sucre et les calories du miel étaient rapidement éliminés, car les philosophes devaient par la suite se battre pour rester en vie. Comme le disait Platon, ils devaient «piquer une astie de course» dans le but de fuir un essaim d'abeilles en maudit. Manger des cochonneries, à l'époque, faisait donc indirectement maigrir.

Durant le Moyen Âge, le savoir de l'Antiquité fut perdu lors de la chute de Rome aux mains des horribles Wisigoths. Le monde bascula alors dans une période de grande noirceur, où les seules cochonneries que les gens pouvaient s'offrir lorsqu'ils allaient assister à des spectacles d'incinération de sorcières étaient des rats grillés sur des bâtons, soit l'ancêtre du pogo contemporain.

Si la cochonnerie moderne met plusieurs années à nous tuer, il ne fallait pas plus de trois-quatre bouchées de rat sur un bâton avant de pogner la peste noire – ce qui n'était pas souhaitable, bien sûr, pour l'industrie de la cochonnerie, qui tentait alors de se tailler une place sur le marché.

Il faudra attendre l'invention accidentelle de la tire Sainte-Catherine pour avoir une collation sucrée digne de ce nom. Elle fut créée au XVIIe siècle par des religieuses qui mélangeaient tout ce qui leur tombait sous la main pour se faire une mixture gommante, histoire de s'épiler les jambes avant d'aller clubber dans le sous-sol d'une église louche.

D'ailleurs, dans un vieux magazine *Coup de pouce* de 1658, un palmarès des 10 affaires les plus tendance de l'année nous informe que «manger de la tire Sainte-Catherine» figurait en troisième place, juste derrière «mourir de vieillesse à 32 ans» et «pogner le scorbut».

Au cours des 300 années qui suivirent, l'industrie de la cochonnerie connut un immense boum, plus précisément au XXe siècle avec l'émergence de la classe moyenne. Après la Seconde Guerre mondiale, l'industrie automobile grandissante amena la création des banlieues et, par le fait même, contribua à la naissance d'une nouvelle race d'enfants dodus avec des petits tétons de gras, qui regardent des bonhommes assis en Indiens à deux pouces de la tivi.

Il n'en fallait pas plus pour que les géants de l'alimentation remarquent ce nouveau public cible. Ce fut le début de L'ÂGE D'OR DE LA COCHONNERIE. On construisit une chaîne de restaurants de malbouffe où on attira cette nouvelle génération d'esprits influençables à l'aide d'un clown et de cadeaux bon marché pour accompagner les frites et le burger. On mit aussi à leur disposition un éventail illimité de céréales pleines de sucre, qui ne goûtent pas si bon que ça, mais qui colorent le lait!

De nos jours, les cochonneries constituent le groupe alimentaire responsable de toutes les émissions de télévision où des Américains de 3000 livres préfèrent faire passer des cornets de margarine à grandes gorgées de liqueur pour ensuite convaincre un médecin de leur brocher l'estomac, au lieu d'aller bouger leurs grosses foufounes* au gym.

Les cochonneries se distinguent en plusieurs groupes:

1. Le *junk food*

Ce groupe est constitué de tout ce qui est offert sur les photos laides d'un restaurant de fast-food, comme les hot-dogs, les hamburgers ou le poulet frit. Sur papier, un sandwich à la viande peut sembler un choix sain. Cependant, le problème se situe dans la qualité de la viande employée pour fabriquer la boulette ou la saucisse. Les géants de l'alimentation y passent souvent leurs «retailles» d'animaux. Le mot *retaille*, bien que peu alléchant, est bien sûr un terme poli pour désigner les morceaux de viande qui restent dans le fond de la chaudière de la moppe de l'abattoir, qu'un concierge créationniste consanguin du Texas passe ensuite au tamis avant de les rincer à la champlure.

2. La liqueur

La liqueur, souvent servie avec le *junk food*, est une solution à base d'eau comprenant l'équivalent d'une poche de hockey de sucre, ainsi que des bulles, dans le but de provoquer des rots qui aident à faire passer les aliments non comestibles compris dans la malbouffe.

Elle est offerte dans plusieurs formats: petit, moyen, gros et piscine hors terre. Et son contenu doit être entièrement bu pour qu'on puisse lire le message secret inscrit au fond du verre: «Félicitations, désormais, vous avez le diabète.»

3. Les chips

Faits à base de pommes de terre, les chips, ou croustilles[1], sont une grignotine[2] très populaire. Dans le but de constamment se réinventer, certains fabricants ne reculent devant rien pour attirer les foules, comme proposer de nouvelles saveurs de plus en plus ridicules, du genre Ranch et *coat* de cuir, Jalapeno et verre de lait et, finalement, Petite colle de rebord d'enveloppe et cheddar vieilli. Bref, les entreprises de croustilles ne croient pas seulement que vos papilles ne reconnaissent pas les mauvais goûts: elles doutent aussi de votre Q.I.

4. Les sucrées

Aussi addictifs que le crack, l'héroïne et Netflix additionnés ensemble, les produits de cette catégorie sont violents! Une fois un jujube envoyé dans sa bouche, l'humain se voit dans l'impossibilité d'arrêter... Il devient un robot incontrôlable capable de manger des tonnes et des tonnes de ces gélatines de graisse animale[3], moulées en forme de petits ours, de petits vers de terre ou, pire, de petites pêches et de petites cerises. Le fait qu'ils soient parfois enduits d'une poudre de sucre acidulé ne ralentira aucunement le gobeur compulsif, et ce, même si sa langue finit par fendre en deux.

---

1   Dans langue française, le mot *croustille* est probablement un de ceux qui sont tellement peu virils qu'ils se font constamment intimider par les autres. Il n'est pas rare de voir les mots voyous du dictionnaire, soit anthrax et catacombes, le tabasser pour lui voler son argent de lunch.

2   Le mot *grignotine* est quant à lui une cause désespérée. Il est celui sur qui le mot *croustille* va se défouler après chaque raclée reçue.

3   À bien y penser, *jujube* est un nom plus commercialement viable que «bouchée fruitée de liposuccion porcine».

Les cochonneries sont parfaites en situation de peine d'amour, devant un film, ou en peine d'amour devant un film…

* L'équipe du *Petit Roberge un petit peu illustré* aimerait cependant spécifier que bien qu'elle se permette de faire des blagues à ce sujet, elle n'est pas insensible au problème de l'embonpoint. L'un des auteurs de ces lignes est lui-même affligé de quelques poignées d'amour qui nuisent à son cardio et qui l'empêchent d'avoir l'air sexy en *skinny jeans*. Sans vouloir entrer dans les détails, il aimerait également préciser qu'il n'y a rien de drôle dans le fait de se regarder tout nu dans le miroir en ayant l'impression d'être une grosse otarie avec une Tic Tac entre les jambes.

Congé du temps des Fêtes *n.m.*

Nom masculin désignant une période s'étirant sur deux semaines, et censée représenter un congé relaxant – mais qui, en réalité, consiste davantage à survivre à des lendemains de combo bouffe grasse et excès de boisson (et ce, dans sa propre maison, que ses enfants, en congé de garderie, ont transformée en *no man's land* post-apocalyptique similaire à l'univers du film *Mad Max*…).

C'est généralement à ce moment que le parent moyen – qui, normalement, est assez fier de ses compétences parentales – réalise deux choses :

1. Que la madame de la garderie est une Jedi qui a la Force de gérer plusieurs morveux en même temps.

    Il s'imagine le quotidien de cette magnifique femme devant chaque jour négocier avec des enfants qui morvent en permanence, qui font le bacon quand vient le temps de mettre leurs pantalons de neige pour aller jouer dehors et qui doivent constamment la contaminer à coup de bactéries d'enfants pas encore super à l'aise avec le concept de ne pas manger leurs crottes de nez. Il se sentira alors coupable de ne pas lui avoir offert ne serait-ce qu'une simple petite boîte de chocolats Laura Secord avant le congé des Fêtes.

2. Qu'au bout du compte, ce n'est pas lui qui élève ses enfants : c'est la madame de la garderie.

Elle gère la portion hardcore de l'éducation de ses rejetons, tandis que lui se charge grosso modo de leur faire à souper, de leur donner le bain et de les coucher… Décidément, les mêmes tâches dont s'occupe la petite voisine de 12 ans qui vient les garder quand vient le temps de faire semblant d'aller souper au resto, pour en vérité aller faire une partie de touche-foufounes au motel.

(Parce que tous les parents savent que les enfants, un peu comme les chauves-souris et les dauphins, sont équipés d'un genre de sonar qui leur permet de détecter et d'empêcher chaque tentative de rapprochement sexuel entre leurs parents. Ce sonar spécial provoque chez eux une envie de pipi, une soif soudaine et incontrôlable ou le feeling qu'il y a un loup dans le garde-robe… d'où la nécessité des petites vites au motel. Voir *enfant*, p. 65.)

Après le constat qu'il n'est peut-être pas aussi *hot* qu'il pensait, et que les enfants se demandent déjà quand ils pourront retourner chez leur gardienne Cathou, le parent tentera de remédier à la situation en se mettant en mode «on va faire tout plein d'affaires l'fun… quitte à se brûler», également surnommé, d'après *Le petit Roberge un petit peu illustré*, le mode «nazi-loisirs du parent».

Dans le but d'être certain que ses enfants ne s'ennuient pas durant le congé, le parent mettra en place un régime sévère, où trois choses seront au programme : les loisirs, les loisirs et les *fucking* loisirs ! Finito, les longues séances à se prélasser en pyjama en regardant Dora, la petite Mexicaine constamment en psychose qui parle franglais, ne lâche jamais son sac à dos et hallucine de se faire voler ses cossins par un renard.

Désormais, chaque heure de la journée sera comblée par une activité. Voici quelques suggestions.

1. **Jouer dehors :** Activité peu dispendieuse qui permet aux enfants de dépenser leur trop-plein d'énergie. Le désavantage de cette activité, par contre, c'est qu'après les 45 minutes nécessaires pour habiller les enfants, le parent, à peine sorti dehors, est aussi brûlé que Bruce Willis à la fin d'un film *Die Hard*.

2. **Le Biodôme :** C'est par nostalgie de ses propres expériences que le parent y amène son enfant. Cependant, il se rend vite compte que ça coûte une beurrée, et que rien n'a changé depuis les 15 dernières années : il est toujours interdit de toucher aux oursins, il est toujours impossible de voir le maudit lynx, pis la vitrine des pingouins, c'est juste l'fun cinq minutes. Parce que, des pingouins, quand on y pense… c'est les mouettes du pôle Nord.

3. **Le cinéma :** Durant le congé des Fêtes, le cinéma change temporairement sa vocation de « temple de recueillement des cinéphiles » pour devenir une sorte d'amalgame infernal entre la section des jeux chez McDo et le débarquement de Normandie. C'est en esquivant les popcorns lancés par des petits Kevun que le parent, accompagné de sa marmaille, tentera avec difficulté de leur trouver des sièges qui n'auront pas été souillés par une vieille gomme noircie à la crasse de cul de jeans. Tant d'efforts déployés pour aller pas-tant-rire en regardant *L'ère de glace 873*.

C'est avec soulagement que le parent verra le congé du temps des Fêtes se terminer. Jamais il n'aurait cru dire ça un jour, mais retrouver la grosse face de son boss qui lui racontera probablement à quel point il a été déçu de son cinq étoiles à Santa Clara ne le dérangera même pas.

Muni d'un nouveau respect pour l'éducatrice de ses enfants, le parent rangera son attitude nazi-loisirs avec les boules de Noël, se fera croire qu'il est reposé et sera content d'aller se foutre dans le trafic avec son café, son bagel du Tsim mal beurré, sa routine et son émission de radio préférée.

Costco *n.pr.*

Pour les nostalgiques, lieu anciennement appelé Club Price.

Parfois associé au préfixe «su». Ainsi, les gens d'un certain âge diront: aller «su Costco», plutôt qu'«au Costco» ou «chez Costco».

Costco désigne un magasin où il est possible de se procurer des cabanons, du *spray* contre la calvitie et une quantité ridiculement grande de steak haché, le tout sous un même toit.

Une visite dans un Costco commence normalement dans son stationnement d'une superficie telle qu'il est visible depuis la Lune. Une fois qu'il aura inséré de peine et de misère sa voiture entre deux gros pick-ups de baby-boomers mal stationnés, les *tires* sur la ligne, le disciple du Costco entamera son périple au royaume de l'abondance en surmontant la première épreuve lors de laquelle il devra prendre possession (et garder le contrôle) d'un panier d'épicerie de la taille d'un Hummer.

Il se rendra par la suite à la porte d'entrée, où il devra montrer sa carte de membre à un employé. Une fois que ce dernier aura contrôlé son identité avec la même rigueur qu'un *doorman* du Pentagone, il laissera entrer le client privilégié en lui souhaitant la bienvenue et en lui remettant un coupon-rabais pour un rince-bouche de format 130 gallons. Dès lors, le torse bombé, le pèlerin pénétrera dans le temple en ayant l'impression d'être un genre de franc-maçon qui zyeute des bons *deals* sur les grosses télés.

À peine quelques pieds plus loin, le client sera assailli par un *shitload* d'aubaines incroyables qui le pousseront à se mettre en mode fin du monde. Ce mode pousse le client à réfléchir comme si la race humaine était à l'aube d'un cataclysme. L'acheteur se crée instantanément des besoins et remplit son panier avec une foule d'articles plus ou moins utiles, comme des boîtes de 1500 batteries AA, une paire de raquettes en aluminium et un contenant de 100 livres de barres tendres Mélange du randonneur. Il regarde TOUS LES ARTICLES EN FAISANT TOUTES LES RANGÉES, s'arrêtant même devant les compresseurs pas loin des pains en se disant: «Wooow… Ça pourrait être pratique, un compresseur industriel, un moment donné dans ma vie.»

Dans la section Bouffe en gros, ses narines seront envahies par l'odeur enivrante des kiosques de madames blasées qui font cuire des affaires sur leur petit poêle au butane. Épuisé et affamé après les douzaines d'allées qu'il a déjà franchies, mais tout de même soucieux de ne pas avoir l'air d'un ado pas de lunch qui regarde ses amis terminer leurs frites en espérant s'en faire offrir, le client adoptera une attitude faussement désintéressée en attendant que la madame l'aborde de son traditionnel:

«Bonjour, monsieur. Voulez-vous goûter nos bonnes saucisses dans la pâte? La boîte de 10 000 est en spécial à 40 $ dans le frigidaire en arrière de moé.»

Alors qu'il se bourrera la face, le client changera sa stratégie pour cette fois-ci avoir l'air intéressé en lui répondant :

« Ah oui hein, 40 $? Sont dans le frigidaire, vous dites ? »

Cependant, à peine sa bouchée terminée, le client tombera en phase 3 et évitera lâchement le regard de la dame, puis se contentera de lui balancer un : « Ouin, sont bonnes. On va penser à ça. »

Après cette mise en scène digne de Robert Lepage, il jettera son petit contenant et son cure-dents avant de poursuivre son chemin et de répéter l'exercice aux autres kiosques, jusqu'à ce qu'il ait mangé l'équivalent d'un repas complet de joueur de football.

Une fois ses emplettes terminées, et après avoir parcouru une marée humaine malhabile qui *stalle* les carrosses-Hummer n'importe où, n'importe comment, le client sera plus qu'heureux de voir la sortie poindre à l'horizon. Cependant, ses ardeurs seront refroidies en voyant les files d'attente pour payer, files aussi longues que la Grande Muraille de Chine. Une fois l'attente terminée, il arrivera à une caisse où une fois de plus son identité sera contrôlée. Un commis empaquettera ses achats non pas dans des sacs, mais dans des vieilles boîtes de tomates cerises.

C'est avec le ventre plein, la carte de crédit du magasin *loadée* et la satisfaction d'avoir fait « des christie de bons *deals* » que le client se dirigera vers la sortie, jugeant au passage les gens qui mangent des hot-dogs à la cantine du Costco (mais en les enviant aussi un peu). Il ira ensuite faire vérifier sa cargaison par un autre employé, comme si la business hurlait : « ON TE TRUSTE PAS, MONTRE-MOÉ CE QUE TU AS ACHETÉ ! »

Une fois revenu à sa voiture, il constatera avec effroi que sa valise de char est bien trop petite pour contenir les huit ans d'approvisionnement qu'il vient d'acheter.

Il enverra alors les gros pick-ups des baby-boomers à côté de lui et se demandera s'ils en vendent des comme ça sur Costco.

Cours d'éducation physique *n.m.*

Aussi appelé «cours d'édu» ou «cours d'éduc», il désigne ce que le ministère de l'Éducation a créé pour assurer une délimitation claire entre ceux qui sont bons en éduc et ceux qui haïssent courir parce qu'ils finissent avec les mamelles ballottantes tout irritées à cause de la friction occasionnée par leur t-shirt.

Le cours d'éduc est introduit dès la première année du primaire alors que l'humain peut faire du sport sans trop puer le swing et retourner en classe pour se faire lire une histoire de Benjamin la tortue. Les sports pratiqués se limitent souvent à jouer avec un gros parachute multicolore qu'on fait *shaker* comme si on essayait de plier un drap contour et qu'on fait gonfler avant de se le sacrer sur la tête en se couchant à plat ventre en gang et en attendant que ça retombe doucement. Et à un moment donné, quelqu'un est le chat… Les règles du parachute n'ont jamais été très claires.

Il existe une panoplie de jeux pour renforcer le manque d'estime de soi chez les boubles, les trop maigres ainsi que ceux qui ont encore des bobettes de Diego en troisième année et qui débuzzent chaque fois qu'ils doivent se déshabiller devant leurs camarades de classe. On les fera tous se sentir comme de la merde en les forçant à pratiquer des sports d'équipe où ils seront bien sûr pigés en dernier par les deux chouchous du prof, qui, comme par hasard, se sont fait offrir la job de capitaine.

Il y a deux types de chouchous de prof d'éduc :

1. Le loup-garou

Lui, c'est l'élève qui, en dehors du cours, est vraiment sympathique, mais qui, dès qu'il franchit les portes du gymnase, se métamorphose en monstre. Il devient soit un petit crisse de baveux qui torche tout le monde, soit un genre de fou furieux qui crie après tout le monde comme si sa vie dépendait de l'issue de la partie de badminton.

2. Le petit prof

Si le prof d'éduc était Batman, ce type d'élève serait son Robin. Il passe ses dîners à chiller dans le local d'éduc parce qu'il joue dans toutes les équipes sportives de l'école. Le prof l'utilise tout le temps comme exemple et lui donne même des responsabilités, comme distribuer les ballons ou chronométrer ses pairs. Tellement qu'on en vient à se demander : «Calvaire! Y'est-tu sur le *payroll*?» Ce n'est pas un enfant méchant, mais il est un peu trop exemplaire, alors on souhaite secrètement qu'il se plante, face première sur l'asphalte, durant son 100 mètres haies.

Pendant un bon moment, les activités sportives seront d'inoffensifs jeux tels que la tag, la gymnastique ou l'escalade de structures. Mais les choses se gâteront et prendront une tournure inquiétante lorsqu'il faudra jouer au BALLON-CHASSEUR. Pour faire une histoire courte, c'est le jeu qui se rapproche le plus de ce que vit un gars condamné à se faire fusiller pour trahison dans une prison tchétchène. En gros, le fonctionnement est simple : une bande de gamins unissent leurs forces et font leur gros possible pour vous foutre un ballon en caoutchouc qui pince sur la gueule. Si vous cassez les lunettes de la petite Claudie ou que vous frappez le petit Timothée dans la fourche, votre équipe ne fait pas de point, mais votre rang dans la hiérarchie de la classe augmentera.

Au secondaire, le cours d'éducation physique est l'une des seules disciplines scolaires que vous pouvez foxer sans que vos parents vous chicanent réellement.

Ce cours rejoint ainsi le rang des autres matières scolaires que l'équipe du *Petit Roberge* classe dans la catégorie «C'est pas c'te classe-là qui va faire de toi le chimiste qui va trouver le remède contre le sida!» – ex æquo avec le défunt cours d'économie familiale où vous appreniez à coudre une paire de boxers, ou encore le cours de musique où vous vouliez jouer de la batterie pour impressionner des filles, mais dans lequel finalement il y avait un gars avec des cheveux longs qui avait choisi cet instrument avant vous, alors vous avez été pogné pour jouer du maudit tuba comme un épais. Chaque fois que la belle Sophie vous regardait, vous aviez les bajoues rouge vin, et pas parce que vous étiez gêné. Mais parce que vous jouiez de l'instrument LE MOINS COOL DE L'HISTOIRE DE LA MUSIQUE.

Mais revenons aux cours d'éduc. Au secondaire, ils ne sont plus associés à la notion de plaisir comme au primaire. Chaque session est comme un mini *bootcamp* humiliant qui semble être axé sur le concept de souligner les faiblesses physiques de ceux qui ne sont pas en forme. Et tout cela au moment où le prof calcule devant tout le monde votre indice de masse corporelle en vous pinçant avec un genre de *vise-grip* à bourrelets.

Les filles peuvent aussi être humiliées à ce moment-là, parce qu'on oublie trop souvent de dire à toute la classe que les filles ont physiquement et naturellement un taux de gras plus élevé que les hommes, alors c'est normal que la petite Valérie ait un plus haut pourcentage que le gros épais de Doyon qui rit de ses propres blagues poches… «Le gras, y'est toute dans tes totons, Valérie.»

«Ta gueule» à tous les Doyon de ce monde qui ont un jour humilié un comparse dans un cours d'éduc. On devrait les forcer à s'asseoir aux côtés de ceux qui rédigent une copie parce qu'ils ont oublié leurs vêtements de sport.

Parce qu'«oublier ses vêtements de sport» est l'une des bonnes techniques pour les jeunes qui ne sont pas en forme d'éviter de faire le *bip test*, de la natation ou une routine de gymnastique.

En effet, peu de choses en ce bas monde sont plus embarrassantes que d'être le dodu de la classe et d'être forcé de présenter une routine de gymnastique rythmique devant ses camarades. Ceux-ci savourent chaque instant du pathétique spectacle qu'offre le potelé, tout rouge, qui force trop en faisant une chandelle en se suant dans les yeux, la tête en bas, les jambes tout croches dans les airs et le chandail qui retombe dans sa face, dévoilant à tout le monde son surplus de poids.

Si, par hasard, l'étudiant avait réussi à l'aide de son sens de l'humour à plaire à une fille dans la classe, c'est en atterrissant avec difficulté de sa roue latérale devant le reste de la classe assis en Indiens sur un tapis bleu qui sent le lait caillé qu'il pourra lire dans le regard de celle-ci que son chien est mort et que ce n'est pas sur elle qu'il va pouvoir tester ses aptitudes de dégrafage de soutien-gorge…

Tel un paria, la mine basse, il regagnera le vestiaire. Comme il lui est arrivé de le faire un millier de fois, il évitera la douche, de peur de se faire écœurer parce qu'il est circoncis. Dans sa tête résonneront encore les moqueries de la seule et unique fois où il s'était risqué à se laver : «As-tu perdu ton *smoked meat*, bouboule? Parce qu'icitte, on voit juste le *pickle*!»

Cette souffrance liée aux cours d'éduc est partagée par les petites filles qui attendent impatiemment que leurs seins poussent, ainsi que par n'importe quel jeune qui n'a pas assez de poils à certains endroits (ou beaucoup trop à d'autres).

Les cours d'éduc sont là non seulement pour encourager les jeunes à bouger et à développer leur esprit d'équipe, mais pour qu'ils forgent leur caractère et apprennent à se dévêtir rapidement sous un long t-shirt.

Quand on passe cette épreuve, on se construit un caractère plus fort, on apprend à mieux se connaître et on devient une personne plus fascinante. Et peut-être qu'un jour, on se fait même confier l'écriture d'un dictionnaire. Pis ça, Doyon ne vivra jamais ça... parce qu'il ne sait même pas à quoi ça sert, un dictionnaire !

Cousin *n.m.*

Nom masculin attribué à un membre de la famille qui, durant l'enfance, occupe la fonction d'«ami par défaut» lors des visites du dimanche chez grand-maman.

Le cousin, en un sens, occupe la même fonction durant l'enfance que le «petit voisin», c'est-à-dire qu'il n'est pas un ami grâce aux affinités que les deux jeunes humains peuvent partager, mais simplement par sa proximité physique. Il fait le boulot pour une journée… On peut facilement affirmer qu'un cousin, c'est le Burger King de l'amitié. Ce n'est pas du McDonald's, mais ça bouche un trou.

Passé l'enfance, lorsque la maturité et la lucidité se sont développées, il est possible de voir son cousin sous un autre jour alors que ce dernier, à 35 ans, arbore encore une quantité impressionnante de chandails de motocross, et qu'il a comme seul sujet de conversation les voitures modifiées ou Vin Diesel. Le cousin Steve n'est plus aussi cool qu'avant: il est rendu un taupin avec des *posters* de quatre-roues dans sa chambre et ne paie pas ses pensions alimentaires.

Après cette prise de conscience, un gouffre se creuse entre l'humain et son cousin. La relation qui était autrefois florissante ne consistera désormais qu'en une série de moments malaisants, lors des réunions familiales. Le cousin, habitué à fraterniser avec ses amis taupins de bars louches, abordera l'humain avec une grosse claque dans le dos, en dialecte de taupin.

«Pis, stie? Quoi de neuf, couz?»

Timide, et n'ayant aucunement envie de résumer sa dernière année dans le portique de grand-maman, l'humain répondra quelque chose de vague, du genre: «Pas grand-chose [malaise flottant], toé?»

ERREUR DE DÉBUTANT! Cette fin de phrase ouvre une porte au cousin, qui se fera une joie de répondre des affaires super inintéressantes, comme:

«J'travaillais aux pièces su l'*dealer*, mais là ch't'arrêté à cause de mon lumbago… Faque chu sua CSST [clin d'œil laissant croire qu'il extirpe de l'argent au système], mais là me suis pogné des contrats en d'ssous d'la table pour c't'hiver pass, mon ex, Sannndrâ –, me court après pour des pensions, tsé, mais moé-même chu pas sûr c'est les miens, chu sûr que c'était le livreur de chien, moé… Ouin, moé pis Sannndrâ on élevait des pures races! Si tu veux un chien, j'peux t'en avoir un… T'as-tu vu le dernier *Fast and the Furious*? Fou, mon gars! Fou fou! Faut que tu le voies; t'aimes ça, toé, les affaires artisstics.»

Parce que si vous avez un loisir ou un métier le moindrement artistique – comme le chant, la guitare, la danse, l'humour –, ou si vous êtes simplement membre d'une ligue d'impro, vous devez vous arranger pour le cacher à votre cousin, quoi qu'il arrive. Sinon, il demandera assurément (et impoliment) un échantillon gratuit, en pleine épluchette de blé d'Inde:

1. «Enweille, fais-nous des jokes, là!»

2. «Montre-nous ça, tes steppettes de danse! Moi, j'connais ça, la danse! Surtout les danseuses!»

3. «Moi aussi, j'en ai, des bonnes histoires. Tu noteras ça un moment donné pour ton livre!»

4. «Une toune! Une toune! UNE TOUNE! On veut une toune!»

5. «Tu fais de l'impro, toé... Enweille, fais-nous une impro, là... On va tasser la table!»

Ou la pire de toutes:

6. «Heille, moé, j's'rais bon là-d'dans, tes affaires de joke, fffffff... Les gars au pit de sable me le disent tout le temps: "Steve, c't'un estik de malade!"»

(Parce qu'on sait tous que si tu fais rire les *boys* de la job avec ton tatouage de madame sur le bras qui bouge quand tu flexes le coude, ça fait de toi un humoriste!)

Néanmoins, les liens familiaux étant ce qu'ils sont, l'humain pardonnera toujours sa bêtise à son cousin, parce qu'il se remémorera avec nostalgie que le taupin devant lui est le même gars avec qui, à l'âge de neuf ans, il a jeté des bombes à eau sur le facteur, a joué à la cachette en personnifiant Batman et Robin (et qu'il voulait bien être Robin), a déjà construit un fort de neige aussi gros que le cabanon, a fait fumer les *smokes* indiennes de mononcle Marcel à des ouaouarons, a volé des fonds de verre de crème de menthe durant les partys de Noël et s'est plusieurs fois endormi les joues rouges dans les manteaux d'hiver empilés sur le lit de mamie.

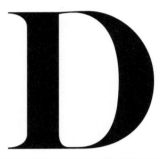

Déménagement *n.m.*

Nom masculin désignant l'acte de transition d'un lieu de résidence vers un autre, et grâce auquel un humain se rend compte que plus il a d'amis Facebook, moins il y aura de personnes présentes à son déménagement.

Ceux qui s'offrent ne sont pas nécessairement les meilleurs candidats.

Il y a :

1. Le gars *cut*

Le gars *cut*, c'est LE gars qui donne l'impression qu'il est le meilleur atout dont une personne qui déménage puisse rêver, mais qui, finalement, dévoile une endurance de personne âgée. Entre chaque voyage d'affaires moyennement lourdes, il se frottera le dos et se plaindra autant qu'une vieille madame à une infirmière de CHSLD. Généralement, s'il y a un blessé pendant le déménagement, c'est lui.

2. Le cabochon

Aussi connu sous le nom de «sans-dessein», il est la personne qui n'est pas réellement un ami de celui ou celle qui déménage, mais qui a été recruté parce qu'il est toujours trop content de prêter son pick-up. Les talents du cabochon se limitent à sa capacité au-dessus de la moyenne à paqueter une boîte de truck comme pas un. Cependant, côté délicatesse, il est plutôt limité. Il travaille selon le principe du «ch'te passe mon truck pis mes bras, faque demandes-en pas trop». S'il y a des trous dans les murs, des bibelots pétés et une longue scratch sur le plancher de la cuisine parce qu'on a poussé le frigidaire au lieu de le soulever, c'est lui.

3. Le touriste

Contrairement à ce qu'on pourrait penser, le touriste ne se trouve pas là par hasard. Il est souvent celui qui a l'air le plus dans le *rush*, mais qui ne fout rien de forçant. Il «s'autodonne» des responsabilités pour ne pas forcer et finit par transporter une boîte de débarbouillettes et nettoyer des armoires. Il sera toutefois le premier à se servir et resservir de pizza à la fin du déménagement.

4. Le Jean-Guy

C'est celui qui *calle* le *shotgun* sur la job d'attendre dans le truck pour placer le stock. Généralement de nature paresseuse, et préférant boire une canette de Pepsi dans la boîte du truck, le Jean-Guy n'est aucunement qualifié pour cette tâche, ce qui fait que les boîtes sont rapidement chargées n'importe comment. Bien sûr, il y aura quelques frictions entre le Jean-Guy et le cabochon, lequel s'empressera de lui dire : « Ouin, ben… tu m'as loadé ça comme un Jean-Guy. »

Si le Jean-Guy lève une boîte de tout le déménagement, les chances sont élevées que ce soit une boîte d'affaires gênantes, genre les sous-vêtements de votre blonde ou votre équipement de sport, et il ne se gênera pas de faire un commentaire de marde du genre : « Ouin, l'gros, à ce que j'vois, t'en as pas besoin de c'te boîte-là ! »

5. Le bonhomme

Lui, c'est le monsieur qui se promène avec un tournevis pour défaire TOUTES LES TABLETTES. Il y a souvent sa femme pas loin derrière qui lui répète : FAIS ATTENTION À TON DOS, LÀ. Le bonhomme est un bon vivant qui enlève les portes, conseille les jeunes sur comment forcer avec des *benders* et fait un suivi sur l'arrivée de la pizza.

6. Le G.I. Joe

Le G.I. Joe est celui qui dirige les opérations et qui n'est pas là pour flâner. IL VEUT ÊTRE LE MEILLEUR DU DÉMÉNAGEMENT. Il prend tout ce qui est pesant et il court pour apporter le plus de stock possible au Jean-Guy, en plus d'apporter ses *benders* et ses outils. C'est le *king* pour pousser dans le cul du cabochon et du touriste, et c'est aussi lui qui donne un coup de main au bonhomme tout en cruisant la mère de celui qui déménage.

7. La maman

Elle, elle veut être utile. Elle transporte des lampes, passe le balai et s'assure que les assiettes sont bien emballées dans les boîtes. Elle prend la commande pour la pizza et dit aux filles plus jeunes qui veulent donner un coup de main d'arrêter de forcer pour ne pas se blesser.

Pour que cette définition soit complète, voici les deux profils types de gens qui déménagent :

1. Le carpe diem

C'est celui qui appelle des gens pour l'aider à déménager, mais qui est tellement occupé à profiter de la vie et de l'instant présent qu'il n'a pas terminé de faire ses boîtes quand arrive le jour du déménagement. Il tire son nom du latin *carpe diem*, qui signifie en français « pourquoi prendre de l'avance quand d'autres peuvent se fendre le cul à paqueter mes cochonneries ? ».

2. Les déménagés angoissés

Eux, c'est le couple nerveux qui vient de s'acheter une maison et qui panique POUR TOUT. Pour le camion, pour le gars qui s'est fait mal, pour le stock mal placé, pour la pizza, pour la bière… Bref, TOUT EST UN PRÉTEXTE À STRESSER, parce que MAUDIT que c'est désagréable, un déménagement ! Les déménagés angoissés sont tellement su l'gros nerf qu'ils finissent par donner d'la marde à ceux qui sont venus les dépanner gratuitement, étant donné qu'ils ont scratché le piano à queue en le montant dans l'escalier en colimaçon.

Dentiste *n. m.*

Nom désignant l'homme ou la femme dont le métier est de sentir votre haleine et d'aspirer votre bave. Les coûts exorbitants de ces opérations sont justifiés par le prix des chaises de la salle d'attente, des revues de la salle d'attente et de l'aquarium de la salle d'attente avec des poissons qui essaient de se suicider en se lançant du petit château en plastique, ainsi que par la BMW flambant neuve dans le stationnement de l'immeuble à deux millions.

Une visite chez le dentiste commence généralement un jour de semaine, parce que la fin de semaine, le dentiste écoute du jazz en regardant une toile hors de prix accrochée sur le mur de son pied-à-terre à Tremblant.

L'humain souffrant d'un mal de dents, lui, doit donc prendre congé, à ses frais, et débourser au minimum 200 $ pour se faire jouer dans la bouche avec des instruments pointus, grinçants ou coupants. On lui apprendra alors d'un ton neutre qu'il doit sortir un autre brun pour ses radiographies annuelles, comme si son compte en banque était sans fond. Il faut croire que pour un dentiste, l'argent ne pousse pas dans les arbres, mais se déloge à grands coups de soie dentaire dans des gencives qui saignent.

Les coûts faramineux sont aussi dus à la technologie de pointe utilisée et aux frais d'assurances astronomiques liés aux grands risques de blessures pour l'hygiéniste dentaire, qui peut se péter une cheville chaque fois qu'elle charrie l'esprit de gros tablier en plomb.

Lors des radiographies, tous les humains se disent la chose suivante :

« OK, j'suis pas un scientifique, mais c'est-tu moi ou c'est un peu louche qu'on me bombarde le crâne de rayons X, sans aucune protection, sauf le tablier en plomb qui empêche mes gosses de cuire… Mais la madame, elle, doit se mettre à l'abri, dans une autre pièce. J'imagine qu'avec tous ces beaux diplômes encadrés, ce professionnel de la santé doit savoir ce qu'il fait[1]. »

Cependant, la plupart des visites chez le dentiste se limitent à une intervention mineure appelée détartrage. Cette technique a sûrement été inventée par les scientifiques de l'Allemagne nazie dans le but de soutirer des informations aux ennemis capturés. Elle consiste à gosser dans la bouche du patient avec de petits outils pointus au son d'une toune de Marie-Denise Pelletier qui résonne dans les *speakers* du cabinet.

Après ce terrible calvaire, le patient se voit offrir un choix de saveurs pour la pâte qui servira à lui polir les dents. Le mot *pâte* est un bien grand mot, puisque la texture de celle-ci se rapproche plus de celle d'une poignée de sable aromatisée à la vieille gomme de machine distributrice.

---

1   Loin de nous l'idée de vous effrayer, mais c'est exactement ce que pensaient les gens au XIVᵉ siècle à qui on disait que pour guérir la peste, il suffisait de s'autoflageller et de boire de l'urine.

Alors qu'il pense que toute l'expérience est derrière lui et qu'il a réussi à s'en sortir sans carie (et donc sans intervention à 500 $ pour réparer ses dents), le patient verra le dentiste lui poser la question qui tue : «À quelle fréquence vous passez-vous la soie dentaire ? »

Son cerveau lui rappellera qu'à part plus tôt aujourd'hui, avant de venir au rendez-vous, il ne se souvient pas de la dernière fois qu'il l'a passée… Peut-être à l'épluchette de blé d'Inde chez mononcle Bernard ? Ah non, même pas. Ça lui revient. Bernard avait placé une boîte de cure-dents entre la pile d'assiettes en carton et le carré de beurre à moitié fondu rempli de cheveux de blé d'Inde.

Il mentira donc en répondant : «Deux fois par semaine… mettons… »

Puisqu'il est très difficile de mentir avec la bouche écartée par des bouts de plastique, le dentiste verra clairement à travers cette *bullshit*[2] et se dira : «Penses-tu que je le sais pas que tu l'as juste passée avant de t'en venir ici, maudit crotté ? Pas grave… Amènes-en, de la gingivite : c'est avec ça que je vais me payer un nouveau voilier ! »

Le dentiste remettra quand même à son patient une petite boîte de soie dentaire, sachant très bien que ce dernier la laissera traîner dans le fond de son char avec les restants de *junk food* qui lui pourrissent et lui tachent les dents.

---

2   Certains diront qu'à l'écrit, il faut franciser le mot *bullshit* en écrivant «boulechite», ce que nous refusons. Le mot *boulechite* écrit de cette façon perd de son côté incisif et ressemble plus à un nom de marionnette adorable d'une émission pour enfants de la télé franco-ontarienne qu'à un mot pour décrire le baratin et les absurdités. Bref, le fait d'écrire «boulechite» nous semble de la *bullshit*.

Donald J. Trump *n.pr.*

Nom propre désignant, malheureusement, le 45ᵉ président des États-Unis. (Vous pouvez vous pincer autant que vous voulez, vous ne vous réveillerez pas. Ceci n'est pas un cauchemar, c'est pire. C'est la réalité!)

Donald John Trump, aussi connu sous le nom de GRAND SEIGNEUR DES TÉNÈBRES, est né le 14 juin 1946, à la suite d'une cérémonie où ses deux parents, tous deux sympathisants du KKK, ont invoqué des esprits à l'aide d'une vieille planche de Ouija, les esprits malfaisants de 666 tâteurs de *pussy*. Neuf mois plus tard, cela donna un croisement hideux entre une McCroquette trop cuite et une motte de cheveux défraîchis comme celles qui bouchent le drain d'une douche.

Enfant, il est connu comme le petit torrieux de la garderie; vous savez, cet enfant haïssable qui garde toujours tous les jouets pour lui, qui dessine une barrière invisible sur le sol pour vous dire de rester de votre côté, et qui tente de vous faire croire que s'il garde tous les jouets cool de son côté, c'est pour votre bien?

Jeune homme, alors que ses hormones sont en constante ébullition, il découvre à son grand désespoir que même s'il est riche à craquer, les femmes ne se bousculent pas à sa porte. Après tout, peut-on les blâmer de ne pas être attirées sexuellement par cet étrange humanoïde qui méprise tout le monde en pensant pouvoir les dominer avec son attitude de *bully*...? Comme une grosse ampoule aux pieds après un marathon, ce n'est pas juste son apparence qui dégoûte la gent féminine, c'est aussi ce qu'il y a à l'intérieur. Amer et rempli de haine envers les femmes, Donald se promet à ce moment de ne plus jamais les respecter. Désormais, lorsque l'envie lui prendra de faire des mamours, soit il s'imposera vigoureusement en s'en vantant après coup comme un douchebag (et en faisant renifler ses doigts à ses amis de golf), soit, bien mal pris, il se fera venir une madame d'Europe de l'Est par catalogue pour ensuite la marier.

Grâce à un coup de main de son papa, Donald commence sa carrière comme magnat de l'immobilier dans les années 1970, puis devient vedette de téléréalité dans les années 2000, jusqu'au jour où il prend conscience que le mandat de Barack Obama arrivera à terme un jour ou l'autre... et que ça a l'air facile comme job, PRÉSIDENT DES *STATES*. C'est alors qu'il met en branle une campagne populiste sur Twitter pour séduire l'Américain blanc obèse qui a une carte de membre de la NRA et une coupe Longueuil, qui se déplace en petit scooter de gros pour aller s'acheter du Taco Bell et du Mountain Dew et qui habite le centre et le sud du pays, qu'il appelle affectueusement «MURICA».

Malgré plusieurs scandales tous plus grotesques les uns que les autres, le 8 novembre 2016, il remporte les élections, contre toute attente. Donald J. Trump récolte les diaboliques fruits qu'il a semés, et l'emporte contre une madame avec un charisme de surveillante de local de retenue au secondaire[1].

---

1 Par contre, la madame en question supervisait parfois, selon ses propres dires, des frappes militaires comme celle qui a permis l'élimination d'Oussama ben Laden. Il y aurait de quoi prendre son trou si elle supervisait des retenues.

Cet événement en fera pleurer plusieurs, en fâchera d'autres, et forcera les survivalistes à mettre en branle leur plan de survie face à l'apocalypse nucléaire.

Regardant ce que ses prédécesseurs avaient accompli avant lui, le tout nouveau président dans son bureau ovale fraîchement redécoré selon ses goûts (c'est-à-dire avec un minibar hawaïen, beaucoup de dorures, un poteau de *pole dancing*, pis trois ou quatre télés qui jouent de la *porn*) a tout à coup été pris d'une petite angoisse en se rendant compte qu'il ne savait pas vraiment ce que c'était, gérer un pays. Il avait eu beau hurler dans tous les médias que la vieille politique d'avant son règne était corrompue et qu'il voulait du changement, il aurait quand même fallu qu'il ait les compétences requises pour faire ledit changement.

Finalement, le legs que Donald J. Trump laissera à la terre entière est cette idée que n'importe quel beau-frère pas trop cultivé peut devenir président des États-Unis et qu'incarner le changement, c'est simplement de savoir mettre les bonnes personnes à la porte… pour en mettre de moins compétentes à leur place.

Émission de cuisine *n.f.*

Nom féminin désignant un genre télévisuel qui, pour une raison mystérieuse, a connu une gigantesque croissance au cours des dernières années. L'hypothèse de l'équipe du *Petit Roberge un petit peu illustré* quant à la prolifération de cet étrange phénomène est la suivante : comme la pornographie, l'émission de cuisine titille l'imagination d'un spectateur qui s'excite en regardant du monde faire des affaires qu'il ou elle ne fera jamais dans la vraie vie.

Parenthèse : statistiquement, les chances pour Monsieur et Madame Tout-le-Monde qui regardent les émissions de Heston Blumenthal d'un jour s'essayer à pratiquer la cuisine moléculaire seraient en fait 10 fois moins élevées que celles de vivre une expérience sexuelle digne de la *porn*, du genre « se faire interroger par deux policières sexy qui, *out of nowhere*, enlèvent leur top pour ensuite se mettre à se frencher ».

C'est d'ailleurs cette similarité avec la pornographie qui explique pourquoi les zooms sur les gros doigts humides-crottés de Jamie Oliver qui touche du manger sont si érotico-malaisants.

Il existe trois modèles d'émissions de cuisine distincts :

1. **Le classique :** Cette émission de cuisine joue toujours un peu avant l'heure du dîner. Ce sont principalement des mères au foyer, ainsi que des personnes âgées, qui regardent ça pour se stimuler les papilles gustatives tout en mangeant leurs restants tièdes de spaghetti de la veille. On y présente des recettes de mets confortables et peu déstabilisants... Genre que c'est pas dans ce show-là qu'on va montrer à Huguette de Saint-Ours à se faire un risotto à l'encre de seiche.

2. **Le *next level* :** C'est l'émission animée par un gars sexy avec un air rebelle et couvert de tatouages. Tout ce qu'il fait est *wild* et imprévisible – comme servir un pâté chinois, ATTENTION, dans une verrine, ou encore faire cuire un poulet sur le barbecue en y mettant une Budweiser dans les foufounes. Maître dans l'art de la désobéissance culinaire, il est à la fois le Che Guevara de la mijoteuse, la *rock star* du rond de poêle et le *bum* du *grilled panini*. Son attitude de *badass* viril donne l'impression qu'il vient de troquer sa Harley et sa Marlboro contre un

malaxeur pis un cul-de-poule… Quand on écrit cul-de-poule, ici, on parle d'une sorte de bol en inox. Pas du cul de jeunes *chicks*. Ça, les *next level* n'ont rien besoin de troquer pour que ça leur pleuve sur la tête.

3. **Le show de compétition :** Ce type d'émission porte toujours un nom qui sonne cool en anglais et qui ferait d'excellents titres de tounes d'Iron Maiden, comme *Hell's Kitchen* ou ben *Masterchef.* Le moment fort de chacune de ces émissions, c'est quand le gros *dummy* malhabile de la gang se fait shooter un char par Gordon Ramsey, qui pète une coche parce qu'il n'était pas capable de faire cuire un pétoncle comme du monde.

Enfant *n.m. et f.*

Désigne un petit humain en croissance qui arrête d'être joli à partir du moment où il a des trop grosses palettes d'adulte pour sa petite face d'enfant.

Après une gestation de neuf mois dans le ventre de sa mère, l'enfant devra quitter sa maison en balloune d'eau en déchirant les parties génitales de maman qui se bat pour donner la vie pendant que papa s'acquitte **des difficiles tâches** comme stationner la voiture, monter les valises et rincer les débarbouillettes.

Dans les premiers temps de sa vie, l'enfant sera aussi appelé «bébé». Le bébé naissant est une version humaine non mobile et non efficace. Il ne fait que boire, brailler et beurrer ses pyjamas à pattes d'une défécation nommée méconium, s'approchant plus du pétrole en *spray* que de la merde normale. Dans sa première année de vie, l'enfant coûte en moyenne 13 000 $ et peut être considéré comme nuisible au couple, un peu comme certains insectes le sont aux arbres. Il est responsable des cernes de papa et de l'apparition de seins en galette chez maman. Le bébé des autres, celui qui pleure sans cesse, est l'être humain à qui les adultes ont le plus envie de crier: «AHHH ta yeule…».

Vers l'âge de deux ans, l'enfant aura gagné en autonomie, mais l'expérience ne sera pas nécessairement plus facile pour les parents, puisque l'enfant entrera dans une phase appelée le *terrible two*. Cette phase est l'exception à la règle «un c'est bien, mais deux c'est mieux». NON. Deux, ce n'est pas mieux; deux, c'est un cauchemar. L'enfant se met à dire non tout le temps, fait des crises, change d'idée constamment et fait de chaque petit truc insignifiant l'objet d'un interminable débat.

Vivre avec un enfant qui est dans son *terrible two*, c'est exactement comme vivre avec Richard Martineau, mais en couches.

L'enfance de leur progéniture marque pour les parents la fin de la période active de la vie sexuelle, puisqu'il leur sera dorénavant impossible de faire leur devoir conjugal sans courir le risque d'être dérangé par des «J'ai soif!», «J'ai fait un cauchemar!», ou encore le traditionnel «Y'a un monstre en dessous de mon lit!», sans oublier le classique «Même si tu t'es levé 45 fois pour me prouver que les monstres, ça n'existe pas, j'ai quand même pissé dans mon lit tellement j'avais peur!».

Pour les plus braves qui tenteront quand même la petite vite une fois les enfants couchés, il est suggéré d'envoyer maman régler les problèmes si l'enfant hurle au loin, ou simplement d'attendre que la semi-croquante de papa se soit résorbée.

Entre 7 et 11 ans, l'enfant normal aborde la première phase de déformation. Ses dents poussent tout croche, il devient un peu laid et prend des positions indescriptibles sur le divan pour regarder la télé. Il devient à la fois squelettique et mou. Le son de la voix de ses parents résonne partout dans la maison et semble incapable de pénétrer dans sa tête, qui par ailleurs est beaucoup trop grosse par rapport à son corps.

Dans cette phase de déformation laide, l'enfant revient de l'école ou du camp de jour avec une odeur de petits pieds indescriptible, le collet du chandail étiré et les ongles sales, et quand on lui demande ce qu'il a fait de sa journée, il hausse les épaules, le néant s'installe dans ses yeux et il répond : «Eeeuuuhhh rien.»

C'est le moment où il ne veut pas qu'on le traite comme un bébé, mais où il n'est pas encore capable de se couper les ongles tout seul.

L'enfance se termine par une période appelée adolescence, durant laquelle – un peu à l'image de la chenille qui s'enferme dans sa chrysalide pour en ressortir sous la forme d'un majestueux papillon – l'enfant se métamorphosera en une créature sarcastique mais peu crédible avec un seul sourcil, une moustache molle et l'étrange impression que tout lui est dû.

Épais *n.m.*

Nom masculin désignant des hommes ou des femmes (dites «épaisses») qui peuvent sembler biologiquement identiques aux autres individus de la race humaine à première vue, mais qui trahissent leur différence grâce à de petits indices comme les cendriers de voiture vidés par terre dans les stationnements de centres commerciaux ou encore l'existence de scrotums en *rubber* décoratifs pour pick-up.

D'ailleurs, ce n'est que très récemment qu'il nous a été possible d'observer l'épais québécois dans toute sa splendeur, grâce à la très scientifique émission *L'arbitre.* Grosso modo, ce «programme[1]» met en scène une corpulente juge anglophone qui passe une heure à inculquer une bonne dose de sa sagesse digne du roi Salomon à des gens pas vite-vite qui ont mis leur plus beau chandail de lutte pour passer à la TV.

Voici un exemple de plaidoyer que l'on peut entendre à *L'arbitre* :

«Mon ex m'avait demandé de garder son pitbull pendant son shift de danseuse, ça fait que je l'ai mis dans la remise. Mais y'était pas content, le pitou, pis y s'est vengé et y'a toute grugé mon guidon de quatre-roues!»

La science, quant à elle, qui s'intéresse à la nature de l'épaissitude, nous force à poser la question suivante : est-elle innée ou acquise ? En d'autres mots, un humain naît-il en n'étant pas le couteau le plus aiguisé du tiroir, ou s'agit-il d'un comportement culturellement transmis d'une génération de fans du Beachclub à l'autre ?

Les chercheurs du *Petit Roberge* en sont venus à la conclusion suivante :

«C't'un peu un habile mélange d'inné et d'acquis. Les spécimens de l'espèce des *homo-célibataires et nus* ont tendance à s'attirer entre eux, et leur taux de reproduction est assez élevé (puisqu'ils ont tendance à se dire "Ça va t'être correct, bé, m'a m'enlever juste à temps !", lors de leurs accouplements dans une Civic montée). Le tout favorise la transmission de leurs gènes d'épais par la mise au monde d'un petit Jason-Kyle Junior.»

Cependant, il arrive également qu'un humain normal soit contaminé plus tard par le gène de l'épaissitude en côtoyant un ou plusieurs épais innés.

Par exemple, si Victor, un élève doué, se lie d'amitié avec un Jason-Kyle Junior à l'adolescence, il se peut que ce dernier l'invite à la maison mobile de ses parents pour se faire des plombs au couteau sur les ronds de la cuisinière. Il se peut également que deux semaines plus tard, Victor porte un t-shirt de Tupac qui crache de la boucane et qu'il se soit fait faire des *corn rows*[2]. Désormais, chaque fois qu'on

---

1   Mot utilisé par certains pour dire «une émission de télé». Souvent, il s'agit des mêmes qui disent une «vue» au lieu d'un film.

---

2   Type de coiffure tressée issue de la culture africaine particulièrement ridicule lorsque sur la tête d'un petit Blanc dans sa phase «J'écoute du rap, donc je comprends le peuple noir».

l'interrogera sur ses petits yeux rouges, il répondra: «C'parce j't'allé m'baigner pis y'avait ben du chlore…» De fil en aiguille, Victor, qui avait un avenir brillant devant lui, verra considérablement augmenter ses chances de devenir livreur de *pot* en bicycle à pédales dans le bout de Saint-Lin.

Il faut cependant garder à l'esprit que personne n'est complètement à l'abri de l'épaissitude. Car il y a un épais qui sommeille en chacun de nous et qui attend juste de se montrer la face et la coupe «faux hawk[3]». Chaque fois que l'on fait des petits gestes (comme essayer de déprendre un bagel pogné dans le toaster avec une fourchette sans le débrancher avant, ou rouler deux semaines avec un pneu de rechange), notre épais intérieur est là pour nous dire: «Ça va t'être correct!»

---

3   Type de coiffure dérivé de la coupe mohawk. Le mohawk est la plupart du temps porté par les punks, tandis que le faux hawk est la coupe de prédilection du gars qui flâne au centre d'achats, la chemise déboutonnée pour montrer ses petits muscles de cocaïne, en buvant un gros Monster, sans jamais rien acheter.

Épicerie *n.f.*

Commerce qui se spécialise dans la vente de produits alimentaires, de produits d'entretien ménager et de revues à potins sur les vedettes de cinéma qui ne peuvent pas se payer le quart de ce qu'il y a dans votre panier d'épicerie.

Dans ce type de magasin, il y a environ 10 caisses pour payer, mais il y en a toujours juste deux d'ouvertes, dont une où la caissière dit : « Ce sera pas long, je compte ma caisse. »

L'autre est réservée aux « huit articles et moins », et la caissière dans le jus s'occupe de rendre l'argent aux personnes venues retourner des bouteilles pendant que la madame en file s'impatiente parce que sa crème glacée est en train de fondre et de couler sur le plancher.

Certaines épiceries ont tenté de régler ces problèmes en ouvrant des caisses libre-service pour que vous scanniez vous-mêmes vos boîtes de céréales. L'avantage, c'est qu'y a pu une adolescente de 16 ans qui juge la quantité de chips que vous achetez. Le désavantage, c'est que ça se complique toujours quand vous devez scanner et peser vos légumes, donc faut que vous attendiez que l'adolescente de 16 ans qui gère les 35 caisses libre-service vienne rentrer un code. Si c'est trop long, vous finissez par vous dire que les légumes, ce n'est pas SI important que ça et vous les cachez dans le rack à gommes.

L'épicerie est cet endroit où vous devrez être témoin des agissements d'un monsieur qui pognasse toutes les tomates avec ses gros doigts sales avant de les remettre à leur place, vous donnant ainsi le goût de laver TOUS VOS FRUITS ET LÉGUMES AVANT DE LES MANGER, et ce, même s'ils sont emballés dans le plastique ou sont en canne.

Le périple à l'épicerie se déroule généralement un jour de fin de semaine, alors que l'humain doit de se racheter de la bouffe parce qu'il lui reste juste une canne de macédoine et des biscuits soda dans le garde-manger. Désireux de faire le plein, il épluche brièvement ce qu'on appelle une circulaire, c'est-à-dire une sorte de petite brochure qui peut remplir trois fonctions :

1. Informer le client des rabais de la semaine.

2. Servir de fond de cage à perruche.

3. Occuper des petites madames avec trop de temps libre qui découpent des coupons de jambon en spécial pour les mettre dans un scrapbook de patentes en spécial.

Une fois dans le stationnement de l'épicerie, le client devra se prendre un panier. Soit il se rend à un des abris où sont rangés les paniers, soit il décide de jouer les bons samaritains en en prenant un qu'un client paresseux appartenant à la race des « C'pas ma job » a laissé traîner n'importe où. Sachez que peu importe où vous prendrez le panier, il aura au minimum une roue qui ballotte.

Il est important de préciser à l'éventuel client qu'il serait une bonne idée de se munir de ce qu'on appelle une «petite laine» puisque hiver comme été, l'épicerie utilise la même température pour conserver ses surgelés que pour la climatisation. La température ambiante à l'intérieur d'une épicerie est généralement assez fraîche et peut varier entre «C'est pas chaud» à «Mes bouttes viennent de percer mon *jacket*».

Faire l'épicerie est une tâche que l'humain peut effectuer seul ou en famille. La deuxième option augmente de manière significative ses chances de dealer avec un enfant qui fait une crise pour acheter une sorte de céréales tellement pas bonne pour lui que le parent se demande si un *pack* de *smoke* ne pourrait pas s'avérer une option plus santé pour sa progéniture.

Le parent, finalement, sera pris au dépourvu et ne pourra pas éviter une crise. Il devra alors choisir le moindre mal et accepter d'acheter une boîte de céréales dégueulasses avec des marshmallows poudreux qui ressemblent à du styromousse, qui donnent des frissons quand tu croques dedans et dont deux bouchées seulement suffisent à développer le diabète. Parce que ce scénario est beaucoup plus heureux que celui où ton kid fait le bacon sur le plancher gommant de l'épicerie pendant que les autres clients (qui n'ont pas encore d'enfants) te jugent en se disant: «Les nôtres ne feront jamais ça!»

Ex *n.m. et f.*

Lorsque placé devant les mots *chum* ou *blonde* au moment de la fin d'un couple, marque une transition sentimentale. Par exemple, on passera de «J'ai des papillons dans le ventre quand je te regarde» à «J'aimerais que ton char explose et que tu ne meures pas sur le coup, genre pour que tu souffres vraiment longtemps, grosse vache/gros porc».

Si deux ex se détestent équitablement et qu'ils étaient sans attaches, ils sont invités à continuer chacun leur chemin sans aucune obligation de garder contact.

Cependant, s'ils habitaient sous le même toit, ils devront alors s'acquitter de la difficile tâche de séparer les biens. Cela peut donner lieu à des moments un peu malaisants, comme :

«C'tait-tu à toi ou c'tait à moi ?

— C'est à moi! Parce que ce sont MES PARENTS qui nous l'ont donné en cadeau à Noël, faque je le garde, pis de toute manière, qu'est-ce que tu vas faire avec un presse-ail? HEIN? T'aimes même pas ça, l'ail. T'aimes rien, T'AS PAS D'ÂME!»

ILS DEVRONT ENSEMBLE déterminer à qui appartient ce qu'ils ont accumulé tout au long de la relation, comme le Magic Bullet, le grille-panini, pis les MAUDITS enfants.

Dans le cas où un des deux ex éprouverait plus de difficultés à accepter la rupture, l'ex récalcitrant pourrait devenir lourd en faisant des affaires comme :

1. S'incruster dans la gang d'amis de l'autre sans comprendre qu'il ou elle n'a plus rapport là !

2. Appeler l'autre un peu pompette en braillant à 2 h du matin.

3. Dans le cas où il ou elle serait vraiment désespéré(e), se mettre à *dater* une connaissance pas super belle qui habite encore dans le sous-sol de ses parents et qui a des *posters* de chars de Formule 1 dans sa chambre, dans le seul but d'attirer l'attention de son ex, pour lui montrer qu'il ou elle est capable aussi de jouer aux fesses ailleurs.

Peu importe s'ils passent rapidement à autre chose, les ex seront tentés une fois de temps en temps d'aller sneaker sur la page Facebook de l'être qu'ils ont jadis aimé. L'expérience, quoique d'apparence malsaine, s'avérera thérapeutique puisque rien n'égale la satisfaction ressentie de voir que son ex est rendu avec une couronne de calvitie, un gros cul pis de l'eau dins genoux pour cimenter la décision de l'avoir sacré là.

Tout couple qui se respecte a connu la phase «surnom» qui survient au début, quand les amoureux se regardent dans les yeux en se disant : «Je sais pas ce que je ferais si tu mourais, bé».

Eh bien sachez que souvent, même une fois séparé, votre ex vous donnera un surnom lorsqu'il ou elle lèvera son shooter avec ses amis. Shooter qui vous sera dédié en tant qu'ex durant une brosse pour vous oublier, et à chaque toast, quelqu'un criera : «Fuck ton ex!»

Alors voici quelques exemples de petits surnoms haineux pour un/une ex :

- La sangsue
- L'écœurant
- La téteuse de pension
- Cuisse légère
- Mouche à graines
- L'erreur de beuverie
- L'erreur de parcours
- L'erreur tout court
- Le lapin
- L'étoile
- Celui qui m'a donné la gonorrhée
- La facile
- Le salaud
- Le trou de cul qui couche avec ma sœur
- La briseuse de famille
- Le sans-cœur
- (Le dernier et non le moindre) Le «STP reviens à maison. Je te jure, j'ai changé.»

Facebook *n.pr.*

Trou noir qui aspire tous ceux qui s'y aventurent de trop près. Le phénomène est 15 fois plus addictif que le crack, l'héroïne et le crystal meth combinés. Il peut aussi créer des trous dans le continuum espace-temps qui font en sorte que vous entrez aux chiottes avec votre cellulaire en 2012 et que vous en ressortez seulement au printemps 2016.

L'effet secondaire principal de Facebook est l'accroissement du voyeurisme chez l'humain, qui est incapable de s'empêcher de regarder même s'il n'éprouve aucun réel plaisir à contempler la fausse vie de tous ces petits François Bugingo 2.0. Facebook est aux réseaux sociaux ce que l'émission *Un souper presque parfait* est à la télévision. Tu méprises tout ce que tu y vois, mais t'es pas capable d'arrêter de regarder.

N'en déplaise à Mark Zuckerberg, la majorité des êtres humains ont rejoint Facebook autour de 2007, souvent en écoutant les conseils d'un ami qui leur garantissait que tout le monde était là-dessus. Pas plus bêtes que d'autres, à ce moment-là, ils se sont créé un compte, avec la même naïveté que lorsqu'ils se servaient de MIRC en 1999 et qu'ils s'étaient ouvert un profil MySpace pour finalement y aller juste trois fois parce que leur seul ami, c'était Tom.

Un peu comme Lindsay Lohan avant sa première *track* sur le plateau de *L'attrape-parents*, l'humain ne pouvait se douter à quel point son existence était sur le point de basculer.

Le sneakage (certains utilisent le terme *stalker*, d'autres *espionner*. Ici, c'est *sneaker*. C'est notre dictionnaire, c'est nous qui décidons) consiste à aller dans la section Recherche de son Facebook et à taper le nom d'une personne que vous connaissez (ou pas), pour ensuite parcourir son profil et ses photos. L'humain peut sneaker à sa guise qui il veut, quand il veut, mais le plus souvent, il sneake :

- Les photos d'une fille ou d'un gars qu'il/elle trouve sexe dans l'espoir de trouver des photos de vacances en costume de bain.

- Les photos d'un gars ou d'une fille qu'il/elle trouvait sexe au secondaire dans le but de voir s'il/elle est toujours aussi chaud/chaude.

- Les photos de son ex en éprouvant une petite joie s'il ou si elle a un problème d'embonpoint, de calvitie ou si ses enfants sont laids.

Sans qu'il s'en aperçoive, l'humain aura gaspillé une complète décennie à flâner sur Facebook. Toutefois, il sera incapable de s'empêcher de scroller son fil de nouvelles, même si celui-ci est rempli de statuts qui lui donnent envie d'écrire «Non, mais ta gueule»:

1. Les statuts d'une cousine lourde qui a un français de cinquième année et qui sent le besoin de régler ses problèmes en public, genre:

   «En tu ka… À toute ceuse-là qui parlaient dans mon dos pi ki sontaient sur que je serait pas kapab… aller toute chier Je lé passé mon DEP de coiffeuse.»

2. Des statuts-citations boiteux de motivation psychopop vides de sens, genre «Ce n'est pas la distance qui sépare les gens. C'est le silence», souvent publiés par une tante, une voisine ou une ancienne collègue du IGA, entre deux-trois invitations à Farmville.

3. Des listes, des liens vers de soi-disant «études» provenant de sources douteuses et des quiz, genre: «Quelle Spice Girl serais-tu selon ta collation préférée?»

4. Des questions philosophiques qui empêchent l'humanité de trouver le sommeil durant la nuit, comme: «Quelqu'un a des bonnes adresses à New York?» Utilise Google, le grand, pis arrête de nous faire suer avec tes vacances pendant que nous, on n'en a pas.

5. On peut aussi y trouver des photos de gens qui se prennent en cliché devant le miroir du gym avec une invitation à la discussion pas subtile, comme: «Heille, je connais-tu ça, moé, quelqu'un qui fait du crossfit?» Le même manque de subtilité des amateurs de crossfit peut se retrouver chez les végétariens. Il leur est impossible d'être un adepte sans le ploguer aux deux phrases. Refouler cette pulsion causerait supposément de violents saignements d'oreille.

   Parenthèse: une légende veut que si l'on place face à face un végétarien et un gars de crossfit dans une même pièce pour qu'ils se jasent, ils pourraient y passer 113 ans sans manger, ni boire, ni dormir, juste à parler et essayer de convaincre l'autre que leur discipline est la meilleure.

6. Facebook permet également à tous de garder contact avec des gens qu'ils côtoient normalement sur une base plus restreinte, comme mononcle Marcel. Toutefois, si auparavant une personne ne pouvait «bénéficier» de l'humour fin et distingué de mononcle Marcel que durant les fêtes familiales, grâce à Facebook, elle pourra désormais jouir d'une pléthore de statuts reflétant ses idéaux de gars qui, chaque fois qu'il neige, se met à douter du réchauffement climatique, et ce, à longueur d'année! Lorsqu'il n'est pas occupé à éclairer la Toile de ses judicieuses lanternes, votre mononcle Marcel partage d'«hilarants» liens de bon goût, par exemple la photo d'une fille en g-string, nu-boules, mais dont les mamelons sont dissimulés par deux gros *bocks* de bière, sur lesquels on peut lire «Journée internationale de l'homme». Un Charles Tisseyre, ce mononcle Marcel.

7. Facebook offre également son lot de moments émouvants-*cutes*, surtout lorsqu'il témoigne de l'incapacité des personnes âgées à l'utiliser correctement. D'ailleurs, il a été démontré à plusieurs reprises que plus vous avez de petits-enfants, moins vous comprenez le concept du *inbox*. Il n'est pas rare de voir un message en *caps lock* laissé par une mamie bienveillante, du genre : « SALUT MON PIT. AS-TU ESSAYÉ DE METTRE DE L'ARGILE SUR TES HÉMORROÏDES ? J'AI VU ÇA AU PROGRAMME DE MARINA ORSINI QUE ÇA FAISAIT PARTIR L'INFLAM-MATION. BISOUX TA GRAND-MAMAN QUI T'AIME XOX. » Même si la tentation est forte de lui répondre en commentaire de garder ça pour elle, vous vous contenterez de lui écrire « Merci grand-maman ! » en sachant très bien que si votre grand-mère affronte Facebook sans en comprendre les rouages, c'est dans l'unique but de communiquer avec sa famille qui ne vient jamais la visiter.

Faque si vous voulez que nos aînés arrêtent de vous humilier sur Internet, allez passer du temps avec eux et profitez-en pour leur expliquer le fonctionnement de leur iPad, qu'ils appellent « ma tablette ».

Femme *n.f.*

Création dont l'homme était le brouillon. Une fois le premier homme créé, le bon Dieu s'est dit : « Ouin, ce n'est pas trop pire, mais ça manque de courbes, et je ne suis pas sûr que j'aime le bout qui pend entre les jambes. En plus, il n'a pas l'air très brillant ! Je suis certain qu'il va finir par pisser dans sa réserve d'eau potable. »

Le bon Dieu s'est donc mis à travailler sur une V2 qui pourrait raisonner l'homme.

Même si sur papier, l'homme et la femme étaient censés se compléter, les deux n'ont jamais réussi, pour une raison obscure, à être sur la même longueur d'onde.

D'abord, sur le plan émotionnel, la femme est beaucoup plus complexe que son homologue masculin, chez qui on ne dénote que deux émotions : « être content » et « être pas content ». Consciente des limites de l'homme, la femme contrariée adopte immanquablement la technique du « je soupire vraiment fort pour que tu me demandes qu'est-ce qu'il y a, pour que je puisse te répondre qu'il n'y a rien ».

Ce qui entraîne obligatoirement, dans le cerveau masculin, des réflexions du genre :

« Je ne sais pas trop quoi penser… D'un côté, elle me dit qu'elle n'est pas fâchée que je sois allé piger dans le compte conjoint pour acheter une télé de 50 pouces… Mais d'un autre côté, je suis pas mal certain qu'elle va me faire des *fuck you* quand j'aurai le dos tourné… MAIS QUAND JE LUI DEMANDE CE QU'ELLE A, ELLE ME RÉPOND : "RIEN !"… JE NE SUIS PAS NOSTRADAMUS… JE NE PEUX PAS DEVINER CE QUI VA ARRIVER ?!?! FAUT QU'ELLE ME DISE CE QU'ELLE VEUT !!! Bon, en attendant qu'elle me dise ce qui la tracasse, je vais jouer à la Xbox sur ma nouvelle grosse télé. Quand elle voudra jaser, elle va venir le faire d'une façon claire et précise. C'est ce qu'elle fait quand elle veut me raconter sa journée. »

Il s'agit là d'une erreur de débutant ! La femme s'installera plutôt dans le champ de vision de l'homme et tentera d'attirer son attention en feuilletant agressivement une revue. L'homme, désireux de régler ce dossier rapidement pour pouvoir se concentrer sur son jeu, pèsera sur « pause », et lui enverra le fameux : « Eille, je le sais que quelque chose te gosse… Qu'est-ce qu'il y a ? »

Malgré qu'elle brûle d'envie de lui lancer un tableau Excel de reproches à la figure, elle sera patiente, comme une tigresse qui s'amuse avec sa proie avant de la dévorer, et elle lui répondra quelque chose de glacial comme : « Nonon, c'est beau. Il n'y a rien. »

La tête de l'homme étant sur le bord d'exploser devant toute cette gamme d'émotions complexes, il lui lancera un dernier : « QU'EST-CE QU'IL Y A, SOPHIE ? »

C'est à ce moment précis que pour la femme, le «barrage de l'amertume» cédera, occasionnant un important déversement de tout ce qu'elle a sur le cœur depuis le début de leur relation. Même si le modèle semble parfait, il y a encore quelques boulons de lousses au chapitre de la gestion des émotions.

Au début, il sera en effet question du 1500 $ dépensé sur une télé, mais chaque fois qu'il lui sera possible de le faire, elle ouvrira des sous-chicanes[1], référant à d'anciens dossiers que l'homme croyait réglés. C'est à se demander si elle se souvient de tout ça par cœur ou si elle a des archives de mauvaises anecdotes de couple enregistrées sur le disque dur de l'ordinateur familial. Tout cela créera ce qu'on appelle une chicane exponentielle, qui aura pour but de mélanger l'homme et de le forcer à capituler devant cette intelligence supérieure.

Étant donné que la femme est plus responsable et organisée que l'homme, Dieu lui a confié la charge des œufs de la vie. La femme, cette déesse, devra porter en elle la descendance humaine, pendant que l'homme s'acquittera des tâches plus rudimentaires, comme tondre la pelouse et choisir les chaînes dans le forfait du câble[2].

---

2   Le rôle de l'homme a évolué au fil du temps. Avant, il était le pourvoyeur qui devait soit chasser, soit rapporter de l'argent au foyer. Aujourd'hui, il s'efforce de remplir le vide en se trouvant des tâches où il a l'impression de jouir d'un certain contrôle.

---

1   Pour plus de détails, voir la définition de *querelle amoureuse*, p.165.

Fête d'enfant *n.f.*

Nom féminin désignant une célébration dont le but est de souligner l'anniversaire de naissance d'un jeune humain, mais qui, trop souvent, prend la forme d'une cérémonie digne des obsèques d'un pharaon.

Dès que sa progéniture a de deux ou trois ans, les fêtes d'enfant commencent à meubler **TOUS** les week-ends du jeune parent déjà écœuré d'avoir à acheter des cadeaux-bébelles à un dénommé JAKKOB avec deux K, un ami de garderie ayant des parents en macramé qui trouvaient ça original de faire une descendance allergique à tout, avec deux K dans son nom.

Durant les premières années de la vie de son rejeton, il est préférable de limiter sa participation à ce type de célébration. La raison est simple. Peu de choses justifient qu'on sacrifie une de ses journées de congé pour fraterniser avec d'autres parents, notamment ceux de JAKKOB avec deux K, deux anciens hippies qui se sont rencontrés lors d'un voyage de coopération internationale et qui sont tellement anticonformistes que leur fils porte six noms de famille…

Comme première épreuve, le parent accompagnateur devra se rendre avec son enfant dans un magasin de jouets dans le but d'y acheter un cadeau. Pour la première fois, il est suggéré de débourser environ 20 $. Lors des anniversaires subséquents, le prix pourra s'ajuster en fonction de la règle non écrite du «Je ne mets pas une cenne de plus sur le cadeau de leur enfant avant de voir ce qu'eux vont acheter au mien!».

Cette étape ne sera pas dépourvue d'obstacles. Il faudra d'abord se rendre dans un magasin de jouets, puis tenter d'élucider avec son enfant le mystère de «Mais qu'est-ce qu'il aime, ton ami que je ne connais pas?». Question à laquelle la progéniture répondra en se basant sur ses propres goûts.

«Ben y'aime les bonhommes de Star Wars, là!»

Malgré le fait que le parent a rappelé PLUSIEURS fois à l'enfant que le jouet n'est pas pour lui, l'enfant fera quand même une crise au moment de l'emballer. Il souhaitera le garder pour lui et insistera pour donner autre chose à la place. On surnomme cette crise «J'ai même pas encore enlevé le prix sur le cadeau que j'en ai déjà plein le cul de la fête à JAKKOB».

Puis, le jour tant redouté de l'anniversaire finira par arriver.

Il y a différents types de célébrations. Si vous êtes chanceux, ce sera peut-être quelque chose du genre «On a réservé une loge dans un McDo». Ce type de fête se déroule presque comme dans la série *The Walking Dead*. Au lieu de combattre des zombies, une poignée d'humains en mode survie doit plutôt confronter une meute hors de contrôle de petits monstres avec des moustaches d'orangeade et des pupilles dilatées par le *rush* de sucre.

Il y a également la fête de JAKKOB, c'est-à-dire le genre d'anniversaire où le paternel aura mis le paquet en louant des jeux gonflables, en engageant un service de traiteur et en aménageant un espace sur la pelouse destiné à des tours de poney… Bref, tout pour faire passer un bal à la cour de Louis XIV pour une vulgaire pendaison de crémaillère de *crackhouse*.

Dans ce cas, le parent accompagnateur déploiera un maximum d'efforts pour rester poli, voire amical avec les autres adultes, et ce, même si ceux-ci ont des conversations inintéressantes sur le régime d'épargne qu'ils ont pris pour le p'tit dernier ou sur la sorte de matelas qui est la plus hypoallergénique. Il s'intégrera le plus possible aux échanges, pour ne pas gâcher le plaisir de son propre enfant venu profiter des festivités. En gardant espoir, il se répétera le mantra suivant:

«On mange le gâteau, on donne le cadeau, pis on décâlisse d'icitte.»

Après ce qui lui semblera une éternité viendra finalement le moment fatidique du rituel du déballage de cadeaux. Fait intéressant, cette tradition semblera beaucoup plus importante pour les parents et leurs kodaks. JAKKOB, lui, se contentera de déballer à la chaîne, jusqu'à ce qu'il tombe sur les bonhommes de Star Wars. Pour la première fois, son regard s'illuminera d'une joie véritable… Mais cet instant sera coupé court quand sa mère dira devant tout le monde ce commentaire de hippie bobo:

«C'est des jouets qui glorifient la guerre et le patriarcat, ça, mon JAKKOU! Va falloir qu'on en discute entre nous, parce que je ne suis pas certaine d'être d'accord.»

Le parent accompagnateur ravalera sa salive acide de frustré: il chuchotera à fiston qu'il faut partir, prétextant un souper chez grand-maman… Ce qui est, de loin, la meilleure porte de sortie pour sacrer son camp de n'importe quel guêpier!

Au moment de quitter la fête, le parent et son enfant risqueront d'apercevoir dans la ruelle le clown qui se prépare pour sa performance devant les enfants. Par préparer, nous voulons évidemment dire fumer du hasch en criant après sa blonde au téléphone. Bravo! Vous aurez choisi le bon moment pour partir.

Film *n.m.*

Nom masculin désignant le septième art (même si on oublie qu'il s'agit d'une forme d'art quand on écoute *Camping sauvage*).

Le cinéma est une forme d'art visuel qui consiste grosso modo à dépenser une somme astronomique d'argent, budget qui pourrait servir à une cause noble, comme guérir le sida ou nourrir des enfants du Bangladesh. Cet argent est utilisé à des fins purement ludiques, pour filmer à peu près 10 heures de scènes dont on coupe la majeure partie au montage ; les scènes restantes, une fois mises bout à bout et placées en ordre, prennent la forme d'un film.

Dans le but de rentabiliser les montants faramineux investis, les maisons de production doivent séduire un large éventail de la population. Pour cette raison, ils ont divisé les œuvres en différents genres :

1. Le film d'action

Le film d'action contient généralement des méchants Européens, Arabes ou de n'importe quelle nation avec laquelle les États-Unis sont en chicane au moment où le long métrage est fait. Ces méchants veulent la plupart du temps faire sauter quelque chose avec du monde dedans, et le personnage principal devra contrecarrer leurs plans diaboliques. Le héros est soit un policier suspendu pour insubordination, soit un ancien militaire cynique avec une barbe de trois jours à qui le président fait appel. Ce gars-là se nomme généralement John ou Jack, et il a perdu sa femme ou son fils quelques années plus tôt, ce qui l'a amené à marcher sur le fil du rasoir. Dur à cuire et viril, il n'est pas obligé de porter un uniforme ou une veste pare-balles : il peut aisément sauver le monde en camisole ou en bedaine.

Le film d'action ne se termine jamais avant que John-Jack ait dit une phrase cool au chef des méchants, genre «T'as fait chier le mauvais flic, mon pote», pour ensuite le tuer en tirant dans une tank à gaz, qui traînait comme par hasard derrière lui.

2. Le film d'amour

Le film d'amour raconte obligatoirement l'histoire d'une fille qu'on nous vend comme une petite laide qui mange beaucoup de *junk*, même si elle porte du XXS, mais qui une fois qu'elle enlève ses lunettes et qu'on lui épile les sourcils, devient une SOLIDE *chicks*. La petite-laide-solide-*chicks* est souvent en amour avec un gars qui s'appelle Scott et qui va à l'école en Lamborghini. Elle finit éventuellement par se rendre compte, durant une chicane aux trois quarts du film, que (SURPRISE !!!), Scott qui va à l'école en Lamborghini est un douchebag ! À la fin, la petite-laide-solide-*chicks* va finir avec un autre gars, son ami de toujours, l'artiste ténébreux issu d'un milieu pauvre (même s'il possède une Harley ou une décapotable des années 50), avec des beaux pectoraux saillants, qui fait des dessins au fusain et qui compose des tounes à la guitare. Dans les films d'amour, tous les gars sont sexy et savent jouer de la guit'. À un moment donné, un des deux amoureux est destiné à mourir d'une maladie super rare, sur une chanson triste… Parce que c'est important de brailler dans un film d'amour.

Il existe aussi la variante comédie romantique, où une femme d'affaires névrosée est tellement axée sur sa carrière qu'elle n'a pas le temps de rencontrer des hommes. Par un heureux hasard, elle tombera sur un gars qui est son contraire : un gars tout croche, désorganisé, mais avec une gueule de rêve, des fossettes et une chemise à carreaux. Ils vivront des conflits, mais finiront en s'embrassant pour la première fois, avec en arrière-plan un panorama de la ville de New York… Le film s'arrêtera juste avant que l'histoire ne dégénère et que l'un des deux étouffe l'autre dans son sommeil parce que, finalement, ce n'est pas si vrai que ça que «les contraires s'attirent»!

3. Le film d'horreur

Le film d'horreur commence toujours avec un terrible secret, ou un événement qui a jadis été enfoui et qui refait surface… Comme un livre satanique qui réveille des démons ou la cassette VHS d'une petite fille avec les cheveux gras dans le visage, qui tue ceux qui ont le malheur de la visionner. Il y a également la fois où une rencontre de parents a dérapé et qu'ils ont brûlé le concierge de l'école juste parce qu'il tripait à porter des gants avec des griffes pour faire des guilis-guilis aux enfants…

Fait intéressant : les personnages de films d'horreur semblent être les seuls êtres humains au monde à ne jamais avoir vu de films d'horreur. Ce manque à leur culture les empêche de ne pas commettre d'erreurs connes, comme baiser dans le bois en sachant qu'un tueur rôde dans les parages, ne pas s'assurer que le tueur est VRAIMENT mort, ou le classique, tomber en panne dans le fin fond du Texas et aller à la maison décorée avec des squelettes d'animaux en se disant : «Ben ouais! C'est icitte que je vais aller sonner pour appeler ma dépanneuse!» Les films d'horreur seront toujours un classique film de premier rendez-vous, parfaits pour se coller quand le réalisateur a jugé bon de nous faire faire le saut avec un chat qui bondit sur le comptoir et un effet sonore exagérément fort, à deux décibels de donner une crise cardiaque.

4. La comédie

La comédie est un peu comme le Kraft Dinner du cinéma. Ça n'a même pas besoin d'être bon pour faire la job. Si le succès du Kraft Dinner repose sans aucun doute sur le goût réconfortant de sa petite poudre orange fluo chimique, celui de la comédie repose sur des éléments familiers qui ont fait leurs preuves à maintes reprises. Par exemple, on sait qu'Adam Sandler dans le rôle d'un gars vivant une situation funky qui va l'amener à devenir un meilleur être humain, ça fonctionne à tout coup! Même chose pour Jack Black, qui va invariablement finir par ploguer des affaires de rock en faisant au moins une passe d'*air guitar* à genoux, en chantant aigu comme Ozzy Osbourne. Mais comme la poudre orange, ça fait son temps… Aujourd'hui, les comédies ont compris que le sexe vendait… Alors ça se résume à plusieurs histoires similaires où une bande d'amis ont une quête commune menée par leur libido. Il y aura assurément une scène de beuverie à un moment donné, sur un tube pop du moment, avec des filles en bikini. Si la qualité des blagues n'est pas le souci principal, on pallie la plupart du temps avec du double D.

5. Le film d'animation pour enfants

Juste en lisant ces lignes, vous avez déjà la chanson de *La reine des neiges* en tête.

Le film pour enfants risque de jouer à répétition à la maison jusqu'à ce que vous fassiez croire à votre enfant que le DVD ne fonctionne plus, tellement vous en avez plein votre casque.

Cette fâcheuse situation est liée au fait que le cerveau des enfants ne semble pas encore avoir le filtre qui dit : «OK! Ça va faire. Ça fait 140 fois que tu la regardes, la ciboire de *Reine des neiges*, pis tes parents saignent des oreilles!»

Les producteurs sont conscients que ce sont les parents qui travaillent 40 heures par semaine pour payer 15 piastres par personne pour un film en 3D. Aussi, lorsque vient le temps de raconter l'histoire d'une marmotte préhistorique qui rushe depuis 12 films à cacher une cibole de noisette, ils ont décidé d'insérer quelques blagues pour récompenser l'adulte d'endurer ça avec sa marmaille. Les enfants ne saisiront jamais ces blagues, mais le parent pourra ricaner dans sa barbe en entendant Shrek accuser le prince au gros château de compenser pour quelque chose. Merci d'avoir pensé à nous, les producteurs.

Sinon, en gros, ça reste un film pour enfants avec une fin heureuse (sauf pour les méchants), et le personnage principal finit toujours par se rendre compte que c'est correct d'être différent. Il apprend à s'accepter tel qu'il est… et à accepter les autres aussi! Si seulement ces belles leçons pouvaient accompagner les enfants quand ils s'écœurent dans la cour d'école.

6. Les films québécois

Il existe deux types de films québécois. Premièrement, la comédie d'été mettant en scène un humoriste, où l'histoire devient rapidement secondaire puisque le but ultime est de ploguer des clichés gros comme le bras. Deuxièmement, il y a les drames super lourds avec Élise Guilbault qui braille pendant deux heures. Il s'agit malheureusement de productions que personne n'ira voir au cinéma, mais qui donnent des semi-croquantes aux baby-boomers poivre et sel qui attribuent les subventions à la SODEC.

7. Le film français

Le film français se déroule généralement ainsi: pendant deux heures, nous allons suivre les péripéties de gens désagréables qui s'engueulent durant un souper, entrecoupées d'une ou plusieurs scènes où l'on aperçoit une paire de petits seins pointus de Française. Le tout est agrémenté de subtils bruits de fond, de cliquetis d'ustensiles et de gens qui mangent dans un bistro. Si le cinéma américain se donne le mandat de nous divertir, le cinéma français, lui, est maître dans l'art de raconter une longue anecdote pas de punch.

Fin des classes *n.f.*

Période que l'humain une fois adulte se remémore avec nostalgie en se disant que jamais plus il ne vivra cette douce insouciance de l'époque où il faisait bon de juste crisser son *bike* par terre dans l'entrée de garage pour ensuite aller se baigner chez l'ami qu'on exploite parce qu'il a une piscine… (En passant, 1000 excuses pour le langage coloré, mais il n'existe aucun verbe dans la langue française pour décrire avec exactitude l'action de «juste débarquer de son vélo, pendant qu'il roule encore, pour le laisser dans le chemin, à l'endroit précis où il s'est arrêté dans son élan pour tomber sur le côté».)

Un petit conseil pour les enfants : identifiez rapidement vos amis d'été avant la fin des classes. Avec un ami qui a une piscine, un ami avec une console de jeux vidéo et un ami avec un chalet, vous êtes en business pour un bel été !

L'année scolaire se termine vers la fin du mois de juin. Quelques semaines avant, on peut sentir une sorte de frénésie dans l'air. Les profs cessent d'enseigner de la matière pour permettre aux élèves de nettoyer leur pupitre et leur casier. Ils en retireront d'anciens artéfacts comme des restants de galette à l'avoine de cafétéria oubliés dans leur Saran Wrap, ou bien la vieille paire de shorts d'éduc qui était toute mouillée et qui a fini par durcir en tapon dans le fond de la case.

Pour les finissants du secondaire, les derniers jours avant les vacances d'été sont également propices au sacro-saint rituel de «faire signer son album de finissant». Cette tradition consiste à demander à ses camarades d'ajouter un petit mot en guise de souvenir que le propriétaire de l'album aura le plaisir de redécouvrir, un moment donné, en faisant le ménage de sa bibliothèque. Il hésitera longuement à le sacrer aux vidanges en se rendant compte qu'il est rempli d'*inside jokes* dont il ne se souvient plus… mais surtout parce qu'il ne tripe pas tant à regarder des photos de lui dans le temps où il pesait 50 livres en moins et qu'il avait assez de poils sur la tête pour avoir ce que les plus chanceux appellent une coupe de cheveux.

C'est également à ce moment que le finissant en profite pour échanger des numéros de téléphone en disant : «Eille, on s'appellera et on fera de quoi…», pour finalement ne jamais le faire, se perdre de vue et se recroiser des années plus tard au Costco. Les anciens amis feront alors semblant de ne pas se reconnaître, parce qu'on a tous de la misère à évaluer la pertinence d'aborder quelqu'un qu'on a perdu de vue depuis 20 ans devant un kiosque de dégustation de salade de chou, en lui disant : «Salut !! Te souviens-tu de moi ? On a fait un oral sur les lynx ensemble en 1998 !»

Toutefois, quand vient le temps d'aborder pour une dernière fois celui ou celle qui fait battre notre cœur, c'est une autre histoire.

Avant de refermer sa case le dernier jour, le finissant regarde dans sa direction pour prendre une photo mentale et ne jamais l'oublier. Il met sur ses épaules son sac à dos trop lourd à cause de tous les cartables que sa mère veut qu'il rapporte à la maison. Il monte dans l'autobus, et en regardant par la fenêtre, il se trouve épais de ne lui avoir jamais rien dit. La vie continue, puis il passe à autre chose en gardant un souvenir idéalisé de cet être aimé, jusqu'au jour où il la recroise sur Crescent pendant la F1 pour constater que celle qu'il avait mise sur un piédestal a fini par mal vieillir et devenir une *shooter girl* avec un bronzage orange, un papillon dans le bas du dos et des tics de coke. Il termine alors rapidement sa bière, puis avec un brin de soulagement, se dit que finalement, il y a peut-être un dieu pour les p'tits gros qui n'ont pas trouvé le courage.

Fruit *n. m.*

Cousin cool du légume. En fait, le légume est trop sérieux avec son diplôme ; il est casé et straight. Même si des fois, il se lâche lousse en regardant des vidéos de mélange à salade avec la petite tomate bicurieuse que personne n'est jamais sûr dans quelle équipe elle joue, il reste un légume casanier poche.

Le fruit, pour sa part, est plus *wild*, plus coloré et plus sucré. Les petits collants sur les pommes et les bananes ne sont pas des étiquettes, mais bien des tatouages. Une récente découverte scientifique nous a démontré que si l'on examine des fruits au microscope, on peut même apercevoir à l'occasion deux minuscules mamelons percés.

Les fruits sont divisés en quatre grandes catégories :

1. Le fruit d'élite

C'est le fruit de saison qui est seulement disponible pendant une période précise de l'année. On se l'arrache, alors qu'il dure à peine 24 heures après qu'on l'ait acheté. Ce groupe comprend, par exemple, les cerises, les baies et les bleuets. Dès que vous posez les yeux sur un casseau à l'épicerie, ils commencent déjà à dépérir en vous regardant. C'est pour cette raison que ce sont les fruits que l'on gobe sur le chemin de la maison, les doigts tout collants, mais le petit doigt en l'air parce que c'est un fruit d'élite. C'est le fruit qui se rapproche le plus d'une tentative de Mère Nature de faire sa propre batch de jujubes.

2. Le bon fruit

C'est le fruit sur lequel on ne se garroche pas, mais qui, fidèle au poste, est toujours là quand on a besoin de lui. Cette catégorie comprend les pommes, les bananes, les poires... C'est comme les André Robitaille du frigo. Tu écoutes son émission et tu te dis : « Y m'semble que c'était meilleur avec Véronique Cloutier, c'te show-là !... Mais il fait quand même la job. » Les André Robitaille sont aimés depuis toujours et le seront toujours.

3. Le fruit bizarre

C'est un fruit qui peut s'avérer excellent au goût, mais dont l'aspect étrange suscite la perplexité chez l'humain. Surtout s'il n'y a jamais goûté. Prenons l'exemple du kiwi. À quel point le premier humain qui y a goûté devait être affamé pour se dire « Tiens. Je vais croquer cet étrange végétal qui ressemble à un testicule avec une barbe de trois jours » ? Cette catégorie comprend aussi le fruit de la passion, qui, une fois coupé en deux, nous laisse entrevoir un intérieur aussi appétissant qu'un cornet de butch. Honnêtement, c'est ce à quoi ressemblerait une poire si elle avait le cancer. Pensez à l'ananas, qui est sans doute un des seuls fruits pouvant à la fois servir de collation et de massue avec laquelle il est possible de tuer quelqu'un... Et finalement, la noix de coco, bien entendu ! Ce fruit qu'il est quasi impossible d'ouvrir à moins d'avoir une machette sous la main, ce qui représente pas mal de trouble pour quelque chose qui ne contient en fin de compte qu'une espèce de bran de scie blanc pâteux qui roule dans bouche et du jus dégueulasse qui donne le flu.

4. Le fruit figurant

C'est celui que personne n'aime particulièrement à l'état brut. Il faut donc faire preuve de créativité pour s'en débarrasser. Les cantaloups et les melons miel, par exemple, finissent en décoration dans les assiettes à déjeuner. Les avocats, eux, se transforment en guacamole parce que leur texture en bouche ressemble étrangement à celle d'une cuillerée de margarine. Et enfin, les canneberges ! Pour être comestibles et tolérables, elles sont broyées pour en extraire un jus dont la principale caractéristique est de rendre la gueule sèche. Oui, les experts diront que ça guérit les infections urinaires, MAIS À QUEL PRIX ?

Garage *n.m. (prononcez «garâge»)*

Type d'atelier où des réparations sur des véhicules routiers sont effectuées par un monsieur à l'aise de montrer le haut de sa craque de fesses, qui fume dans son commerce et qui est capable de se clencher un Passion Flakie en trois bouchées pendant qu'il explique à quoi sert une tête de *gasket*.

Pour une raison qui dépasse la compréhension humaine, les réparations à effectuer sur un véhicule surviennent toujours à un moment inopportun où l'humain se sent déjà pris à la gorge financièrement, genre au mois de janvier, juste quand il vient de recevoir son *bill* de MasterCard de cadeaux de Noël.

Dès son arrivée, le propriétaire du véhicule sentira la douce odeur qui caractérise les garages. Elle est constituée d'un amalgame : l'aromate du *rubber* de *tire*, les effluves subtils de l'huile à moteur, le swing et le doux parfum des «sapins sent-bon de miroir de char».

Le garagiste prendra la clé du véhicule. À ce moment, le client voudra connaître la durée approximative des réparations. Le garagiste, avec son air incertain, lui répondra quelque chose de précis du genre :

«Ça devrait pas être trop long, là.»

Le client sera également tenté d'avoir une vague idée du prix, ce à quoi le garagiste répondra :

«Ça devrait pas être trop cher.»

À l'aide de son index à l'ongle noirci par la graisse à moteur, il pointera la salle d'attente au client, attachera une ficelle à la clé du véhicule et la sacrera sur un *board* où pendent 25 autres clés.

Le client se rendra à la salle d'attente pour constater que ce que le garagiste voulait dire par «salle d'attente», c'était plutôt trois chaises dépareillées, une cafetière avec un vieux fond de café et une machine à pinottes au barbecue.

Dans le but de rendre l'attente moins longue, le garagiste aura pris soin de mettre un brin de littérature à la disposition de ses clients. Par littérature, on entend un *Journal de Montréal* daté d'il y a deux semaines, un catalogue de radios de char et une revue de *fifthwheel* à vendre. Et s'il est chanceux, le client aura droit à une vieille télé qui griche un show d'après-midi, suspendue au-dessus de la machine à liqueurs défectueuse.

Après une attente interminable où il aura vidé sa batterie de cellulaire pour se divertir et se sera mis à feuilleter les catalogues (parce que les sudokus dans le journal étaient déjà faits), le client regardera sur sa montre pour constater avec effroi que seulement 15 minutes se sont écoulées depuis son arrivée.

Le client commencera à canter dans sa chaise. Il demandera alors à nouveau au garagiste combien de temps dureront encore les réparations, ce à quoi le professionnel répondra :

« Va falloir commander des pièces, mais ça devrait pas être trop long. Veux-tu j'te passe un char ? »

C'est à ce moment qu'il offrira au client de lui prêter une voiture de courtoisie en attendant. Le client acceptera avec joie, loin de se douter que les voitures de courtoisie prêtées sont généralement ce qu'on appelle des « réguines », des « bazous » ou des « dompes », selon les régions du Québec ou le nombre de dents restantes dans la gueule de votre garagiste. On parle en général de vieilles Ford Tempo 95 mi-blanc, mi-rouille, avec juste un *wiper* et qui roulent sur quatre pneus de *spare*.

Il n'y a pas de mots sur terre pour quantifier le niveau de honte ressentie par le client forcé de se promener dans sa réguine de courtoisie, une honte si intense qu'il roulera la fenêtre ouverte pour la seule et unique raison qu'il voudra se justifier aux feux rouges en criant aux autres automobilistes :

« C'pas à moé ! C't'un char de courtoisie !!! »

Avant de s'attacher au véhicule de courtoisie et de développer le syndrome de Stockholm, le client reviendra prendre possession de son véhicule. Le garagiste lui expliquera, dans un charabia incompréhensible, le diagnostic concernant sa voiture. En vérité, le garagiste pourrait dire n'importe quoi au client, à qui les mots *tie rod*, *linkage* et *ball joint* ne disent strictement rien.

C'est à se demander si le garagiste parle de mécanique ou s'exprime en hiéroglyphes.

Le garagiste lui remettra les clés avec la petite ficelle ainsi que sa facture. Le client sera surpris de constater que lorsque le garagiste avait estimé les coûts de la réparation à « ça devrait pas être trop cher », ce qu'il voulait dire, en réalité, c'est que ça allait remplir sa carte de crédit au point de provoquer chez lui de l'anxiété de remboursement.

Glissades d'eau *n.f.pl.*

Nom féminin, toujours pluriel (une seule glissade, ça ne serait pas assez pour avoir du plaisir ou pour attraper des champignons aux pieds).

Glissades d'eau est aussi synonyme de faire la file en grelottant avec une molle sur le bord d'une narine, les mains devant le lunch rétréci par l'eau frette, le tout en watchant des gens sur les pines qui s'exhibent les taches de naissance.

La surveillance et le respect des règlements des glissades d'eau sont généralement assurés par un personnel «hautement qualifié» d'adolescents bronzés, à l'air bête, avec des ti-triangles de crème solaire sur le nez et des chapeaux de Gilligan sur la tête.

C'est vraiment rassurant de savoir que Josiane et Jérémy, qui fumaient un petit batte derrière le filtreur il y a moins de 10 minutes, sont responsables de la barboteuse… Cela dit, leur description de tâches se résume à encadrer les athlètes glisseurs en donnant un swing dans le dos poilu d'un gros Bernard qui est pogné sur le départ pour cause de cuisses collées sur le plastique.

Qui dit glissades d'eau dit également piscine à vagues. Les piscines à vagues sont de grands bassins d'eau tiède constitués d'un quart d'eau, d'un quart de gens, d'un quart de pisse d'enfants et d'un quart de bactéries de verrues plantaires.

Chaque parc de glissades d'eau contient une *ride* BEAUCOUP trop à pic, où l'être humain aime aller s'humilier sans raison en glissant en ligne droite à la vitesse du son, histoire de s'assurer d'arracher une partie de la peau de son dos sur les petites fentes de la surface. Pour ralentir la glissade trop à pic, le concepteur a jugé bon de foutre un bassin en ciment (pas assez creux) rempli d'eau à la fin de ladite glissade pour humilier une dernière fois les épais et les épaisses en utilisant la force de l'eau pour faire flipper leurs maillots. Rien de mieux pour graver à jamais les souvenirs d'une journée aux glissades d'eau que de voir le cul de son papa ou les pepperonis de sa maman !

De nouvelles lois de la physique ont aussi été inventées pour enfoncer profondément le maillot de monsieur dans le fond de son troufignon. Certaines légendes racontent même qu'il n'est pas rare de devoir appeler les secouristes munis de pinces de désincarcération pour déprendre un maillot d'un cul.

Généralement, un être humain d'âge adulte ressent le besoin d'aller aux glissades d'eau une fois tous les cinq ans pour se rappeler à quel point il n'aime pas vraiment ça, rester prisonnier d'une trip en pognant un coup de soleil au troisième degré, pendant que des petits morveux l'éclaboussent avec de l'eau contenant leur échantillon d'ADN.

Le terme *glissades d'eau* est surtout efficace à titre de menace, comme dans : «Kevun! Arrête de gosser ta sœur, pis attache-toé parce que je te jure qu'on revire de bord pis qu'on n'ira pas aux glissades d'eau!»

Les glissades d'eau sont enfin un moyen un peu baveux pour les pays occidentaux de dire aux trois quarts de la planète qui marchent 10 km dans un dépotoir pour aller se remplir un vieux gallon d'eau sale bouetteuse : «Avez-vous soif, les crottés? Parce qu'entéka icitte, de l'eau, on en a une chiée. C'était pas assez d'en utiliser de la potable pour flusher nos excréments et se laver chaque jour avec du savon Axe, on a décidé d'en mettre dans les glissades pour aller plus vite!»

Go-Kart *n. m.*

Activité de course de petites voitures en circuit fermé où l'humain a de bonnes chances de croiser un gars qui le surnomme «l'gros», qui porte une chemise Ferrari et qui a des flammes rasées dans le fond de tête.

Si vous pensiez vous glisser dans la peau d'un pilote de Formule 1 l'instant d'une journée, permettez-nous de péter votre balloune. Si, en F1, ce sont de riches pilotes qui se lancent du champagne en pleine face après une course dans les rues de Monaco à côté de chars qui valent des millions de dollars, eh bien pour votre part, vous serez plutôt à Mascouche, dans un entrepôt qui pue le vieux pneu avec un bar qui vend des canettes de Monster à côté d'un kart qui est en fait l'équivalent d'un pédalo avec un moteur de Weed Eater.

Et il n'y a pas que cela qui vous différencie de Lance Stroll.

Il faut aussi savoir que les pitounes de F1, avec leurs seins en plastique, leurs *daddy issues* et leurs millions d'abonnés Instagram, ne se tiennent pas dans les centres de Go-Kart. L'unique fille que vous croiserez est la fille à l'accueil. Celle dont la peau est déjà tellement bronzée que si ce n'était pas de son piercing de nombril avec une perle en dauphin, on pourrait croire qu'elle est en fait un siège de char en cuir. Ses cheveux sont bleachés et s'agencent parfaitement avec sa trop grosse ceinture blanche.

Votre journée sera remplie de Kris (avec un K) qui portent des shorts de maillot de bain comme vêtements et des grosses chaînes lousses dans le cou.

Quand, enfin, vous serez installé dans votre «bolide», vous aurez l'impression que quelqu'un a simplement pimpé une voiturette de golf, vous a sacré un casque de motocross sur la noix et a décidé de vous charger beaucoup trop cher pour tourner en rond. Vous ne pourrez malheureusement pas lancer des bombes ou des bananes comme dans *Mario Kart*. La seule chose que vous pourrez faire, c'est entrer en collision avec un préado pour qu'il fonce dans un tas de pneus et, ainsi, venger votre génération plus capable d'entendre leur musique avec beaucoup trop d'*auto-tune*.

Mais revenons à la course elle-même. Une fois la machine mise en marche, la vibration du moteur résonnera jusque dans votre fourche, et il y a comme une partie de vous que vous ne contrôlerez plus. C'est l'enfant en vous, souhaitant uniquement faire «vroum vroum» et gagner, qui prendra le dessus. Même si les autres concurrents sont votre grand-mère, un groupe d'orphelins ou même un enfant malade en train de réaliser son souhait avec la Fondation Rêves d'enfants, vous vous transformerez en un Schumacher (l'accident de ski en moins) prêt à tout pour remporter la course. Une fois la ligne d'arrivée franchie, vous soulèverez fièrement votre casque de motocross au-dessus de votre tête en regardant les résultats sur l'écran et en vous assurant que la *gurda* de l'accueil a bien vu performer «l'gros».

Grand-maman *n.f.*

Nom féminin, à prononcer de préférence en roulant ses « r ».

Une grand-maman est habituellement la mère de l'un de vos deux parents. Une grand-maman est un genre de robot-madame infatigable qui a traversé les époques en accouchant de 18 bébés, et qui arbore sans gêne (et avec style) les couleurs pastel.

La grand-maman traditionnelle peut se bercer dans le coin d'une pièce pendant tout un party du temps des Fêtes en répétant sans cesse à voix haute : « Hé que ça fait du bien de tous vous voir réunis ».

Si, en plus, elle s'est pris un petit cognac, elle vous radotera ça jusqu'à 4 h du matin, quand tout le monde sera en effet réuni, mais surtout couché.

Les synonymes de *grand-maman* sont extrêmement nombreux : *Mamy*, *Mémé*, *Mémeille*, *Mère-grand*, *Madame avec les cheveux mauves transparents qui me donne 5 $ cash dans mes cartes de fête*.

La grand-maman, aussi connue sous l'appellation « fabricante de pouding chômeur », ne vous croit jamais lorsque vous lui dites que vous avez assez mangé. Aussi, elle vous ressert sans pitié huit portions de pain de viande et vous garroche des petits chocolats à la menthe dans le fond de la gorge.

Une grand-maman est une madame qui conduit toujours 20 km/h en dessous de la vitesse minimale et qui vient vous garder quand vous êtes petit et que vos parents se poussent pour faire l'amour dans un Club Med.

C'est la femme qui, lorsqu'elle vous garde chez elle, possède comme seul divertissement une vieille TV en bois avec des S.O.S au bout d'un vieux support en guise d'antenne, TV qui capte juste des affaires de Jésus. Elle a aussi une boîte de biscuits en métal du Club des Lions remplie d'affaires de couture.

La grand-maman est aussi celle qui, à Noël, sait créer de faux espoirs en donnant une grosse boîte qui pèse environ le même poids qu'un cadeau cool, mais dont le contenu s'avère finalement être un pyjama de matelot fait maison, en Phentex. En même temps, vu que c'est elle qui vous engraisse aux brownies toute votre enfance, vous vous taisez.

Une grand-maman est l'unique personne à qui on se sent obligé de dire qu'elle était donc belle quand elle était plus jeune, et ce, même si elle avait déjà l'air d'une petite vieille à 16 ans.

Certaines grands-mamans sont à l'affût des nouvelles technologies et connaissent l'existence des médias sociaux. Aucune d'entre elles ne s'en sert correctement. Y'a des chances que vous vous fassiez demander sur votre *wall* Facebook, aux yeux de tous et en lettres majuscules :

« COMMENT VA TON ECZÉMA DE FOUFOUNES, BERNARD ? »

Les grands-mamans font partie du groupe Les personnes âgées, soit un ralliement de vieilles personnes qui sont souvent exclues des projets de société. Si, dans certaines cultures, les personnes âgées sont vénérées, ici, en Amérique du Nord, on préfère les corder dans des CHSLD et ensuite chialer sur leur qualité de vie pour se sentir moins coupable d'aller les voir deux fois par année, c'est-à-dire à Pâques et à Noël.

Et pourtant, on se prive de magie lorsqu'on ne côtoie pas assez nos grands-mamans. Si on voulait reproduire le bonheur ressenti lors d'un câlin de grand-maman, il faudrait :

- 10 brioches chaudes ;
- un foyer réconfortant un soir d'hiver ;
- 12 bébés naissants à dos d'hirondelles qui hurlent je t'aime au pied d'un arc-en-ciel en barbe à papa ;
- des rivières de chaï latte ;
- un châle qui sent la cannelle ;
- des bébés pandas qui se chatouillent dans un panier d'osier rempli de ouate ;
- le sentiment de réussir à se gratter tout seul dans le dos ;
- … et une énorme batch de pouding chômeur.

Grano *n.m. et f.*

Diminutif de *granola*, utilisé pour désigner le membre d'une famille que tout le monde trouve lourd pendant un souper, avec des phrases comme : « C'pas que ça a pas l'air bon, c'est juste que j'ai récemment décidé de me nourrir exclusivement de lumière. »

Le terme *grano* est un dérivé du mot *graine*, et le grano raffole des graines ! Je parle bien sûr ici des graines de chia, de lin, de citrouille ou de chanvre, et non celles que vos ados s'envoient sur Snapchat[1] !

Le grano se reconnaît à des kilomètres à la ronde. Car comme le carcajou, il émet une puissante odeur, ce qui est utile pour se défendre contre les prédateurs naturels dégoûtés par les émanations de sa crème solaire maison à l'ail des bois.

Il achète très peu de produits cosmétiques, préférant les concocter lui-même. Il fait, par exemple, son déodorant avec du clou de girofle, de la citronnelle et une poignée de purin de yak (élevé en liberté, bien sûr !). Car le grano est une âme sensible qui pleure lorsqu'il pense que certaines personnes sans cœur osent encore consommer des œufs provenant de poules « PAS en liberté ».

(On jase, là, mais il faudrait que les Amistad de la volaille se calment un peu. Quand on y pense, aucune poule, en liberté ou non, ne doit être contente d'être élevée dans le but d'offrir ses fausses couches pour qu'on grignote ça entre deux muffins anglais.)

Les granos rejettent également la science, qu'ils perçoivent comme un mensonge élaboré par les « ennemis » de l'humanité, c'est-à-dire les grosses corporations, les industries pharmaceutiques et les géants de l'alimentation.

D'ailleurs, qui, en ce bas monde, n'a jamais connu l'immense joie de s'obstiner avec un grano au sujet d'une évidence scientifique ?

Comme la fois, dans la salle des employés, où votre collègue Sophie-Soleil a décidé de remettre en question la vaccination de votre petite dernière parce que sa prof de yoga chaud lui a dit que ça rendait les enfants autistes ! Vous aurez beau argumenter avec elle, elle vous sortira une classique phrase de grano : « Dans le temps, le corps humain développait naturellement ses propres mécanismes de défense contre les infections ! »

Vous pourriez lui demander sèchement si elle fait référence au passé où il fallait être chanceux pour vivre jusqu'à 25 ans sans mourir en accouchant dans un champ pendant qu'on faisait les récoltes, deux jours après avoir perdu deux de nos 17 enfants d'un rhume qu'on avait essayé de guérir en leur mettant des sangsues sur l'abdomen... Mais bon. Dans un cas comme celui-ci, il est recommandé d'éviter la confrontation. Vous vous passerez ainsi de l'haleine de Sophie-Soleil, qui fait son propre rince-bouche avec du bran de scie et des oignons.

---

1   Bien que cette blague puisse sembler grivoise, il s'agit d'un commentaire social sur les mœurs d'une jeunesse laissée à elle-même dans l'univers des médias sociaux. Ouin... non. C'est juste une blague de graine.

Grossesse *n.f.*

Période s'échelonnant sur à peu près neuf mois, où la femme s'acquitte de la difficile tâche de porter un (ou plusieurs) fœtus en lui fournissant les nutriments nécessaires à sa croissance, ainsi que beaucoup d'amour – et ce, malgré le fait qu'il sera inévitablement un jour un petit morveux qui fait le mou quand vient le temps de mettre son habit d'hiver.

La grossesse survient dans la plupart des cas après l'accouplement, c'est-à-dire une série d'actes à caractère sexuel qu'il était impossible de décrire dans cet ouvrage, mais qu'il est possible de passer sous forme littéraire en faisant croire que c'est de la poésie érotique!

Acte 1

Deux amants enlacés se minouchent dans la pénombre. Leurs doigts, tels de petits explorateurs, scrutent chaque centimètre du corps nu et moite de l'autre, qui luit dans la clarté lunaire, et ce, avec le même appétit vorace que s'ils se découvraient pour la première fois (ce qui est parfois le cas).

Après quelques minutes de ce sensuel ballet nuptial, un léger obstacle (moins léger que d'autres pour certains) viendra, au grand désespoir de l'homme, s'immiscer entre les deux amants, l'air de dire: «Salut! C'est moi! Eille, j'm'excuse, c'est juste que c'est *l'fun* ce qui se passe, mais je tofferai pas longtemps de même… On pourrait peut-être continuer à tâter ses seins, mais en pensant à autre chose… Genre des outils! Oui, c'est bon ça! Marteau… pinces, tournevis… pinces… Ah non, je l'ai déjà dit celui-là! J'ai juste le goût de pincer de quoi, là…»

C'est alors que les spermatozoïdes, ces espèces de soldats en forme de têtards, seront droppés tel un escadron sur une plage de Normandie et devront mener le combat de leur vie. Ils auront à se frayer un chemin jusqu'à l'ovule – un genre d'œuf gluant qui fait capoter les madames une fois par mois – afin de le féconder. Une fois cette mission accomplie commencera le grand miracle de la vie.

Acte 2

Quelques semaines plus tard, la future maman – alertée par le fait qu'elle se soit surprise à dire à voix haute «me semble que pour souper, je mangerais des têtes de violon pis des Sugar Crisp» – sentira le besoin de confirmer que quelque chose se forme en elle, et que ce n'est pas juste son burrito du midi qui fait des siennes.

Pour ce faire, elle urinera sur un test de grossesse, qui est en fait un genre de petit bâton de popsicle détectant certaines hormones présentes en quantité suffisante pour confirmer la grossesse. Passé le choc initial de la nouvelle, elle sortira enfin de la salle de bain pour montrer le bâtonnet de pipi au père. Le nouveau papa aura les trois réflexions suivantes:

1. Shit! Va falloir s'acheter une quatre-portes.

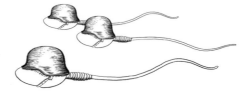

2. *Eille…* ça veut dire que je me rapproche tranquillement de la vasectomie, ça!

3. *Nice!* Ça veut dire que je vais pouvoir acheter des jouets sans qu'on me juge! Yé!

Pendant que le gars googlera «grossesse sympathique», la future mère, elle, même si c'est elle qui subira physiquement le poids de cette aventure, prendra quand même une charge énorme sur ses épaules en allant acheter des livres sur la grossesse et en prévoyant la logistique de l'arrivée de l'enfant, tout ça en voyant son corps se métamorphoser à vue d'œil. Pour vous donner une idée, en seulement neuf mois, elle gagnera en poids ce que Gérard Depardieu a mis 40 ans à accumuler en se bourrant dans le foie gras et le vino!

Ce volume supplémentaire a pour but de générer et de renforcer l'organisme d'un nouvel être humain, mais aussi d'aider la mère à passer au travers des étapes à venir:

1. Le *shower*

Selon les statistiques, la première année de vie d'un enfant coûterait en moyenne 13 000 $ aux nouveaux parents. Dans le but de leur venir en aide et de se déculpabiliser sur le fait qu'ils iront moins souvent les visiter, des amis décideront d'organiser un *shower*. Un moment donné, quelqu'un se dira: «Eille! Organisons une très longue séance de déballage de poires à crottes de nez et de cache-couches SANS AUCUN BREUVAGE ALCOOLISÉ[2]!»

2. Les cours prénataux et autres formations

Dans le but d'acquérir toutes les connaissances utiles pour la première année de vie de leur enfant, il est recommandé aux futurs parents d'assister à une série de quatre rencontres D'À PEINE TROIS HEURES, UN SOIR DE SEMAINE… dans un local où il fait trop chaud, avec des inconnus en chaussettes. Ils auront l'impression de suivre la suite plate et pas sexy des cours de sexualité du secondaire.

On y apprend entre autres à faire des massages de périnée, à nettoyer avec un Q-tips un restant de cordon ombilical qui pue ainsi que différentes techniques pour éviter à celles qui allaitent d'avoir les bouttes gercés.

Pour ceux et celles qui avaient le fou rire facile dans les cours de sexualité, soyez sans crainte! Dans les cours prénataux, vous serez vite désensibilisés aux tétons. Lors de la formation sur l'allaitement, une dame, spécialiste de l'allaitement beaucoup trop enthousiaste (et qui allaite probablement encore son fils de 27 ans), fera circuler une multitude de photos de bébés qui boivent au sein, sans avoir l'air de comprendre qu'une fois que t'en as vu une… comment dire? TU LES AS TOUTES VUES! Pis tu t'en torches un peu!

3. Trouver le nom de l'enfant

À cette étape, certains couples peuvent en venir aux poings. La maman, qui parfois brainstorme des prénoms depuis sa tendre enfance, sera complètement anéantie quand son chum refusera de nommer leur descendance Marie-Lilas.

Ses réactions, après ça, dépendent du niveau d'hormones dans son système et de la quantité de crème glacée ingérée ce jour-là. Le gars, qui n'avait pas de liste préparée d'avance dans son journal intime de secondaire 1, commencera à scroller dans son téléphone pour trouver des noms qui sonnent correct, mais surtout pour lesquels les enfants ne pourront pas se faire niaiser facilement.

Lorsqu'il tombera sur un prénom qui lui plaît, il le proposera à sa conjointe, qui s'empressera de lui répondre qu'elle connaissait une personne à l'école qui s'appelait de même, pis qu'elle la haïssait! Ils s'enverront donc des noms par textos pendant les quelques mois restants, en évitant toutes les suggestions de leur parenté, pour finalement écouter un film de X-Men avant l'accouchement et décider de baptiser leur kid Logan, parce que c'est le vrai nom de Wolverine.

---

2   Pour plus de détails, voir *shower de bébé*, p. 171.

H

Hiver *n.m.*

Saison débutant en décembre, dont la durée est d'environ trois mois à Montréal, mais six mois pour le reste du Québec.

Dans un souci de terminer l'année en beauté, Mère Nature fait un peu comme une finale de feu d'artifice en nous envoyant directement dans la gueule tout ce qu'il lui reste dans son sac à surprises de précipitations, c'est-à-dire : glace, neige, verglas, pluie, slush, grésil, bruine, temps doux, temps froid et temps frette. Parce que, non, ces deux derniers termes ne désignent pas la même chose. «Frette», c'est une coche au-dessus de froid, et il n'y a rien comme un -20 soudain pour se rappeler qu'on a encore oublié cette année de s'acheter des bonnes bottes. Ce sont donc nous, les caves, avec les orteils bleus dans nos *runnings shoes* d'été tout trempés dans la gadoue, qui vivons dans le déni.

Le Nord-Américain blasé par le froid et tanné d'avoir les pieds frettes depuis janvier aura une folle envie de tout sacrer là pour partir refaire sa vie à Cayo Coco. Malheureusement, son portefeuille aura été gravement fragilisé par son dernier voyage au garage, où il a dépensé une bonne somme d'argent en nouveaux pneus d'hiver, en Aquapel, pis en trois poignées de framboises en jujubes dans les machines à 30 sous de la salle d'attente.

En plus des frais du garagiste, il se rappellera qu'il a mis sur sa carte de crédit une Play-Station, une passe de ski, un abonnement dans un centre de crossfit où il n'ira jamais et des cadeaux de Noël qu'il s'était dit qu'il achèterait en octobre pour économiser, mais que finalement, il a achetés à la dernière minute.

La seule raison pour laquelle il n'a pas complètement oublié d'acheter ces cadeaux, c'est d'ailleurs parce que les *speakers* du garage où il a failli s'étouffer avec les fameux jujubes de framboises en attendant sa facture crachotaient de la musique de Noël.

Chaque fois qu'il pellette son char ou qu'il marche sous la pluie verglaçante (qui lui lacère le visage et les mains) en essayant de ne pas se fracasser le coccyx sur les petites plaques de glace sournoises, il en vient à se questionner sur les fondements mêmes de la colonisation de la Nouvelle-France en se demandant À QUEL POINT les conditions de vie en Europe étaient désagréables il y a 500 ans pour que des épais décident de venir se donner du trouble sur un territoire que l'on devait constamment déneiger entre deux batailles avec des Autochtones en crisse (pour de bonnes raisons, d'ailleurs).

Les historiens du *Petit Roberge un petit peu illustré* ont formulé la théorie suivante :

L'histoire est un mensonge. Jacques Cartier se foutait de l'or, des gemmes et de planter des croix. La véritable raison de son voyage était qu'il était trop moumoune pour dire à une fille avec laquelle il avait eu un *one night* qu'il n'était pas intéressé plus qu'il faut. À la place, il lui a dit : «Ouin, écoute… ch't'aime ben, mais je pars en expédition. J'aurais dit non, mais c'est mon chum François Ier qui me l'a demandé en personne. Ce serait ben maudit de dire non au roi ! Faque, je sais pas exactement quand je vais revenir…»

Il a donc levé les voiles en se disant lâchement : «Fiou, ç'a marché. Pis dans le pire des cas, les *boys*, vous direz à la fille que j'suis mort du scorbut pis que je ne suis jamais revenu !»

Le reste de l'histoire est bien connu : Cartier est arrivé dans le golfe du Saint-Laurent en 1534, perpétuant une tradition déjà bien ancrée de *dudes* pas responsables qui préfèrent sacrer leur camp dans une contrée lointaine plutôt que de dealer avec leurs blondes et leurs responsabilités, comme Roy Dupuis dans *Les filles de Caleb* ou Roy Dupuis dans *Un homme et son péché*, ou comme… presque tous les rôles de Roy Dupuis, dans le fond.

Bien sûr, les conjointes désiraient les suivre ou s'évader elles aussi, mais les gars leur répétaient toujours : «C'est pas que je veux pas que tu viennes, c'est juste que t'aimeras pas ça. Il neige *fucking* beaucoup, y'a des épidémies de scorbut pis y'a des gens qui veulent tout le temps nous scalper.»

Finalement, la colonisation, c'était l'équivalent de la fin de semaine de pêche entre *boys* du XVIe siècle.

Non seulement devaient-ils apprendre à survivre dans un climat qui semblait vouloir tout mettre en œuvre pour les tuer, mais ils devaient réapprivoiser chaque année les désagréables sensations que leur procuraient l'odeur de la petite feutrine à l'intérieur de leurs mitaines et leurs poils de narine qui semblaient se cristalliser au contact de l'air froid. Sans oublier, pire chose de toutes, qu'ils devaient enlever leurs bottes pour marcher nu-bas dans une petite motte de slush qui traînait sur le tapis d'entrée.

Homme *n. m.*

Humain capable de dissimuler sa chienne lorsque le moment est venu d'aller starter un barbecue.

Car oui, mesdames, l'homme ment depuis des siècles. Y'a autant la chienne que vous d'aller jouer avec une bonbonne de propane et un genre de briquet fait sur le long qui fonctionne à peu près jamais. C'est juste qu'une enzyme supraspéciale est sécrétée par ses testicules. Cette enzyme a pour effet de gonfler son orgueil à la puissance 1000 lors de ce genre de situations, qui peuvent aussi être :

• Tirer ben fort sur la corde pour partir une tondeuse.

• Cogner sur un mur pour trouver un *beam*.

• Se cogner le genou bien fort sur la table de salon et dire : «Pffff… tsss… hein, ça fait même pas si mal», et ce, même si ça saigne.

L'enzyme sécrétée par les testiboules qui gonflent l'orgueil du mâle peut aussi affecter son jugement lorsqu'il parle. Il ira même jusqu'à dire bien fort à sa conjointe : «Attends que je le recroise, lui, j'vais y dire ma façon de penser au crosseur ; il osera pu jamais fourrer quelqu'un», pour finalement baisser la tête et continuer son chemin lorsqu'il croisera ledit crosseur…

Le talon d'Achille de l'homme est certainement son système immunitaire de pouliche. Sa santé est plus fragile que celle de la femme, cette dernière ayant compris qu'une poignée de craquelins Minces aux légumes, un *beef jerky* de dépanneur et un Pepsi ne constituent pas une portion de légumes, une autre de viande et substituts et un dessert équilibré. Soucieuse de la santé de l'homme, la femme tentera même, à l'occasion, de l'initier aux bienfaits de certains aliments en lui disant :

«Pour dessert, prends-toi donc un yogourt probiotique… C'est bon pour ta flore.»

En faisant son smatte, il lâchera un gaz en se trouvant hilarant et répondra :

«Ma flore te fait dire qu'elle se porte très bien, merci.»

Finalement, cela fournit une explication scientifique aux problèmes de digestion et au fait que chaque fois que l'homme pogne un rhume, il passe quatre jours sur le sofa à faire pitié en étant plus magané que Jésus à la fin de *La Passion du Christ*.

L'homme n'est pas épais : il est simple. Contrairement au cerveau féminin, qui est tellement rempli d'affaires qu'il finit par être aussi en bordel qu'une sacoche, le cerveau de l'homme est pour sa part divisé en quatre compartiments distincts :

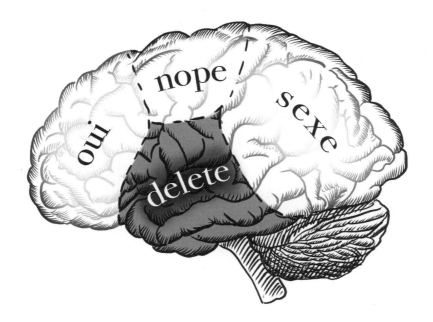

L'homme est aussi capable de grandes choses, telles l'exploration des océans et la découverte de nouveaux continents. Bon, encore une fois, c'est l'exemple parfait de l'enzyme de couilles gonflant l'orgueil mentionné précédemment qui est à l'origine de la découverte de l'Amérique. Cette découverte, bien que respectable, se résume en fait à l'histoire d'un homme perdu en bateau, trop orgueilleux pour demander son chemin ou pour revenir en Espagne (il serait obligé de dire aux autres qu'il n'en a pas trouvé, de route pour aller chercher des épices à steak). Eh bien non, l'homme orgueilleux préfère rester en mer, trouver un merveilleux continent, tuer, manipuler et violer tout ce qui s'y trouve.

L'homme possède en lui le diable ainsi que le bon Jack au grand cœur. Mais même les bons Jack, des fois, n'osent pas demander leur chemin.

Humoriste *n.m. et f.*

Variété d'humain qui a décidé de faire un métier lui permettant d'étancher sa très grande soif d'attention tout en essayant de calmer sa nature insécure. Une récente étude aurait confirmé que pour un humoriste, les ultrasons provoqués par les rires humains provoqueraient la sécrétion d'une dose d'endorphine similaire à celle montant chez une grosse mouche avec un cul chromé qui spotte un tas de fumier.

Si l'humoriste n'occupe pas un territoire en particulier, on peut parfois le reconnaître par ses cris distincts. Il y a notamment le «Par applaudissements, y'a-tu du monde icitte qui… ?», ou le «C'tu juste moé ou ben… ?».

L'humoriste peut être issu de toutes les classes sociales, peut être de tous les genres et toutes les orientations sexuelles, et peut venir de partout dans le monde. Rien ne permet d'identifier un humoriste en devenir, ce qui, malheureusement, peut causer des problèmes dans le milieu familial à peu près autour du moment où, après avoir fini son secondaire, le futur humoriste annoncera à ses parents qu'il prend une SABBATIQUE.

Il entrera dès lors dans ce qu'on appelle la phase larvaire, c'est-à-dire une période variant de 5 à 10 ans durant laquelle il travaillera 15 heures par semaine dans un club vidéo, chez un disquaire, ou dans une boutique de vêtements (ou les trois en même temps) en ayant comme seul exutoire sa ligue d'impro du dimanche soir.

C'est autour de la mi-vingtaine que l'humoriste larvaire prendra conscience qu'il ne veut pas devenir le gars d'impro de 35 ans en joggings qui se fait payer en pichets de bière et qui n'a pas de REER. Il sortira alors enfin de sa chrysalide pour devenir un humoriste de la relève.

Le jeune humoriste devra par la suite choisir à quelle catégorie il appartiendra :

1. L'humoriste d'actualité

L'humoriste d'actualité se distingue par le fait qu'il prend trois-quatre gros titres de journaux et qu'il fait des jeux de mots avec. Ses têtes de Turc peuvent être Donald Trump, Denis Coderre ou le maire Labeaume. Elles peuvent changer selon les époques et les nouvelles bourdes des gouvernements. Le problème avec ce type d'humour, c'est que les gags ont une durée de vie aussi limitée que la profondeur du discours politique de Rambo Gauthier. (Vous avez vu ce qu'on vient de faire ? Eh oui ! De l'humour d'actualité !)

2. Les petits Che Guevara de l'humour, aussi appelés les Khmers rouges de la rigolade

Pour ces révolutionnaires de Rosemont–La Petite-Patrie, l'humour, en plus d'être une forme de divertissement, est une arme contre l'oppression du peuple et le capitalisme sauvage. Cependant, un peu comme le Che ou Pol Pot, ils ne ressentent aucune culpabilité à opprimer, voire à tirer sur tous ceux qui ne pensent pas comme eux. Par exemple sur un collègue qui fait des pubs pour une épicerie réputée en vue de vendre sa marchandise à des prix raisonnables…

3. Le douche bro'

Plus léger, le douche bro' n'est pas là pour changer le sort de la race humaine, mais agit dans le seul et unique but de se tremper le pinceau avec des groupies. Plus beau que la moyenne, le douche bro' n'a pas besoin d'avoir les meilleures blagues du monde. Il peut aisément satisfaire son public féminin avec une cacanne de *spray tan* ou une coupe de cheveux qui lui donne un peu l'air d'être dépeigné, et, dans le pire des cas, si ça ne suffit pas, il peut se démerder en jasant avec la foule pendant 20 minutes. Vraiment mal pris, il y a toujours la solution de dernier recours : s'accompagner d'une guitare acoustique.

4. L'humoriste de région

L'humoriste de région a toujours entre 15 et 20 ans de plus que les autres humoristes et n'a pas la même barrière éthique. Il sacre amplement sur scène en se justifiant d'être issu du monde des bars. Illustrant une philosophie agricole de fond de rang, ses numéros ressemblent à ceci :

«Moé, chu pas homophobe… Mais moé, un défilé de guédailles déguisées en Barbie dans les rues, ça va faire ! Pour quessé faire qu'on n'a pas un défilé d'hétéros, nous autres ?» Il haït la ville à cause du trafic, du manque de stationnements et des «races», et les habitants de la ville lui rendent bien cette haine !

5. L'humoriste du Web

L'humoriste du Web, c'est celui qui s'est rendu compte que devant public, son matériel ne rentrait pas si bien que ça, alors il s'est dit qu'il frapperait pas mal plus fort s'il s'engageait trois ou quatre auteurs. Astucieux, il s'est aussi dit que le tout passerait mieux avec un montage rapide et dynamique. Cette stratégie fonctionne puisqu'il fait des chroniques à la radio, où il doit pondre une capsule par jour. C'est sûr qu'avec tant de blagues à écrire, c'est difficile de toujours faire un coup de circuit, donc quand il sent qu'un gag lève moins, il rit fort pour montrer aux gens que c'est drôle…

6. Le Français

L'humoriste français, c'est celui qu'on ne sait jamais trop à qui il s'adresse. Est-ce du théâtre ? Est-ce qu'il s'agit d'un schizophrène qui s'est ramassé sur scène en cherchant la salle de bain ? On ne le sait pas. Par contre, on peut affirmer que 100 % du public québécois qui doit se taper un humoriste français refoule une violente pulsion de se lever et de crier : «On ne comprend pas le but de ton sketch !»

IKEA *n.pr.*

Nom propre d'une entreprise suédoise à mi-chemin entre un commerce, un parc d'attractions et une sorte de zoo où il est possible d'observer des meubles dans une reconstitution de leur habitat naturel.

Le besoin de se rendre dans un IKEA survient généralement après un déménagement, quand vous découvrez qu'il n'y a pas vraiment d'espace de rangement dans le *walk-in* qui vous sert d'appartement sur le Plateau-Mont-Royal. La visite peut aussi être nécessaire lorsqu'un individu se rend compte que sa tendance à «juste empiler» ses jeux de PS4 et ses DVD à côté de la télévision engendre une situation problématique dans son couple. Il se résignera finalement à écouter sa conjointe qui lui martelait depuis des mois :

«On va aller t'acheter des tablettes chez IKEA ; tu vas voir, c'est super le fun aller là.»

Bien que sa définition de «le fun» ne soit pas tout à fait la même que celle de sa conjointe, l'homme acceptera à reculons de s'y rendre, et comme la plupart des gens, étant donné qu'il travaille 40 heures par semaine, il sera contraint d'y aller un jour de week-end... Après tout, que peut-il se produire de déplaisant dans un gigantesque labyrinthe bondé de gens irritables venus flamber leur salaire durement gagné sur des meubles en carton ?

À son arrivée, le couple se munira d'un p'tit papier et d'un crayon de mini-putt pour noter les articles qu'il prévoit acheter. Il est important de préciser que dans un IKEA, la marchandise choisie doit être récupérée à la fin, dans un immense entrepôt semblable à celui que l'on voit à la fin du premier *Indiana Jones*. En effet, c'est après avoir passé deux heures à transpirer à cause du climat tropical ambiant et à s'être engueulé 157 fois parce que la femme s'est soudainement autoproclamée designer d'intérieur que le couple devra s'acquitter de la plus difficile tâche... retrouver des boîtes avec pour seul indice un nom imprononçable incluant 3 «k» et deux «a» avec des trémas.

Ce cocktail d'éléments irritants fait en sorte qu'il n'est pas rare d'entendre des gens sortir de leurs gonds au IKEA en gueulant : «Y'est où le tabernacle[1] de Kroënkakatt ?!?»

---

1 Petit meuble utilisé lors de cérémonies religieuses. On y range les hosties et le ciboire. Selon la légende, prononcer ces trois mots en cas de stress offrirait un certain soulagement.

Il est vrai qu'une journée dans un IKEA peut s'avérer particulièrement drainante. Ce fait est attribuable, premièrement, au concept de bulle, cet espace personnel qui cesse d'exister une fois que les portes automatisées du magasin sont franchies. En effet, l'humain devra ajuster son rythme de croisière à celui des gens qui marchent devant lui et qui s'arrêtent sec toutes les deux secondes pour s'extasier devant des cochonneries de Dollarama, en plus stylées, auxquelles on a donné des noms scandinaves.

Voyant que l'homme aurait grandement besoin d'une pause, la femme lui proposera alors d'aller manger.

Surpris qu'ils servent de la nourriture en ces lieux, l'homme se demandera s'il devra lui-même tuer son bœuf, le dépecer puis le tremper dans une sauce brune qu'il aura lui-même concoctée, sous prétexte que son repas lui coûtera moins cher s'il l'assemble lui-même.

Encore ici, il se rendra compte que la définition de l'adjectif *super bon* peut être assez variable d'une personne à l'autre puisqu'un repas du IKEA se constitue, grosso modo, d'une pelletée de patates pilées, d'un coulis de canneberge et d'une généreuse portion de testicules appartenant à des animaux indéterminés.

Finalement, après avoir vécu une journée moins reposante que la quête de Frodon dans *Le seigneur des anneaux*, le duo fera rouler son panier – tellement surchargé qu'il sile comme une vieille fumeuse asthmatique – jusqu'aux caisses, où se terminera son périple. Même s'il lui sera désormais possible d'apercevoir la lueur au bout du tunnel, le couple ne sera pas tiré d'affaire. L'homme et la femme devront en effet faire une file remplie de gens aussi écœurés qu'eux et aussi longue que l'autoroute 40, pour pouvoir payer la facture qui frôlera les 300 $ de camelote suédoise pas nécessaire, surtout pour des gens juste venus à la base se pogner une tablette.

Et si tout ça n'a pas achevé leur couple, il leur restera encore à assembler leurs hosties[2] de cochonneries scandinaves! Bonne chance!

TÅBERNÄK

---

2   Hosties. Nous l'avons mentionné plus haut, mais nous avons oublié de préciser qu'il s'agit d'un genre de Tostitos décevante qui goûte exactement la même chose qu'une feuille de papier. À l'église, c'est un monsieur en jaquette qui boit du vin qui la dépose dans votre bouche (*weird*), en vous faisant croire que c'est le corps de Jésus (vraiment *weird*).

Jeu de société *n.m.*

Type de jeu que les humains ne se rappellent jamais avoir vraiment acheté, mais qui est étrangement cordé dans le haut d'un garde-robe.

Il y a autant de sortes de jeux de société que de sortes de *nerds* prêts à jouer à des jeux de société. Pour les jeux comme Monopoly, où il est question d'argent et où tout peut rapidement tourner au vinaigre, il est fortement déconseillé de jouer en famille et en boisson. Statistique Canada dirait même que plus une partie dure longtemps, plus les probabilités de finir la *game* s'amincissent, et plus les chances que l'on finisse par lancer le *board* à bout de bras en se criant par la tête augmentent.

Prenons par exemple le cas de Raymond et Michel.

(Les noms ici ont été changés pour protéger les innocents. Toute ressemblance avec des personnes ou des situations existantes ou ayant existé ne saurait être que fortuite.)

Raymond et Michel sont deux frères. Raymond est propriétaire d'une petite pourvoirie et a su gérer son entreprise avec brio. Michel, lui, a toujours fait des choix discutables et a récemment fait faillite après avoir tout perdu dans une gamique pyramidale de vente d'huiles essentielles. Lors des festivités de l'Action de grâces, Raymond a, disons-le, torché Michel au Monopoly alors que Michel commençait à avoir un peu trop de crème de menthe dans le nez. Michel, échaudé par cette défaite qui n'était pas sans rappeler ses déboires financiers, a lancé un commentaire du genre : «Toujours les mêmes qui ont de l'argent, viarge!» Raymond, sur la défensive et lui aussi un peu cocktail, s'est alors fait un devoir de balancer le fond de sa pensée, fond qu'il ruminait depuis des années : «Si y'en a bien un icitte qui a travaillé comme un vrai fou toute sa vie, c'est ben moé, l'cave!»

Une dispute familiale violente s'ensuivit. Plus jamais Michel et Raymond ne se parleront, et ce, à cause d'une mauvaise gestion de Pennsylvania Railroad et d'un séjour en prison au Monopoly.

Dans un même ordre d'idées, il est aussi déconseillé de jouer à Twister en famille, puisque rien ne gâche plus le party et les réjouissances des Fêtes que d'avoir la poche à mononcle Gilles qui te frotte sur la nuque. Tant qu'à jouer à un jeu avec Gilles, il vaut mieux lui mettre un papier dans le front et essayer de lui faire deviner le nom inscrit dessus. Un baby-boomer perplexe avec «Manon Massé» écrit dans le front, c'est un divertissement pour toute la famille.

Le jeu de société s'insinue dans une soirée entre amis après plusieurs cafés brésiliens.

En tapant des mains, une chum de fille pour qui le simple fait de jaser entre adultes après un souper ne semble pas assez proposera gaiement de jouer à Cranium… En plus, ça «adonne» qu'elle l'a dans son char.

Malgré le fait que ce qu'ils se disent dans leur tête, c'est «Hé que ça me tente pas», les invités échangeront un regard, puis, mal à l'aise, répondront «Ah… ouin… ben oui… pourquoi pas?».

La dénommée Catherine, avec ses lunettes démodées et son toupet un peu gras, traîne toujours deux-trois jeux en renfort dans sa Yaris, parce qu'elle préfère torcher tout le monde à des jeux de connaissances générales que de perdre aux concours d'anecdotes de baise.

Elle devient aussi automatiquement la maître du jeu, essayant d'expliquer les règlements à ses comparses qui écoutent tous à moitié en se disant: «Bhaaaa, m'a comprendre en jouant.»

Si, au départ, l'humain éprouve du plaisir à regarder ses congénères des équipes adverses rusher à effectuer, les yeux fermés, le Stade olympique en pâte à modeler, une pression s'installera tranquillement alors qu'il verra son tour approcher. Comme de fait, il pigera une carte «Étoile montante», ce qui signifie qu'il devra s'humilier devant tout le monde en fredonnant comme un épais la chanson *No Woman No Cry*. Les rires fuseront de toutes parts à cause de cette performance pathétique, sous le regard diabolique de la maître du jeu.

L'individu continuera à s'humilier devant tout le monde et à frustrer sa conjointe un peu trop compétitive. Celle-ci pognera les nerfs parce qu'il répond tout croche aux questions… En même temps, il a d'autres choses à faire dans la vie que de se rappeler c'est quoi, les règlements du quidditch.

Malheureusement, même si la plupart des gens auraient préféré boire du vin et parler de cul, l'humain ne pourra pas se lever et proposer de «faire un boutte» sous peine d'être traité de mauvais perdant. Il devra continuer à s'humilier, passer à deux doigts de flipper la table et de se chicaner avec tout le monde, et passer tout le retour à la maison à s'obstiner avec sa blonde sur la capitale de l'Afrique du Sud.

Karaoké *n. m.*

Activité récréative qui a pour but de fournir un exutoire à toutes les Johanne pompettes du monde entier en leur permettant de se lâcher lousse alors qu'elles scrappent *Provocante*, de Marjo.

Le karaoké est souvent ce qui résulte de pichets de sangria à 10 $ et de shooters de Sour Puss. Et n'allez pas croire que les Johanne de ce monde sont capables de se retenir jusqu'à la fin de semaine pour vivre le sentiment exaltant que provoque le karaoké. Non, elles ont inventé leur propre jour de la semaine pour se lâcher lousse : le jeudredi.

Question de meubler adéquatement son jeudredi, la Johanne, après avoir enfilé ses plus beaux pantalons à motifs guépard et s'être pouche-poûté une copieuse quantité de spray net, se rendra dans un bar proposant une soirée karaoké.

Dès son arrivée, après s'être choisi une toune et l'avoir notée sur un petit papier à l'aide d'un minuscule crayon au plomb qui est à un aiguisage de cesser d'exister, la Johanne ira remettre son petit papier à l'animateur. L'animateur de karaoké s'appelle souvent Sylvain et se donne une voix de radio. Il a des cheveux en pics de gel et un petit *pinch* de lèvres. S'il n'anime pas vraiment dans le sens propre du terme, il a un travail qui consiste surtout à mettre les tounes, à appeler les gens et, une fois de temps en temps, à se payer la traite en allant chanter *It's My Life* de Bon Jovi.

Dès qu'elle lui tendra le petit papier en ayant trop hâte de chanter *L'aigle noir* (la version de Marie Carmen), la Johanne lui posera la question suivante :

« Y'a-tu ben du monde avant moé ? »

Si le Sylvain la trouve *cute*, il la fera passer plus tôt, lui permettant de doubler celle qu'on appelle la Chantale, c'est-à-dire une Johanne avec un surplus de poids. Si Johanne a des pantalons de guépard, Chantale, elle, a plus un motif de tigre. Un crisse de gros tigre.

Par contre, s'il est à cheval sur la LOI DU KARAOKÉ, il lui dira d'attendre, puisque d'autres étaient là avant elle. Parmi eux, il y a :

Le semi-pro

Il se distingue des autres participants par le fait qu'il a plus de talent que la moyenne et qu'il a déjà fait les auditions de *Star Académie*. Il est un habitué du karaoké et il chante toujours les cinq mêmes chansons, incluant obligatoirement *Me and Bobby McgGee*, de Janis Joplin, et *Hotel California,* des Eagles, avec autant de sérieux et de concentration que s'il était Usain Bolt aux Jeux olympiques.

Le Fernand

Il est aussi appelé «le pilier», parce que c'est lui qui fait vivre le bar. C'est un des bonhommes assis à longueur de semaine au bar. Les soirs de karaoké, ses chums piliers attendent qu'il soit assez saoul pour qu'ils puissent lui demander d'aller chanter une toune d'Éric Lapointe. Il est important de spécifier qu'Éric Lapointe est considéré comme le dieu des bonhommes avec des faces rouges boursouflées qui sont au moins une fois dans leur vie tombés en amour avec une danseuse.

Les funny-fun-fun

Les funny-fun-fun sont souvent des cégépiens dans la vingtaine, étudiant en théâtre ou faisant partie d'une équipe d'impro, qui viennent faire du karaoké pour la simple et bonne raison que cette activité leur fournit une occasion de plus d'étancher leur soif d'attention. Ils chanteront à la blague du Stef Carse ou du Mario Pelchat en y ajoutant parfois même des chorégraphies en se trouvant hilarants. Même si, la plupart du temps, ils se déplacent en groupe de 20 ou plus, ils ne sont pas une source de revenus importants pour le bar, puisque, étant étudiants, ils passent habituellement la soirée à téter un pichet à la gang. Pour le bar à karaoké, le meilleur moyen de se débarrasser de ce type de clientèle est de demander un *cover charge* de plus de 2 $.

Le vieux pouèl

On reconnaît le vieux pouèl lorsqu'il défait sa queue de cheval, question d'être davantage dans le *spirit* quand il va chanter les succès de son adolescence, puisant dans le répertoire de Guns ou de Maiden. Pour l'occasion, il sortira sa petite voix aiguë et se mettra aussi *swell* que s'il était l'un des invités du mariage dans le clip de *November Rain* – chanson que le vieux pouèl se fera bien sûr un devoir de chanter les yeux fermés en se contre-crissant du fait que la toune dure genre huit ans et que d'autres gens attendent leur tour pour chanter.

Le petit couple

Le petit couple représente ceux qui, dans la vie, vivent un amour fusionnel. Ils ont une page Facebook à deux et possèdent dans leurs tiroirs au moins un kit de cotons ouatés d'Old Orchard agencé, et lorsqu'ils vont faire du karaoké, ils se sentent obligés de chanter des duos. Vous entendrez des classiques de petits couples, comme *T'es mon amour, t'es ma maîtresse, Tourne la page* ou encore *Summer Nights*, tirée du film *Grease*. Bien que les soirées karaoké soient généralement remplies de moments lourds, les duos interprétés par le petit couple remportent la palme et offrent une occasion parfaite pour aller fumer une cigarette ou pour aller faire pipi.

Kim Jung-un *n.pr.*

Nom propre désignant un dictateur grassouillet avec une coupe de cheveux de figurine Playmobil, qui s'habille comme un serveur de canapés dans un service de traiteur et qui dirige la Corée du Nord.

Avant d'aller plus loin, il est important de spécifier que beaucoup de gens ont de la difficulté à différencier la Corée du Nord de la Corée du Sud. D'ailleurs, il n'est pas rare d'entendre la phrase suivante :

« Je le sais jamais, moé, c'est laquelle des deux Corée que c'est des Chinois pas fins qui veulent nous tuer ! »

Dans le but de démêler cet imbroglio qui plane sur la scène internationale[1], l'équipe du *Petit Roberge un petit peu illustré* propose la précision suivante :

La Corée du Nord est celle qui menace constamment d'attaquer avec l'arme nucléaire, tandis que la Corée du Sud est celle qui est déjà passée à l'attaque avec la chanson *Gangnam Style.*

Le nom complet de la Corée du Nord est République populaire démocratique de Corée. Ici, le terme *démocratique* signifie « tout le monde a le droit de voter tant que c'est pour Kim, le dictateur dodu qui ressemble à une saucisse roulée dans la pâte ».

Le terme *populaire*, lui, fait référence à une popularité pareille à celle du kale… Personne n'aime vraiment ça, mais les gens se forcent à en manger parce qu'il paraît que c'est dans leur intérêt.

La Corée du Nord fonctionne sous un régime communiste où les ressources sont réparties selon la philosophie du « Tout le monde est dans la marde égal… à l'exception de Kim, notre enfant-roi au faciès boursouflé

---

1   On sait jamais ! Tout d'un coup que Donald Trump décide de faire sauter une des deux Corée, il serait bon que les pendules soient remises à l'heure. Faire sauter la mauvaise Corée, c'est le genre d'affaire qui te scrappe une fin de semaine de golf à Mar-a-Lago.

comme un gars allergique aux fruits de mer qui viendrait de se garrocher un restaurant Red Lobster au complet dans la gueule ».

Kim Jung-un est un dictateur égocentrique qui est reconnu pour ses frasques rocambolesques que même le meilleur des humoristes ne saurait mieux repuncher.

Le Petit Roberge un petit peu illustré ira de quelques faits en grande partie réels pour conclure cette définition, histoire de vous rappeler que même sous une façade inoffensive de bonhomme Pillsbury peut se cacher un monstre sanguinaire.

En 2013, Kim Jung-un ordonne l'exécution de son ex-conjointe, la chanteuse Hyon Song-Wol, qu'il fait fusiller après avoir découvert une *sextape* la mettant en vedette avec son nouveau mari. On raconte qu'il n'a pas du tout apprécié que le nouvel amant de son ex soit doté d'une plus grosse… estime de soi que lui.

En 2014, Kim Jung-un fait empoisonner sa tante car elle voulait, contre la volonté de Sa Majesté le président, ouvrir un parc aquatique et une station de ski. On raconte que la raison réelle serait que sa tatie aurait refusé de lui acheter des figurines de *Pat'Patrouille*.

En 2015, Kim Jung-un, pas content de la météo lors de son party d'anniversaire de mariage, fait assassiner son ministre de l'Environnement par hypothermie. Il le fait alors enfermer dans un tiroir de morgue réfrigéré. Parions que le DJ ce soir-là était pas mal *open* aux demandes spéciales du fêté.

Plus récemment, il a orchestré l'assassinat de son demi-frère, qui avait fui la dictature et se cachait dans un autre pays… Pas la peine de préciser qu'enfant, Kim Jung-un n'était pas vraiment le genre de frère avec qui on passait des après-midi à jouer à la cachette.

La Ronde *n.pr.*

Nom propre désignant un populaire parc d'attractions montréalais situé sur l'île Sainte-Hélène, dont la cote d'appréciation fonctionne à l'opposé de celle d'un bon vin, c'est-à-dire : plus on prend de l'âge… moins c'est agréable.

Le trentenaire se fait un plaisir d'y amener sa petite famille, animé d'une puissante nostalgie de l'époque où sa mère le larguait, lui, ses chums ainsi que leurs moustaches molles à la station de métro avec quelques piastres pour aller rejoindre des filles et necker sans jamais vraiment monter dans des manèges !

Déjà, sur le pont Jacques-Cartier, les souvenirs heureux de sa jeunesse jailliront dans sa tête, à un point tel qu'il aura non seulement l'impression de pouvoir sentir l'arôme de friture des queues de castor, mais également celui de la crème solaire Coppertone de la belle Sophie Blouin qu'il avait jadis frenchée maladroitement dans le *line-up* du Boomerang. Comme seuls les ados le font : en tournant sa langue vite-vite-vite, comme pour reproduire une joute de bataille de pouces, mais en plus mouillé. Cependant, son enthousiasme détalera aussi vite qu'une descente en montagnes russes lorsqu'il verra l'impressionnante file d'attente de voitures qui tentent d'entrer sur l'île Sainte-Hélène. Il ne le sait pas encore, mais ce sera la première d'une longue série d'interminables files d'attente.

Après environ 50 minutes passées à alterner entre dire à ses enfants d'arrêter de se chicaner et se demander s'il ne devrait pas simplement faire un *u-turn* et sacrer son camp, le père de famille, voyant finalement l'entrée du site, ressentira la fierté du capitaine qui mène son navire à bon port.

Mais, hélas, entre la voiture et le portail se dressera une imposante marée humaine constituée de préadolescents bruyants qui sentent le sébum et qui ne savent pas trop comment former une file d'attente. Comme si l'entièreté de l'espèce des mouches à marde convergeait vers le même tas, les ados en congé formeront une agglomération chaotique devant les guichets.

S'ensuivra un autre 45 minutes d'attente passées à discipliner ses enfants parce qu'ils ne savent pas se tenir. Le problème, c'est qu'ils auront faim, mais étant donné que La Ronde interdit les lunchs, il faudra attendre d'être dans le parc pour les nourrir à coup de roteux tièdes qui coûtent aussi cher que des pièces de Ferrari.

Malgré tout, ils seront entrés à La Ronde! Devant eux s'étendra le royaume de la jeunesse éternelle où il fait bon manger de la cochonnerie, faire des manèges et se rafraîchir en *chest* en dessous des gicleurs de la zone Coca-Cola.

La petite famille marchera d'un pas solennel vers la section des enfants, parce que les rejetons sont trop petits pour faire des manèges dignes de ce nom. Le papa devra se contenter de celui devant lequel il n'y aura pas une file d'attente de trois heures, c'est-à-dire un toboggan en forme de chenille qui tourne en rond sur lui-même, et ce, sans jamais provoquer une sensation autre que le désespoir.

Après avoir fait tous les manèges d'enfant et acheté de la malbouffe pour sa famille, le paternel ira pitcher des cossins sur d'autres cossins pour gagner un toutou *cheap* de poussin. C'est aussi lui, qui, en plus d'avoir payé le toutou 15 fois son prix au magasin à une piastre, sera désigné pour le trimbaler pour le reste de la journée.

Ensuite, dans le but d'y trouver un peu son compte, il demandera à sa douce s'ils peuvent aller faire des montagnes russes entre grands. Sa femme, peu friande de sensations fortes, lui dira d'y aller pendant qu'elle et les enfants mangeront une délicieuse queue de castor.

Énervé comme ses enfants au matin de Noël, il donnera un coup de poing dans le vide et lâchera un petit «yessir!», avant de partir à la conquête de son cœur d'adolescent. Après avoir longuement attendu derrière des adolescents qui se frenchent, il fera ce que tout humain fait en embarquant dans un manège, soit se questionner sur la sécurité des ceintures qui semblent trop lousses ou beaucoup trop serrées d'après son expertise d'humain pas ingénieur pour deux cennes.

Un adolescent en job d'été viendra alors vérifier la sécurité de chacun des passagers et il le fera à une vitesse plutôt expéditive et nonchalante, ce qui stressera le père de famille.

L'ado poussera sur ladite ceinture jusqu'à écraser les organes reproducteurs du père. Cette pratique n'est pas avantageuse à long terme pour le parc puisqu'elle risque de nuire aux chances de ses clients de procréer davantage, réduisant ainsi le nombre de petits clients potentiels.

Le wagon se mettra alors en branle, et le fameux tic-tic-tic-tic-tic-tic-tic mènera au sommet de la première descente, et toujours un peu plus près de la crise cardiaque. C'est les mains moites, l'adrénaline dans le tapis et la face crispée pour ne pas montrer qu'il a peur que l'humain grimpera beaucoup plus haut que ce dont il se souvient. C'est là, juste avant de descendre en fou, qu'il se dira : «Qu'est-ce que je crisse ici? Trop tard, le gros!»

Telle une fusée qui perce le mur du son, notre humain se sentira écrasé dans le fond de son banc, les couilles dans la gorge, les yeux gonflés de terreur. Il aura de la difficulté à respirer… mais aucune difficulté à crier comme une fillette de six ans!

Une fois l'adrénaline redescendue, il profitera de la dernière courbe pour se faire croire qu'il a du plaisir en faisant des «bonjours» à sa progéniture et à sa blonde, alors que ceux-ci sont assis confortablement en train de déguster leur deuxième queue de castor.

À la sortie du manège, ses jambes seront molles et il peinera à marcher, mais il accélérera tout de même le pas pour éviter de voir la photo qui a été prise de lui sur le vif, alors qu'il était en apesanteur et avait le goût de brailler.

Les membres de la petite famille décideront ensuite de faire un dernier manège ensemble. Leur choix s'arrêtera sur les autos tamponneuses.

Une auto tamponneuse est en fait une espèce de petite voiture laide, avec une antenne radio super haute à l'arrière qui touche une grille moustiquaire électrique au plafond. Le but est d'entrer en collision avec les autres en faisant «Yeah!», pour rapidement enchaîner avec un petit «S'cuse!» timide.

Fait intéressant: personne ne maîtrise réellement une auto tamponneuse. Peu importe la direction dans laquelle on tourne le volant, elle fait au moins quatre ou cinq tours sur elle-même; on perd le contrôle et termine la course… à reculons… dans le coin… entre une voiturette défectueuse abandonnée et la vieille madame qui spinne sur elle-même tout le long en criant.

Sur la piste, il y a aussi ELLE. ELLE, c'est une petite baveuse d'environ 11 ans avec des lulus et des broches qui donne du fil à retordre à tout le monde. Voyant cet être abject répandre la terreur, le bon père de famille, tel un Clint Eastwood avec une sacoche banane, prendra sur lui de rétablir la justice. D'un pied pesant, il appuiera sur la suce, faisant prendre un maximum de vitesse à sa voiturette dans le but de percuter de plein fouet celle de la petite, qui ne s'y attend pas. Il s'assurera de se donner un swing avec tout son corps pour maximiser l'impact. Pendant que la petite absorbera le choc avec sa nuque comme un pantin de chiffon, tout le monde sur la piste ricanera intérieurement… même la famille de l'enfant!

C'est sur le chemin du retour, en marchant vers son char stationné à l'autre bout du monde, que l'humain réalisera que l'intérieur de ses cuisses chauffe, que son dos élance, que ses pieds lui font mal et que sa peau est déjà en train de peler à cause des coups de soleil. Son plus jeune rejeton chignera sans cesse pour être transporté, et l'homme finira par flancher, préférant donner le coup de grâce à son dos que se taper une crise. C'est au moment de soulever son enfant que ce dernier lui vomira sa queue de castor au chocolat extra barbe à papa dessus… Cette flaque de vomi à 50 $ achèvera le patriarche, qui voudra quitter le parc au plus sacrant.

Mais pas avant de pogner sa dernière file d'attente de la journée, celle qu'il faut faire pour quitter l'île Sainte-Hélène!

Laser Quest *n.pr.*

Loisir où des enfants avec des moustaches d'orangeade éclairées au *blacklight* passent leur *rush* de sucre en se courant après au son de la bande sonore techno quétaine du film *Blade* pour se tirer dessus dans un labyrinthe *cheap* qui sent un mélange entre la sueur de bourrelets d'enfants et la friture.

Le Laser Quest est comme le petit frère du *paintball,* mais pour ceux qui ne veulent pas se faire de bleus. C'est aussi l'activité idéale pour le cousin asthmatique qui a une sacoche banane, une moustache molle et une petite couette en queue de rat.

Cela dit, les deux concepts ont un point en commun. Ils sont l'exutoire parfait pour vous défouler en toute sécurité, laissant libre cours à votre instinct guerrier sans courir le risque de devenir un homme-tronc qui pisse par un tuyau de *rubber* depuis qu'il a marché sur une mine antipersonnel en Irak.

Le pire qui puisse vous arriver lors d'une partie de Laser Quest, c'est de vous faire tirer et de ne pas pouvoir jouer pendant 10 secondes. Ou alors, vous pourriez vous étirer de quoi en essayant de faire un mouvement de *gun* cool comme dans les films, ou bien vous vous ferez une écharde sur le décor de *plywood* peinturé en noir à la cacane.

Lors de votre visite, vous reconnaîtrez différents types de joueurs de Laser Quest :

1. **Le Tommy :** Le Tommy est l'enfant hyperactif pas du monde avec des parents brûlés qui le lâchent lousse parmi les autres kids juste venus s'amuser, comme le lion dans une ferme de Pâques. À partir du moment où le général en chef (l'employé qui n'a pas encore mué) donne le *go*, le monde cesse d'exister pour le Tommy, qui est autant dedans que si on l'avait droppé en Normandie il y a 70 ans, et ce, malgré le fait qu'il se fait avertir toutes les deux minutes de ne pas courir (ou parce qu'il fait des jambettes aux petites filles). Quand il se pète la tête fort sur le sol, les adultes qui pratiquent occasionnellement cette activité éprouvent de la joie. D'ailleurs, c'est l'enfant auquel on ne dit pas que ses lacets sont détachés, question qu'il tombe.

Le bonheur du Laser Quest est que si vous jouez contre un Tommy, vous pouvez même lui tirer les lacets sans aucun regret (ou casier judiciaire). Vengez-vous sur Tommy pour toutes les fois où son espèce a crié à la bibliothèque ou vous a dépassé dans une file à La Ronde.

2. **Le _Silent but Deadly_**: C'est le grassouillet de la gang, ou l'adulte qui n'a pratiqué aucun sport depuis la fin du secondaire. Il doit faire preuve de ruse afin de tirer un maximum de ses piètres facultés physiques. Il se tapira tel un rat dans un coin sombre en attendant que quelqu'un vienne pour le gunner en silence. S'il pouvait jouir de la présence d'un sofa pour s'écraser dans le coin, ça serait bien parfait pour lui. C'est, en quelque sorte, l'opportuniste du régiment. À la fin de la partie, il s'en tire quand même avec un bon score. Méfiez-vous de lui dans votre vie personnelle, parce que c'est le genre de personne qui fait semblant de consoler votre ex-blonde dans le but de coucher avec.

3. **Le guet-apens**: Souvent, il se présente en disant qu'il est seul et demande s'il peut se greffer à votre groupe. L'humain moyen, de nature sociable, n'y voit aucun inconvénient et accepte en souriant, mais il comprend vite son erreur sur le terrain. Le mystérieux joueur inconnu est partout et nulle part à la fois. Il tire sur tout le monde, mais ne se fait jamais tirer parce qu'en réalité, il est un genre de _weirdo_ puceau de 30 ans avec un surnom genre Lazer King Cool qui joue beaucoup trop souvent au Laser Quest. Il est venu se pratiquer sur la chair à canon que représente le groupe d'enfants célébrant une fête. Il ne faut pas lui en vouloir puisqu'en réalité, il s'agit probablement d'une âme esseulée pour qui la partie de laser est le seul véritable contact avec la race humaine. Le reste de ses journées est consacré à troller des personnalités féminines sur Internet ou à regarder de la _porn_ en dessins animés japonais.

4. **Le vendetta**: C'est celui qui ne voulait pas vraiment aller au Laser Quest, mais qui apprend que son beau-frère qu'il haït sera là. Il accepte donc volontiers, finalement. Il fait semblant auprès de sa famille qu'il est là pour s'amuser, mais dès que la _game_ (guerre) est commencée, il traque son beau-frère comme une proie dans la savane. Juste le fait de le gunner, même virtuellement, risque de lui donner une semi-croquante.

Ligue de garage *n.f.*

Nom féminin désignant une gang de mon-sieurs qui s'appellent entre eux seulement par leur nom de famille et qui se réunissent environ une fois par semaine dans le but de se faire croire qu'ils sont des Sidney Crosby (mais avec davantage de cholestérol que de talent). En-semble, ils jouent au hockey à la manière des Hurricanes de la Caroline, c'est-à-dire devant des estrades vides.

Le choix de cette activité, chez le mâle québécois, répond à un besoin qu'ont depuis toujours les êtres humains, soit celui de se ras-sembler et d'échanger des idées. Les Grecs phi-losophaient en toge à l'Acropole, les Romains parlaient politique dans des saunas, et les joueurs de ligue de garage, eux, jasent de leur pool, en pénis, autour d'une poche de stock qui pue.

Une ligue de garage possède toujours un joueur trop à l'aise avec son corps qui n'éprouve aucune gêne à enjamber les sacs de hockey des autres, la grande verge au vent.

Les *boys* ressentiront d'ailleurs un incon-fort devant ce comportement, pour deux raisons :

1. Ils trouveront la vie injuste et éprouveront une puissante jalousie à la vue de cet organe qui ressemble à un avant-bras d'Arnold Schwarzenegger.

2. Ils seront tannés de faire le saut parce qu'ils sont certains d'avoir aperçu un serpent du coin de l'œil en détachant leurs patins.

Chaque équipe possède également un joueur que l'on appelle « le prospect ».

Un prospect, c'est un joueur beaucoup trop talentueux qui, selon plusieurs, a passé proche de percer chez les pros, mais qui a fini comme tireur de joints (dans tous les sens du terme).

Il y a aussi celui qu'on appelle « le nouveau joueur ». À sa première année au sein d'une ligue de garage, le nouveau joueur sentira le besoin de s'acheter de l'équipement neuf et beaucoup trop au-dessus de ses *skills*. C'est l'équivalent d'un cul-de-jatte qui se paierait la meilleure paire de souliers Nike pour le jogging.

Évidemment, lorsqu'on rassemble une ving-taine de *boys*, il est inévitable qu'il y en ait au moins un de la gang qui occupe la fonction du « pète-coche de service ».

Durant les parties, le pète-coche de service oublie qu'il joue une partie amicale, avec comme seul public le concierge blasé et la blonde d'un des gars qui mange des Timbits en s'occupant du score. À tout moment, le pète-coche est prêt à dropper les gants... Mais ses coéquipiers, conscients qu'à 35 ans, c'est cave de se fendre l'arcade sourcilière dans une bataille de hockey de garage, n'embarqueront pas dans son délire. Frustré de ne pas pouvoir fesser sur quelqu'un, le pète-coche se consolera en claquant les portes ou en pétant ses bâtons en revenant au banc.

Bien sûr, le hockey de ligue de garage serait impossible sans le travail du joueur «organisateur», ou, comme lui se voit dans sa tête, «le D.G.». Attention : bien que ce titre donne l'impression que l'organisateur de ligue de garage en a autant sur les épaules que Serge Savard à l'époque, sa tâche se résume à traîner une chaudière de *pucks* dans sa valise de char pis à faire des téléphones pour trouver un *goaler* remplaçant pour sa prochaine partie… Une chance qu'il a une blonde prête à venir aux parties pour manger des Timbits et compter les points.

Lumières de Noël *n.f.pl.*

Ornement intérieur et extérieur du temps des Fêtes, mais qui peut aussi servir de décoration très Pinterest pour le patio l'été.

Dès le début décembre, l'humain voudra faire d'une pierre deux coups en enlevant finalement ses décorations d'Halloween pour mettre son kit de lumières de Noël sur la maison. Ce n'est pas qu'il aime particulièrement Noël, c'est juste que son voisin Jean-Jacques est beaucoup trop motivé avec ses projecteurs de couleurs funky qui illuminent sa maison comme si c'était les lasers d'un système d'alarme de base secrète du gouvernement. De plus, il a des personnages gonflables de *La reine des neiges* aussi gros que la tour Eiffel sur son terrain, et des rennes sur son toit qui attirent les familles des quartiers avoisinants. L'initiative de Jean-Jacques est perçue comme une atteinte à la fierté de tous les habitants de la rue puisqu'une maison bien décorée n'est pas seulement une maison décorée... Dans un langage primitif, une maison bien décorée signifie: «C'est moi le maître de la rue Barette!»

Madame Lemire a beau décorer la grosse épinette devant chez elle, et les Séguin peuvent bien rebâtir chaque année leur village de Noël sur la pelouse, c'est Jean-Jacques le boss.

Déterminé à ne pas laisser son voisin lui voler la vedette sur la rue Barette, l'humain fera appel à son Chevy Chase intérieur, car on a tous en dedans de nous un peu de son personnage du film *Le sapin a des boules*.

Il se rendra donc dans le garage pour trouver le kit de lumières. Celui-ci est souvent enfoui sous une pile de bébelles, comme un vieux *big wheel*, un *net* de hockey et un kit de jeu de *washers* encore dans la boîte qu'il s'est acheté il y a six ans en se disant «Ça va être le *fun*, ça, au chalet»... pour finalement ne jamais s'acheter de chalet.

Une fois les lumières trouvées, il commencera une besogne ardue qui mettra à rude épreuve sa patience ainsi que sa santé mentale: démêler la guirlande de lumières. L'année précédente, il les avait rangées comme un cave, en tapon, n'importe comment, en se disant: «ÇA VA ÊTRE CORRECT, JE DÉMÊLERAI ÇA UN AUTRE JOUR...» Comme s'il allait prendre un après-midi en mai pour accomplir sa tâche.

Il regrettera amèrement cette décision alors que ses mains de gars qui ne met jamais de crème, meurtries par le froid et sur lesquelles commenceront à apparaître de petites fissures, s'affaireront à défaire des nœuds aléatoirement formés qu'il n'aurait même pas été capable de faire lui-même. Une légende raconte d'ailleurs qu'une petite bête mythique attend que les humains s'endorment paisiblement pour ensuite aller faire des nœuds dans les fils d'écouteurs, les lumières de Noël ainsi que les petits cheveux de derrière de tête.

Bref, une fois cette longue besogne terminée et l'escabeau installé contre la gouttière, la voix intérieure de l'humain l'interpellera. Celle-ci a peut-être oublié de lui dire de démêler ses lumières et de les accrocher sur un crochet en février dernier, mais elle tentera de se rattraper en lui proposant de les tester avant de les poser à la grandeur de la maison.

Excellente idée. L'humain s'empressera de les brancher pour se rendre compte que, comble de malheur, il y a une lumière sur cinq qui fonctionne. Écœuré, il abdiquera et se dira que si son voisin Jean-Jacques se donne autant pour quelque chose d'insignifiant, c'est probablement en vue de compenser pour autre chose… Il doit forcément être doté d'un pénis qui *curve* dans le milieu pour perdre autant de temps avec des affaires aussi futiles.

L'humain abandonnera ses lumières en tapon dans le garage à côté du kit de *washers*, mettra simplement une couronne sur la porte d'entrée et ira boire du lait de poule en regardant le film *Maman, j'ai raté l'avion*.

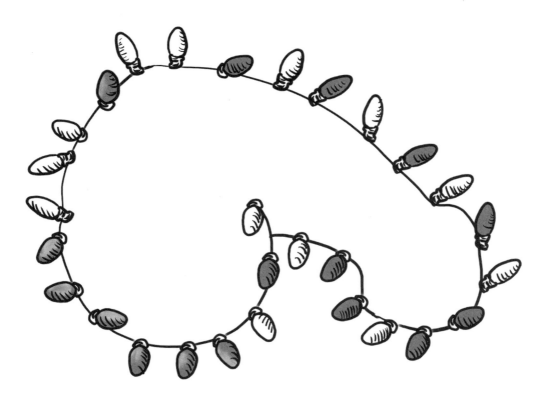

M

Malade *n.m. et f. et adj.*

Du latin *male*, qui ne signifie pas que le mâle est plus atteint par une grippe d'homme, mais simplement qu'un humain se trouve diminué par une maladie ou une blessure qui, la plupart du temps, peut être guérie avec une soupe Lipton.

La gravité de la maladie peut varier. Nous lui donnons une cote allant de 1 à 10 en l'évaluant grâce à la très scientifique échelle de Roberge des maladies, 1 étant «Ouin, boss, je rentrerai pas au bureau parce que je tousse» et 10 étant «Ouin, boss, je rentrerai pu jamais parce qu'il y a des gars en habit d'astronaute qui m'ont mis en quarantaine vu que mon Ebola me fait saigner des yeux».

C'est généralement lorsque le malade atteint le stade 2 sur l'échelle Roberge des maladies qu'il se décidera à prendre sa situation en main, 2 étant «Ouin, boss, je sais que ça fait deux jours de suite que je rentre pas, mais je suis congestionné comme ça se peut pas et ça me fait une grosse face comme Cher qui vient de se gâter dans le Botox».

Désirant à tout prix éviter le système de santé, le malade fera systématiquement la première chose à ne pas faire, soit regarder ses symptômes sur Internet. Après à peine quelques clics sur des sites douteux où il lira les pires histoires de maladies, le malade finira par se convaincre qu'il est atteint de tuberculose, de gangrène ou d'un cancer du col de l'utérus.

Persuadé de l'imminence de son décès après avoir vu sa vie défiler devant ses yeux, s'être imaginé annoncer sa maladie à ses proches et avoir visualisé le visage en larmes de sa veuve lors de son enterrement, le malade se ressaisira et cherchera un brin de réconfort. Il ira demander l'avis d'un professionnel de la santé en faisant la deuxième chose à ne pas faire, soit appeler Info-Santé.

Pendant qu'il sera mis en attente en moyenne de 15 à 20 minutes, le patient aura amplement le temps de ruminer sa mort prochaine et de commencer une ébauche de testament sur le bloc-notes avec une face d'agent d'immeuble qui traîne à côté du téléphone.

Au bout d'un long moment, une dame lui répondra et, après avoir écouté tous les symptômes, elle en viendra à la conclusion que c'est la tuberculose, une gangrène ou un cancer du col de l'utérus. L'entretien se terminera lorsque la préposée lui recommandera d'aller aux urgences.

Le mot *urgence* suffira à lui seul à faire frémir le malade. Il essaiera d'appeler dans une clinique sans rendez-vous, mais attention, N'OBTIENT PAS QUI VEUT UNE PLACE DANS UN SANS RENDEZ-VOUS:

OPTION A) Se lever à 3 h du matin et aller camper dehors, au frette, pour finalement se rendre compte que peu importe l'heure à laquelle le malade se lève, il va quand même y avoir déjà une file de 20 personnes qui se sont levées plus tôt que lui.

OPTION B) User de ruse en utilisant tous les téléphones de la maison dans le but d'avoir la ligne comme pour essayer de se gagner une paire de billets pour un spectacle de Madonna dans un concours de radio. Sachez cependant qu'une récente étude a démontré que les probabilités d'obtenir un rendez-vous de cette façon sont de une sur 1 800 000, soit trois fois moins élevées que les chances de réussir à gagner la chanteuse Madonna elle-même.

L'individu se tournera donc vers sa dernière option.

OPTION C) Les urgences. C'est à reculons que le malade se présentera aux urgences, où il passera tout d'abord au triage, c'est-à-dire l'étape où une madame blasée ne sera pas du tout impressionnée par sa petite toux et lui demandera: «Quessé que tu fais à l'urgence?»

Se sentant mal, le patient lui rétorquera, d'une voix timide:

«Ben c'est Info-Santé qui m'a dit...»

Ne le laissant même pas finir sa phrase, elle lâchera un long soupir et dira:

«Eille, j'te dis qu'eux autres, des fois...»

Il ira par la suite dans la salle d'attente, où il prendra alors conscience du fait qu'il y a du monde beaucoup plus magané que lui.

Parmi les gens que l'on trouve dans une salle d'attente, il y a:

Le semi-comateux

Le semi-comateux se caractérise par le fait qu'il est recroquevillé sur une civière dans un coin et qu'il émet à l'occasion un gémissement de douleur. Il est souvent accompagné de l'agressif, qui, la plupart du temps, est un de ses proches en état de panique qui évacue son trop-plein en donnant de la marde au personnel. La phrase préférée de l'agressif est:

«À quoi à sert, l'argent de nos taxes?!»

Le petit torrieux

Le petit torrieux est un enfant de nature turbulente qui s'est cassé quelque chose, fendu de quoi ou rentré de la pâte à modeler dans le nez. Peu importe son état, il continue d'être un petit torrieux du fait qu'il gosse toutes les personnes présentes dans la salle d'attente en jouant trop fort à ses jeux sur iPad, en bottant dans les sièges ou en allant manger des jujubes à côté de gens obligés de rester à jeun.

Le loup-garou

On appelle *loup-garou* le type de patient qui ne fréquente les salles d'urgence que les soirs de pleine lune parce qu'il a été pris d'un soudain désir d'assouvir une pulsion étrange, comme se rentrer une bouteille d'Orangina dans les foufounes.

Le patient zéro

Le patient zéro est celui dont les symptômes sont tellement louches qu'il ne serait pas surprenant qu'il soit la première victime d'un truc inconnu rapporté d'un voyage en Afrique. Fait intéressant : le patient zéro est souvent celui qui n'est pas au courant qu'il doit se couvrir la bouche en toussant à deux pouces de votre visage.

C'est environ 20 heures après son entrée aux urgences que le malade pourra rentrer chez lui. Alors qu'il fait la file pour obtenir les antibiotiques qui guériront sa sinusite, il se trouve ridicule d'avoir pu penser avoir la tuberculose, une gangrène ou un cancer du col de l'utérus. Cela ne l'empêchera pas de passer précisément par les mêmes étapes la prochaine fois qu'il sera malade.

Mariage dans le Sud *n.m.*

Union de deux personnes, comprenant certaines variantes par rapport au mariage classique. Dans ce cas-ci, l'église est remplacée par une plage, et le curé par un célébrant payé par l'hôtel qui, l'autre moitié du temps, travaille au *shack* à serviettes sur le bord de la piscine. Le tuxedo noir pour homme, lui, est trop souvent remplacé par le combo gougounes et chemise laide bleu électrique à manches courtes, le tout agrémenté d'une fantastique paire de shorts longs à poches cargo.

La femme, elle, a le choix entre suer dans une robe de mariée classique qui lui a coûté l'équivalent d'un *cashdown* sur un condo, et descendre l'allée en robe soleil – le genre de robe qui n'a jamais assez de support pour les seins… même pour les plus petits seins du monde !

Le costume des mariés dans le Sud ne serait bien entendu pas complet sans l'inévitable face rougie par le soleil, avec la démarcation blanche des lunettes, parce qu'ils ne s'étaient pas trop mis de crème solaire quand ils buvaient des Cuba Libre au bar de la piscine. Ils n'avaient alors comme seule protection que leurs chapeaux de paille Corona.

Le mariage dans le Sud peut être choisi par les jeunes couples désirant s'unir devant leur famille tout en montrant leurs tatouages polynésiens faits par un artiste de Saint-Eustache. Il peut aussi être l'option idéale pour une Sylvie dans la cinquantaine qui a décidé de se marier avec « son ami », un petit Pierre qui ne bande plus, mais qui l'endure quand elle a des bouffées de chaleur et des sautes d'humeur de ménopause.

L'option « mariage dans le Sud » offre plusieurs avantages aux nouveaux mariés :

1. Elle réduit les chances de voir des invités et des membres de la famille indésirables débarquer aux célébrations. Comme mononc' Claude, qui a un gros nez rouge vin d'alcoolique et qui, pour une raison ou une autre, s'est un jour donné le mandat d'être l'animateur « officiel » de la famille. Son répertoire comprend des tours de magie poches et des versions chaudailles de succès de Fernand Gignac *a capella*, avec comme seul accompagnement le doux silement de ses bronches de bonhomme qui fume trop de cigares aux raisins.

    Même si c'est un boute-en-train, et qu'il semble détenir secrètement l'accès à un puits sans fond de blagues qui commencent par « Une fois c't'un gars… », mononc' Claude est également souvent un peu *cheap* et pas du genre à voyager beaucoup. *Cheap* comme : « Quand j'vais à selle, j'prends jamais plus que quatre carrés de papier… Si j'pense c't'une beurrante, j'y vais à débarbouillette. » Le prix du billet pour le Sud suffira donc à le tenir à l'écart… Mais gare à vous si vous faites ça sur une plage en Floride : les chances sont élevées qu'il débarque en motorisé !

2. Le mariage dans le Sud permet de sortir de la formule vieillotte des mariages traditionnels. Une cérémonie dans une église se déroule souvent dans un décor sacré avec des vitraux à caractère religieux et sous le regard torturé de saints et de martyrs. Quand l'union se déroule sur une plage, elle a lieu sous le regard de «ouèreux» en costumes de bain qui mangent des cornets et de madames qui font du monokini avec leurs seins bruns brûlés qui ressemblent à des sacoches en cuir.

3. Les célébrations traditionnelles ne durent qu'une journée. Dans le Sud, les festivités peuvent s'étaler sur une semaine entière, voire plus… Cependant, il faut être conscient de certains problèmes potentiels qui peuvent survenir lorsqu'on prolonge les festivités : les chances de potins et d'événements croustillants liés à la dangereuse combinaison «garçons d'honneur sur le party et demoiselles d'honneur sur le Sour Puss» se multiplient environ par 15 000. Dans un souci d'éviter les imbroglios gênants, du genre «y'a un frette depuis qu'on s'est garroché dans la téquila pis qu'on s'est toute réveillés tout nus dans le lit du père de la mariée», il serait préférable que la cérémonie soit célébrée le premier jour, en partant… Comme ça, pif paf, tout est réglé ! S'il y a de la chicane après, ce n'est pas trop grave. Parce que maintenant, vous formez tous une belle et grande famille !

Martin Lemay *n.pr.*

Journaliste sportif. Quand on dit «journaliste», on veut plus dire quelqu'un capable de googler le mot *sport* sur Internet pour après dropper des résultats de *games* de baseball dont tout le monde se sacre. Il est imposant et carré, il a une *shape* de machine à liqueurs, et comme la machine à liqueurs, il n'est constitué que de sucre.

D'ailleurs, dans le but de maintenir un niveau satisfaisant de cochonneries dans son sang, il doit ingurgiter chaque jour plusieurs kilos de *crap* variée. Afin de fournir aux lecteurs un aperçu précis de son menu quotidien, disons que son alimentation ressemble à celle de l'enfant dans *Maman, j'ai raté l'avion* qui serait resté tout seul lui aussi, mais pas juste un week-end de Noël. Genre pendant 40 ans.

En cas d'apocalypse, alors que les autres humains tenteraient de trouver des légumes frais pour s'alimenter, Martin pourrait survivre beaucoup plus longtemps parce que, croyez-nous, c'pas lui qui va se battre pour un brocoli, oh que non! Par contre, Martin serait celui qui tuerait une armée pour des tortillas de farine au ketchup et au fromage cuites au four à micro-ondes.

Lorsqu'il est forcé de se rendre dans un restaurant cinq étoiles, pas de tartare pour Martin, et ce, même si ça ressemble au mot *tarte*. Ohhhh non! Il exige plutôt que le chef passe par-dessus son égo de gars qui est un diplômé en gastronomie et qu'il lui prépare un steak avec du ketchup pis des pétates frites, même

lorsque ça ne figure pas sur le menu. Ce qu'il ne sait pas, c'est que c'est le genre d'affaire qui offusque un chef cuisinier et qui augmente considérablement les chances que celui-ci, mécontent, se venge en pétant sur son T-bone avant de le faire cuire.

Les enfants adorent Martin, ce qui est un peu embarrassant puisque lui, à part les siens, il les aime pas tant que ça, les enfants. En fait, il ne cache pas que si vos enfants se comportent mal lorsque vous êtes invités chez lui, c'est bien dommage, mais vous êtes barrés. Il y a plusieurs règles strictes comme ça chez lui : pas de boisson, pas de cigarettes. Et pas de pipi dans la douche.

Martin est extrêmement travaillant. Il a eu un parcours professionnel plus éclectique que Forrest Gump. Nommez une job, il l'a faite! Vendeur de chars, serveur dans un resto, propriétaire d'une crémerie qui n'a pas super bien fonctionné… Dans ce dernier cas, on aimerait rappeler à Martin que le conseil ARRÊTE DE MANGER TES PROFITS s'applique à la perfection.

Puis, un jour, Martin s'est retrouvé journaliste sportif à la radio. La radio est contente, mais elle voudrait savoir à quel point les finissants en communication étaient pourris c't'année-là pour qu'on en arrive là.

Enfin, Martin Lemay est un grand sensible. Il est plus facile à faire brailler qu'une madame en SPM qui regarde le film *Les pages de notre amour*. Il n'hésite pas une seule seconde à faire don de son temps pour aller divertir les enfants malades. Quand on le connaît, on comprend que ce n'est pas un hasard si sa *shape* rappelle celle d'une machine à liqueurs, puisque c'est probablement la seule affaire qui peut contenir un cœur aussi gros.

Matante *n.f.*

Nom féminin désignant un groupe démographique à qui l'on doit la popularité de la série *Unité 9*, du yogourt probiotique et de la collection de bijoux de Caroline Néron. Plus influentes que les francs-maçons, les Illuminatis et le clergé à l'époque Duplessis, elles sont redoutées par les télédiffuseurs, les artistes et la société en général pour leur capacité à chialer haut et fort quand quelque chose ne leur plaît pas.

La matante n'a pas d'âge en particulier et n'est souvent pas consciente d'en être une. Elle peut être issue de toutes les couches sociales. Cependant, quelques signes nous permettent de les identifier tels que : elles possèdent plus d'un album de Céline Dion, elles ont au moins un tatouage à l'effigie d'un animal adorable (comme un dauphin ou un papillon), et elles ont une forte tendance à décorer leur voiture en ajoutant des colliers de fleurs hawaïens sur le rétroviseur ou des faux cils sur les phares de leur Yaris.

La matante est un être paradoxal. Dotée d'une grande empathie, elle a les yeux rivés en quasi-permanence sur Canal Vie. Elle est la première à verser une larme quand une famille avec un enfant qui fait beaucoup d'eczéma se fait donner un bain tourbillon par Chantal Lacroix. Elle se sent également particulièrement émue par les émissions où des obèses du Tennessee, à deux pizzas pochettes de mourir, doivent perdre 20 livres pour se faire payer un brochage d'estomac.

Ironiquement, malgré cette façade humaniste, c'est souvent elle qui gueule le plus fort quand vient le temps de manifester son désaccord à propos d'enjeux comme le look de Safia Nolin, le port du burkini ou l'extermination systématique de tous les pitbulls.

Persuadée d'être cool et branchée parce qu'elle tripe sur *La voix* et qu'elle prend des photos avec un iPad, la matante est en fait réticente au changement. Elle n'est jamais celle qui va lancer un courant : elle va plutôt connaître une illumination sur le tard. Dès lors, tel Jésus prêchant les Évangiles, elle se mettra à faire l'apologie des chips au chou kale et des smoothies aux graines de chia cinq ans après que *Trois fois par jour* en aura vanté les mérites.

Ce que les matantes détestent par-dessus tout, c'est ce qui peut être perçu comme provocateur ou ce qui est hors du commun. D'ailleurs, depuis l'avènement des médias sociaux, elles ne se gênent pas pour faire connaître leur mécontentement quand, selon elles, quelque chose dépasse les limites du bon goût. Encore une fois, cela est extrêmement paradoxal. Les matantes qui s'offusquent de la taille du décolleté de Maripier Morin ou de la dernière blague de péteux de Mike Ward sont les mêmes que celles qui s'excitent sur un chapitre de *Fifty Shades of Grey* lu dans le métro, ou qui crient comme des folles quand un danseur du 281 vient brasser son lunch mou à deux pouces de leur visage.

Les matantes peuvent briser un artiste, un show télé, mais aussi leur propre couple. Les masques de saintes-nitouches dont elles s'affublent cachent parfois un bien sombre secret. Quand elles boivent trop de piña colada en vacances, elles sont du genre à sauter la clôture avec un G.O. qui les a séduites avec sa maîtrise parfaite du flamenco, leur donnant ainsi l'impression, l'instant d'une soirée, d'être la fille dans *Dirty Dancing*.

Les matantes n'aiment pas dépenser inutilement leur argent en payant plus pour des produits écoresponsables ou du café bio. Cependant, elles ne reculent devant rien pour sauver leurs candidats préférés dans une télé-réalité.

Qu'à cela ne tienne : l'équipe du *Petit Roberge* RAFFOLE des matantes ! En tout cas, nous nous ferons un devoir de les adorer (à notre manière) jusqu'à ce qu'elles arrêtent de régir les arts et la culture québécoise !

Médiéval *adj.*

Ce qui se rapporte à une période de l'histoire située entre l'Antiquité et la Renaissance, et connue sous le nom de Moyen Âge. On dit «Moyen» dans le sens que c'était *so-so* d'exister dans ce temps-là.

Il est important de se rappeler que c'est l'époque ingrate entre celles d'Alexandre le Grand et de Louis XIV. Le Moyen Âge, pour l'histoire, est en quelque sorte l'enfant du milieu d'une famille; celui qui a manqué d'attention. Comme ses frères et sœurs, il possède une pagette, mais dans leur cas, c'est parce qu'ils sont médecins et non vendeurs de *weed* à bicyk.

L'Antiquité et la Renaissance sont plus matures et plus accomplies. Alors qu'elles ont créé le Sphinx, les systèmes d'aqueduc et *La Joconde*, le Moyen Âge, lui, était trop occupé à brûler des sorcières et à se débarrasser de ses excréments en les jetant par la fenêtre sur la tête des passants. Après ça, il ne faut pas se surprendre si ce sont ces peuples qui furent décimés par la peste.

Par contre, il ne faudrait pas juger trop sévèrement le Moyen Âge: il a eu des débuts assez difficiles. Autour du Ve siècle après Jésus-Christ, le monde est retombé dans l'obscurantisme total après que l'Empire romain eut été conquis par des barbares consanguins couverts de fourrures et peu éduqués. Les liens entre cette époque et l'électorat peu instruit d'une grande nation ayant élu un président raciste et climatosceptique, doté d'un pelage de chinchilla sur la tête, ne peuvent être que fortuits.

L'époque médiévale suggère aussi un imaginaire idéalisé où cohabitent les chevaliers, les rois et les princesses. En réalité, cette époque fut tout sauf agréable, et la plupart des gens vivaient une existence de marde qui se résumait à puer et à perdre ses dents.

On oublie trop facilement que les paysans étaient liés par le sang, qu'ils étaient minimum cousins-cousines et qu'ils se sont échangé des verrues de zizi en forniquant entre eux dans les étables. Les jeux vidéo de notre époque portent souvent la terrible étiquette de vulgaires passe-temps, mais avec du recul, ne préfère-t-on pas avoir une bedaine de *gamer* au lieu de 14 enfants dont 11 mourront du choléra?

Malgré cela, certains *geeks* essaient de s'imprégner de l'époque médiévale en organisant des grandeurs nature.

Les grandeurs nature, en gros, ce sont 400 ou 500 *geeks* de 35 ans avec des queues de cheval et des épées de mousse, qui jouent à faire semblant d'être des chevaliers, des archers et des magiciens. Leur souci du réalisme et de l'exactitude historique n'a qu'une seule limite: leur dépendance à leur pompe à asthme et à leur machine d'apnée du sommeil.

Ces regroupements sont une véritable bénédiction pour une communauté trop souvent vouée à demeurer vierge jusqu'à la quarantaine. Grâce au grandeur nature, cette population souvent ostracisée à l'école secondaire pourra enfin donner libre cours à ses envies de se promener à la vue de tous dans un costume d'elfe sans avoir peur de se faire fesser par un sportif entre deux cases.

Un peu moins extrême, mais tout aussi discutable est le mariage médiéval, une étrange pratique à la «on force la parenté à se déguiser comme des figurants d'un remake B.S. de *Robin des Bois*». Et il n'y a rien de plus cruel que de forcer ton oncle Raymond à mettre des collants et une cotte de mailles qui va tirer le poil de torse.

Le choix d'organiser un mariage médiéval repose souvent sur le souci de célébrer de façon originale. Toutefois, cette idée se classe en haut de la liste des «affaires qu'on croit originales, mais qui sont quétaines, finalement» — ex æquo avec les photos de grossesse où toute la famille à moitié nue met ses mains sur la bedaine de la femme enceinte et les cadres avec des impressions de petits pieds de bébé à l'acrylique.

Parce que si c'était un vrai mariage médiéval, ta fiancée serait ta cousine à qui il reste plus grand dents.

Mélanie Maynard *n.pr.*

Comédienne née en 1972 à L'Ange-Gardien et diplômée en interprétation théâtrale du cégep de Saint-Hyacinthe. L'équipe du *Petit Roberge un petit peu illustré* a tenté d'effectuer une recherche sur les disciplines enseignées dans le cadre de ce programme et a constaté que MY GOD! C'EST DONC BEN INTENSE, LA FORMATION QU'Y DEMANDENT POUR COANIMER LE *TIC-TAC-SHOW*!

C'est comme apprendre à piloter un *jet*, pour finalement chauffer une calèche dans le Vieux-Montréal.

Toute une génération vénère Mélanie Maynard grâce à son mythique rôle de Pétrolia dans la série culte *Dans une galaxie près de chez vous*. Cette émission dépeignait un avenir terrifiant où la Terre, devenue inhabitable, avait envoyé un paquet de joueurs de la LNI pis le futur (à l'époque) animateur de *Sucré Salé* dans l'espace pour trouver une nouvelle planète habitable – et ce, uniquement vêtus de *pads* de motocross en guise de *suits* spatiaux et armés de *guns* en carton. Déjà qu'on trouvait ça dur d'endurer des gens d'impro pour une fin de semaine de tournoi au cégep... on fait des crises d'angoisse juste à imaginer être pognés dans l'espace avec eux autres. Et c'est pour cette raison que l'équipe du *Petit Roberge* vénère Mélanie.

Parlant d'angoisses, saviez-vous que Mélanie a une peur terrible des grenouilles? Pas question pour elle d'embrasser un crapaud! C'est peut-être pour ça que ça lui a pris plusieurs essais avant de trouver le prince charmant!

Mélanie a également joué dans une autre série jeunesse très populaire, qui s'intitulait *Une grenade avec ça?* Elle y interprétait le personnage de Marie-Annette Cossette. Ça, par exemple, y'a fallu qu'on fouille un ti-peu pour trouver cette info. Faut dire que ça date de 2005, pis on dirait que ça repasse moins, c'te show-là, depuis que Harrisson s'est un peu trop intéressé à son public cible.

Pas grave, Mélanie accumule les projets et effectue avec succès sa transition vers le contenu de madame. Il y a eu *Ma maison Rona*, *Deux filles le matin*, pis notre préférée de toutes: *Ex au défi*. Ça, c'tait 60 minutes à regarder Mélanie cacher son inconfort devant des ex qui se donnaient de la schnoutte en rushant à pousser un gros *tire* en vue d'amasser une bourse d'études pour leurs enfants. C'est beaucoup d'efforts, participer à un genre de Fort Boyard sans Félindra tête de tigre pour payer à ton kid une session en philo à l'UQAM.

Ahhhh... l'université. Cet endroit où Mélanie pousse sa fille Rosalie à aller, parce qu'elle sait qu'elle est en train de la dépasser tout court dans le showbiz.

Bien qu'extrêmement talentueuse, Mélanie ne dispose pas de tous les talents. Elle parle souvent au moins deux ou trois minutes avant d'avoir terminé sa réflexion, quitte à dire des affaires bizarres en ondes, du genre: «Ouin, l'Espagne, c'est en Amérique du Sud.» Elle maîtrise l'anglais à peu près aussi bien que Jacques Demers lit du Molière et elle chante

tellement mal que les ultrasons qui en dé-
coulent ont suffi à convaincre son chat de la
sacrer là pour aller vivre chez le voisin.

Mini-putt *n.m.*

Deuxième activité la plus populaire chez les papas monoparentaux d'Amérique du Nord qui veulent sortir leurs enfants, juste après le cinéma. À titre informatif, en troisième position, on trouve ex æquo les glissades d'eau et manger un cornet de molle en essayant subtilement de savoir avec qui maman couche ces temps-ci.

Le mini-putt a déjà été considéré comme un sport, si bien qu'on en présentait des tournois à la télé. Autrefois, Carl Carmoni était le Maurice Richard du mini-golf. Ses prouesses légendaires ont su enflammer le cœur de ses partisans, c'est-à-dire un auditoire constitué de cinq-six bonhommes retraités qui trouvaient pu la manette de télé parce qu'elle était tombée dans la craque du sofa.

Aujourd'hui, le mini-putt a perdu ses lettres de noblesse. On s'est finalement rendu compte qu'être bon au mini-putt, c'est à peu près aussi exceptionnel qu'une gang de matantes qui dansent un continental, que quelqu'un qui rote l'alphabet ou qu'un humoriste qui fait du *beatbox*.

L'humain désireux de jouer une partie de mini-putt pourra choisir entre deux types de terrains pour y perdre une heure de sa vie.

Le vestige

Souvent aménagé à l'époque du gros boum des mini-putts, le vestige n'a subi aucune forme de rénovation depuis maintenant 30 ans. Son tapis est défraîchi au point qu'on y voit la trajectoire des balles d'antan. Ses bandes, jadis d'un jaune pétant, sont désormais orange rouillé, et l'étang du trou numéro 12 qui, par le passé, était rempli d'une eau limpide et de quelques nénuphars, semble aujourd'hui un emplacement de choix si l'on veut se débarrasser de vieilles seringues ou d'un cadavre. Le vestige est souvent situé dans un décor enchanteur sur le bord de l'autoroute, entre un snack-bar graisseux et un gros pylône d'Hydro-Québec. Il représente un endroit idéal pour divertir les enfants pendant que votre tendre moitié boude parce que vous avez omis de demander votre chemin au gars du Ultramar trois sorties auparavant.

Le Rigolfeur

Les origines du Rigolfeur sont nébuleuses, mais il y a fort à parier que le Bill Gates de la rigolade derrière ce concept sophistiqué était du genre à lâcher une *fuse* après avoir demandé à quelqu'un de tirer sur son doigt. Le Rigolfeur est comme un bon vin : plus il prend de l'âge, plus il gagne en complexité, et plus il faut avoir des goûts raffinés pour apprécier la subtile sophistication qui réside dans le fait de fesser sur une balle avec un bâton en forme de banane pour la rentrer dans un trou où se trouve une crotte en plastique.

Montréalais/e *n.pr.*

Nom masculin et féminin désignant un habitant de Montréal, cette île qui ne se prend pas pour un latte soya à 12 $. Montréal est une métropole québécoise fondée sur l'ancien territoire autochtone connu sous le nom d'Hochelaga, qui signifie en langue mohawk «là où les chemins se séparent en *one-ways*, ne se déneigent pas l'hiver et se désagrègent à un rythme fulgurant».

Comme la plupart des habitants des grandes métropoles, le Montréalais fonctionne selon le système de croyances héliocentristes suivant: «SA VILLE» serait le centre de l'univers. À la simple mention d'une ville autre que la sienne (ou, pire encore, d'une banlieue), il s'empressera d'afficher une moue de dégoût rappelant celle d'un *redneck* républicain à qui on essaie de vendre le concept de l'avortement.

Il est vrai que bien que comportant son lot de défauts – notamment un système de métro hors d'usage environ 45 % du temps, des rues maganées comme la face de l'adolescent qui vous sert au McDo, un maire en manque d'attention médiatique et des prostituées pas de dents qui font des *fingers* à des enfants à vélo –, Montréal demeure une ville où il fait bon vivre, et où la gastronomie, l'art et la vente de drogue à Berri occupent une place considérable. D'ailleurs, il n'est pas rare de voir certains artistes populaires comme Cœur de pirate côtoyer les simples mortels dans les cafés du Mile End.

Il serait difficile de peindre un portait exact du quotidien du Montréalais sans évoquer son mode de vie hivernal. En effet, les hivers montréalais sont particulièrement froids et pénibles, sans compter qu'à peine cinq centimètres de neige suffisent à plonger la métropole dans un chaos apocalyptique qui prend des semaines à se résorber. Fait intéressant, une récente expérience de la NASA menée à l'aide d'un simulateur a abouti à la conclusion suivante: à en juger par leur capacité à gérer les imprévus, les services de la Ville de Montréal auraient permis aux gens peuplant la métropole de survivre très exactement huit minutes dans la série *The Walking Dead*.

Le Montréalais qui n'est pas en train de déprendre son char d'un banc de neige généreusement crissé là par une gratte à 6 h du matin (et ce, pour le changer de bord, question qu'une autre gratte lui sacre un autre banc de neige dessus) passera le reste de son hiver à tenter de déjouer la mort, puisque chacun de ses déplacements devra se faire sur des trottoirs recouverts d'une couche de glace plus épaisse que celle du Centre Bell. Il est d'ailleurs question que le protocole des commotions cérébrales de la LNH soit appliqué aux piétons montréalais.

Pour se redonner espoir dans le froid hivernal, le Montréalais repensera à l'effervescence qui règne dans la ville durant la période estivale. Il repensera à la myriade d'événements, aux occasions de fraterniser avec des amis sur une terrasse ainsi qu'au trafic occasionné par le Tour de l'île, le Tour de l'île la nuit, le marathon et les 404 festivals montréalais tels le Festival Juste pour rire, les FrancoFolies, Osheaga, le Festival international de jazz, le Festival international Nuits d'Afrique… Finalement, toutes des affaires vraiment moins cool que ce que Labeaume a été capable de booker pour le Festival d'été de Québec.

Il se consolera cependant en se disant qu'à Montréal, au moins, il y a une équipe de hockey, ainsi qu'un amour de la Sainte-Flanelle qui se transmet de génération en génération, comme une maladie héréditaire. Alors que tout ce qu'il reste de l'équipe de Québec, c'est un aréna flambette qui commence déjà à prendre la poussière et le logo d'une équipe qui n'existe plus sur le chandail de nostalgiques qui se saoulent à en vomir sur les plaines d'Abraham.

Montréal est une ville trouée et désorganisée, où arrivaient les coureurs des bois et les filles du Roy, et qui reçoit encore aujourd'hui différentes vagues d'immigration la rendant plus riche et plus diversifiée. Parce que rappelons-nous qu'à moins d'être autochtones, tous les Montréalais sont immigrants.

Neige *n.f.*

Nom féminin désignant une précipitation constituée de molécules d'eau cristallisées – à ne pas confondre avec les morceaux de glace qui manquent de nous tuer quand ils chutent du toit d'une maison. La neige tombe sous forme de flocons et commence à apparaître généralement entre la mi-novembre et la mi-décembre. Et même s'il en va ainsi depuis des milliers d'années au Québec, l'humain est épais et se fait toujours surprendre par cette pluie de pellicules de nuage.

À première vue, la neige semble être un adorable cadeau de la nature, mais cette impression ne dure que six ou sept secondes, c'est-à-dire le temps d'une gorgée de café en regardant le tapis blanc qui recouvre la cour arrière… Secondes pendant lesquelles l'humain se rappelle sa jeunesse, quand il observait avec émerveillement le ballet aérien des flocons qui tombent. Il se remémore alors ces matins enneigés où il croisait les doigts en espérant que son école soit fermée, et ces folles journées à faire du toboggan ou des batailles de boules de neige jusqu'à ce que ses mitaines deviennent mouillées et puantes.

Malheureusement, l'euphorie nostalgique se termine toujours au moment où il avale sa gorgée de café et que son cerveau d'adulte arrive au galop pour lui rappeler qu'il est en retard au travail, car il a snoozé 12 fois… pis que ses pneus d'hiver sont dans leurs housses, dans le fond du cabanon!

Pressé, l'humain s'empressera de boire son café d'un trait en appelant au garage pour prendre rendez-vous… ce qu'il aurait dû faire il y a un mois! Le garagiste lui baragouinera quelque chose se rapprochant de: «Y'était temps que t'allumes, le cave, car j'ai pas de place avant deux semaines!»

Résolu à se rendre au travail, l'humain sortira de chez lui en direction de son véhicule, le plus tranquillement du monde afin de ne pas finir les quatre fers en l'air comme dans un clip de *Drôle de vidéo*. Armé seulement de son petit balai à neige, il sera happé de plein fouet par la triste réalité en voyant l'épaisse couche de glace sur ses vitres de char. Ce dépôt s'appelle «la grosse câlisse», mais on peut aussi dire «la grosse crisse», «la grosse tabarnac» ou un amalgame des trois, soit «la grosse crisse de tabarnac du câlisse[1]», selon l'épaisseur de cette glace.

Après avoir gratté pendant ce qui lui semblera une éternité «la grosse (insérez le sacre de votre choix)», l'humain entrera dans son véhicule, puis réchauffera ses mains gelées parce qu'en classique épais, il perd ses mitaines chaque année. Il mettra la clé dans le contact, puis sera surpris d'entendre le moteur qui refuse de démarrer et qui toussote comme un fumeur magané dans le portique d'un CHSLD. C'est à ce moment que son cerveau d'adulte reviendra à la charge avec le message suivant :

«Salut. C'est moé. C'est juste pour te rappeler que ta mauvaise habitude de toujours juste mettre 5 $ de gaz dans ton char... C'pas écœurant en hiver, surtout quand y fait frette. Relaxe. Va dans la valise pis pogne tes câbles à booster... Shit! Je viens de me rappeler que l'autre jour, au Canadian Tire[2], t'as hésité entre des câbles à booster pis une plaque d'immatriculation *funny* avec deux bonhommes allumettes qui font un *doggy style*... Devine ce que t'as choisi, champion? OK, beu-bye!»

Désemparé, l'humain pas préparé tentera encore et encore de démarrer son véhicule. Sur le bord des larmes, les pieds trempés, les reins congelés et sur le point d'abandonner, il essaiera une ultime fois et, miracle, il entendra le doux vrombissement du moteur. Il se mettra sur *Drive*, persuadé qu'il est tiré d'affaire, puis il appuiera doucement sur l'accélérateur pour se rendre compte que ses pneus d'été tournent dans le beurre dans l'épaisse couche de neige et que sa pelle est dans le cabanon... avec ses *tires* d'hiver.

---

1   Nous espérons que jusqu'ici, vous appréciez les efforts que l'équipe du *Petit Roberge* déploie afin de préserver l'héritage religieux des Québécois et Québécoises.

2   Voir *Canadian Tire*, p. 35.

Nouveaux parents *n.m.pl.*

Terme désignant le résultat d'une métamorphose de deux humains à la suite de leur reproduction. Du jour au lendemain, ils passent de «J'fais c'que j'veux, j'baise tout l'temps, j'fréquente les 5 à 7 du Vieux-Montréal» à «J'ai pu de vie, je m'arrange pu, pis j'aspire les sécrétions nasales de QUELQU'UN D'AUTRE avec une pompe en forme de petite poire».

Bien que certaines ressources (comme des livres ou des cours prénataux) existent dans le but d'informer l'humain sur son futur rôle en lui enseignant la théorie, il réalisera bien assez vite la dure réalité. Il comprendra alors l'horreur des petites choses anodines telles que :

- Nettoyer au Q-tips un bout de cordon ombilical dégueulasse noirci qui tient juste par un filament de gale.

- Vérifier l'état de la couche en se beurrant accidentellement le pouce direct dans le «cadeau».

- Devoir constamment surveiller son enfant qui marche à quatre pattes parce que tout ce qu'il veut faire, c'est mettre ses doigts dans la prise électrique et tirer le chat par l'oreille.

Il est important de spécifier qu'on surestime grandement le rôle des cours prénataux, puisque ceux-ci s'échelonnent sur quatre interminables soirées où le futur parent, écœuré d'entendre parler de massage du périnée et de crème à fesses, arrêtera d'écouter en se mettant à juger les autres couples, dont voici les principaux types :

1. Les «VAS-TU LA FERMER TA YEULE ?»

Les «Vas-tu la fermer ta yeule?» sont ceux qui posent tout le temps trop de questions sur des affaires qui viennent d'être dites. Le besoin d'appeler quelqu'un un «Vas-tu la fermer ta yeule?» survient lorsque le cours se termine à 21 h, mais que le «Vas-tu la fermer ta yeule?», désireux d'en avoir pour son argent, pose des questions connes du genre: «C'est-tu correct de faire bouffer des morceaux de manger à mon bébé à l'hôpital pendant les visites? C'pass qu'on fait ça dedans note famille.»

2. Les «J'pas sûr qu'ils sont outillés»

Ils sont facilement identifiables par le fait qu'ils arrivent en retard avec les yeux rouges, parfumant le local d'un doux arôme de Hamburger Helper pis de vieux botchs de clope indienne. Le père porte ses plus beaux joggings agrémentés d'un t-shirt de lutte tandis que sa douce épouse se cale une orangeade pas de marque qu'elle rote une fois de temps en temps par le nez. Ils semblent vouloir un septième enfant pour le seul plaisir d'en retirer un plus gros chèque. Ils nous font prendre conscience du fait qu'il est complètement ridicule qu'il soit plus difficile dans la vie d'obtenir un permis de pêche au Canadian Tire que de mettre au monde un petit être humain pour fourrer le système.

3. Les « Déjà experts »

Ce sont ceux qui ont déjà tout lu, tout appris, tout recherché, et qui sont dans les cours pour partager leur sagesse, mais surtout pour juger ton ignorance. « Quoi ? Tu ne connais pas ce nouveau jouet de stimulation intellectuelle ? Quel mauvais parent ! » « Quoi ? Tu ne connais pas cette nouvelle technique d'ergothérapie danoise pour développer la motricité fine de ton bébé ? » Ceux-là sont prêts à en venir aux poings quand il est temps de parler de l'allaitement de VOTRE bébé. Évitez le sujet !

Une fois l'enfant arrivé, le nouveau parent verra sa vie changer du tout au tout, même si avant d'avoir sa progéniture entre les mains, le futur parent clamait haut et fort :

« Eille, moé, en tout cas, c'est pas ça qui va m'empêcher de faire des affaires comme avant. »

La mission Apollo 13 a été interrompue à cause de l'explosion d'un réservoir d'oxygène du module de la navette entre la Terre et la Lune. Les astronautes ont été obligés de poursuivre leur voyage jusqu'à la Lune et d'en faire le tour pour utiliser son attraction gravitationnelle afin de revenir vers la Terre. Les trois hommes à bord, livrés à eux-mêmes, durent trouver des méthodes pour récupérer de l'énergie, économiser l'oxygène et éliminer le dioxyde de carbone – le tout en espérant retomber sur la Terre… en chute libre, en priant le Seigneur de tomber dans l'océan, là où des spécialistes de la NASA pourraient les récupérer.

DE LA PETITE BIÈRE comparé à une sortie avec votre premier bébé.

Sac à couches, jouets, débarbouillettes, lingettes, Sophie la girafe, la doudou (N'OUBLIEZ JAMAIS LA DOUDOU), le parc à dodo, du Tempra au cas, un thermomètre, le *speaker* à bébé, son cossin pour mordre dedans quand y fait ses dents… Et il faut évidemment synchroniser ses déplacements en fonction des boires. Savez-vous s'il y a une table à langer à l'endroit où vous allez ? Sinon, vous serez le parent qui ne comprend pas que c'est louche de changer une couche sur une table au resto. Apportez le tapis pour changer les couches, n'oubliez pas les couches. Et, l'éternelle question :

Qu'est-ce qu'il faut faire lorsqu'une vieille dame que vous ne connaissez pas vient toucher et bécoter votre nourrisson dans un centre d'achats en disant : « Cé-tu *cute* ! Regardes-y les tites mains… Eille, c'pas vieux, c'te bébé-là ! » ?

Le nouveau parent a deux choix : soit il reste figé de terreur et laisse la vieille dame répandre ses germes de CHSLD partout sur son bébé flambant neuf, soit il riposte d'une manière un peu plus agressive en se mettant lui aussi à la toucher et à l'embrasser en lui disant : « C'est-tu laitte ? R'gardes-y les vieilles mains… Eille, c'pas jeune, c'te madame-là ! »

Enfin, être un nouveau parent, c'est accepter de vivre en mou un peu crotté, être cerné et faire le deuil d'avoir une maison bien rangée. Restez gentils avec bébé malgré la fatigue parce qu'un jour, c'est votre progéniture qui changera vos couches.

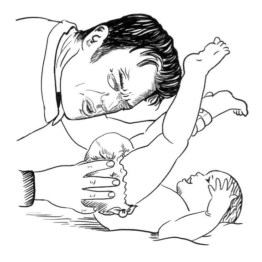

Pâques *n.pr.*

Chez les juifs, cette fête célèbre la fois où Moïse a convaincu les esclaves juifs de sacrer leur camp du chantier des pyramides, laissant ainsi un sphinx pas de nez et trois esprit de gros triangles en roches *nowhere* dans le désert au lieu du super de gros hôtel casino qu'on avait prévu construire à la base.

Chez les chrétiens, Pâques commémore la fois où Jésus, un genre de Luc Langevin de l'Antiquité, s'est fait crucifier par des Romains après avoir donné une série de spectacles un peu trop en avance sur leur temps.

Le dimanche de Pâques est censé servir à se recueillir sur la mort d'un gars qu'on n'a pas connu. Pour qu'on se rappelle qui il est, les chaînes télé diffusent un paquet de films de Jésus qui durent genre huit heures chaque. C'est joué par des acteurs américains avec des cheveux trop blonds et des yeux trop bleus, mais juste un peu crottés de la face, qui essaient de nous faire croire qu'ils sont des juifs de l'ancien temps.

En gros, un film de Jésus, c'est comme un très long film de superhéros plate, avec du monde qui jase en soutane dans le désert, qu'on regarde en se disant : «OK, là, il va se passer de quoi; c'est clair qu'il va péter sa coche contre Zachée. Il va sacrer une rince à Judas, il va se servir de ses pouvoirs pour faire un genre de grosse boule de feu pour brûler les Romains.» NOPE! NIET! FUCK ALL! Il meurt crucifié avec un linge à vaisselle sur le *shaft*.

Je ne veux pas t'écœurer, Jésus, mais demande-toi pas pourquoi c'est Thor qui est un des Avengers et non toi. Tu te sers jamais de tes pouvoirs; anyway, ils sont pas écœurants. Multiplier les poissons! Marcher sur l'eau! Guérir des lépreux! Cibole, je pense que si j'étais Capitaine America, je prendrais une madame de Lachenaie qui fait du couponing avant de te drafter.

Qui dit barbu qui saigne sur une croix pendant que des Romains le pokent dans les côtes avec une lance dit, bien sûr, chocolat. On ignore toujours quel est le lien, mais dans le but de célébrer la mort du Christ, quoi de mieux que d'acheter du chocolat *cheap*?

Il existe deux variétés de chocolat de Pâques.

1. Le chocolat en forme d'affaire que les enfants aiment, vide à l'intérieur et qui goûte la cire. La première bouchée suscite une réaction initiale de «hé crime, c'pas écœurant», puis une fois que les récepteurs de saveurs sucrées situés sur la langue ont compris ce qui se passait, ils s'empressent de faxer un message au cerveau, qui se mettra à sécréter de l'endorphine, faisant en sorte que même si ça goûte pas le yâble, tu finis par tomber dedans comme si demain n'existait pas.

Existe-t-il une autre substance que cet étrange matériau pas mangeable qui donne l'impression de croquer dans une motte de gouache sèche sucrée pour fabriquer les yeux des chocolats de Pâques? AUCUNE IDÉE.

2. Il y a également le lapin en chocolat plein, aussi appelé le «Chaque fois, je me fais pogner comme un amateur à essayer d'y croquer une oreille pour finalement y aller petit à petit en coupant des petits bouts avec un couteau à steak».

De tout le règne des animaux en chocolat, c'est le lapin en chocolat plein qui a la plus longue durée de vie, soit de six à huit mois environ dans le fond du garde-manger avant de finir en fondue sur des fruits.

La durée de vie la plus courte appartient bien sûr à la petite poule accroupie dans un panier, qui ne dure jamais plus longtemps que quatre bouchées d'enfant. Il est important de préciser qu'en termes d'unité de mesure de bouchée de papa, la petite poule en chocolat accroupie dans un basket vient bien sûr s'inscrire dans la catégorie «Du manger qu'on devrait prendre en deux bouchées, mais qu'on finit par toute se mettre dans yeule d'une *shot*», tout comme les cupcakes, les sushis et n'importe quelle sorte de boules frites.

L'arrivée imminente de cette fête à caractère religieux est annoncée par certains signes précurseurs, notamment les rangées d'affaires pastel chez Walmart, le retour dans les dépanneurs des œufs Cadbury (qui, étrangement, semblent plus petits d'année en année) et, finalement, l'arrivée d'une créature magique: l'adolescent mal à l'aise sur le coin d'une rue, dans un habit de lapin, qui tient une pancarte faite à main pour annoncer que la crémerie de son mononc' vend du chocolat.

Le fait de choisir un ado pour effectuer cette humiliante besogne n'est pas un hasard. Bien que la plupart des adolescents d'aujourd'hui ne connaissent pas le sens réel de la fête de Pâques, qu'ils n'ont en grande majorité jamais mis les pieds dans une église et que chaque fois qu'un adulte mentionne Jésus, ils se demandent: «C'tait dans le combientième *Star Wars* qu'y était, c'te JEDI-là?», il n'en demeure pas moins qu'ils sont en congé pour l'occasion, ce qui en fait de parfaits candidats pour aller perdre toute crédibilité en se les gelant au coin d'une lumière pendant huit heures pour un gros 20 piastres en dessous de la table.

On ne sait pas s'ils font ce job-là pour se payer une PlayStation ou de la drogue, mais dans les deux cas, ils le méritent.

Parc *n. m.*

Aire de jeux où les enfants passent la quasi-totalité de leur temps à hurler des trucs comme :

- « Regarde, papa ! Papa ! Papa, regarde ! »

- « Maman, regarde ma culbute ! »

- « Heille, papa, je grimpe par la glissade ! »

- « PAPAAAAAAAA ! J'ai la tête à l'envers ! »

La plupart du temps, le parent sera assis sur un banc non loin de là, acquiesçant sans grande joie aux singeries de sa progéniture. C'est qu'il est en train de se rappeler qu'il lui a lavé les cheveux la veille et que son petit risque de rapporter un voyage de sable à la maison dans son fond de tête.

Bien qu'on sache tous pertinemment qu'un enfant qui se pendouille à bout de bras après des barreaux de modules de parc ne réalise pas exactement une prouesse digne de la fois où Louis Cyr a tiré deux chevaux, il est important de se forcer un peu et d'encourager son enfant. Car comme disait Confucius : « Ne pas dire "wow ! c'est beau" suffisamment à son enfant lorsqu'il fait des affaires poches, c'est le meilleur moyen qu'il cherche de l'attention pour le restant de sa vie et qu'il devienne youtubeur ».

Même si l'aménagement peut varier d'un parc à l'autre, on trouve quelques incontournables, dont la glissade (aussi appelée « glissoire » ou « toboggan » si le parc est fréquenté par des enfants français).

La glissade est une surface lisse surélevée et inclinée à laquelle vous accédez à l'aide d'une échelle. Le but est d'essayer de se rendre en bas sans avoir à se donner une swing à mi-chemin parce qu'on a le cul qui colle.

Autrefois, les glissades étaient faites pour la plupart en métal, et on y glissait sur une surface aussi lustrée qu'un miroir et dont la température pouvait facilement atteindre 4000 degrés Celsius lorsque chauffée au soleil, soit amplement assez pour brûler un petit blanc de cuisse de kid en shorts.

Au fil du temps, ces glissades antiques ont été remplacées par une nouvelle génération, fabriquée dans le même plastique que les ensembles de patio *cheap*. Ces nouvelles structures sont bien moins dures sur le postérieur, mais elles ont tout de même un désavantage : le plastique est tellement chargé d'électricité statique qu'en une seule descente, votre flo peut repartir le pacemaker de grand-papa avec son petit doigt.

D'ailleurs, au lieu de dépenser pour des bornes, il serait conseillé aux municipalités d'engager des enfants qui viennent de glisser pour recharger les voitures électriques.

On y trouve également les balançoires à bascule, aussi appelées des « kabooms », mais mieux connues sous le nom d'« estropieuses d'enfants ».

Il est surprenant que cet engin de la mort existe encore malgré le nombre impressionnant de mentons pétés et de petits scrotums broyés.

Ce deux par quatre écraseur de schnolles est en fait une longue planche avec un siège sur chacune de ses extrémités. Des enfants sont placés à chaque bout et, chacun leur tour, se propulsent à l'aide de leurs jambes, provoquant ainsi un effet de levier.

En théorie, tout devrait se dérouler dans la joie et l'allégresse. Malgré cela, il arrive régulièrement que le partenaire de «kaboum» décide de laisser tomber ses fesses jusqu'au sol, propulsant ainsi l'«ami» vers l'avant avec la face qui smashe sur le poteau rouillé et le bassin qui touche l'arrière de sa tête.

Il est très dangereux, aussi, d'utiliser un «kaboum» avec un enfant TDAH non médicamenté, puisque ce dernier est plus enclin à quitter la bascule alors que son partenaire est tout en hauteur (pour suivre un papillon ou quelque chose d'encore moins pertinent), laissant par le fait même son ami venir se briser le cul sur la garnotte.

Un parc ne serait pas complet sans ce qu'on appelle «la poubelle du danger». Souvent, c'est la seule et unique poubelle du parc. Elle est presque impossible à atteindre parce qu'elle est en permanence entourée d'un essaim d'abeilles. Depuis des années, les spécialistes tentent de nous mettre en garde contre le déclin de la population des abeilles – ce qui est en vérité un faux problème, puisqu'elles sont TOUTES rassemblées à proximité des poubelles de parcs pour buttiner des restants de Mister Freeze fondus.

Party de famille *n.m.*

Événement annuel organisé durant le temps des Fêtes, qui a pour but de permettre aux membres d'une famille élargie (oncles, cousins, cousines, l'ami d'une tante qui fait pitié et qu'on ne pouvait pas laisser seul à Noël) de se retrouver, l'instant d'une soirée, pour se pogner en jasant de hockey et du fameux but d'Alain Côté. Qui, soit dit en passant d'après *Le Petit Roberge un petit peu illustré*, n'était pas bon – fin du débat.

La date du party de famille fait partie d'un algorithme complexe au sein duquel doivent se coordonner les célébrations des différentes parentés, ce qui se complique au fil des ans avec les familles reconstituées, les nouvelles blondes ou les nouveaux chums des parents, ou encore le décès des aïeuls chez qui on célébrait ledit party. Avec les disponibilités de tout le monde, la route à faire et la belle-famille à visiter, ainsi que des visites de courtoisie chez des vieilles tantes qui vont nous mettre sur leur testament, le temps des Fêtes devient un puzzle compliqué. Même Russell Crowe dans le film où il torche en mathématiques[1] aurait de la misère à s'y retrouver.

La plupart du temps, la date à laquelle se déroule un party de famille survient pile au moment où l'humain, encore éprouvé par la frénésie du magasinage de Noël, s'apprête à s'écraser sur son divan pour essayer le jeu de PS4 qu'il s'est offert lui-même en cadeau. Sa conjointe, c'est-à-dire la manager officielle du «Holiday World Tour familial» de cette année-là, se fera un devoir de lui rappeler qu'il devrait se préparer, parce qu'ils ont une bonne distance à parcourir pour se rendre chez grand-môman Muguette. En effet, pour ajouter au plaisir, ces rassemblements ont souvent lieu dans une municipalité éloignée pour accommoder les grands-parents, comme Notre-Dame-de-la-Longue-Distance et Saint-Nowhere-de-On-Fait-Tu-un-*U-Turn*-Parce-Que-Hostie-Que-C'est-Loin.

Abattu, l'humain encore en pydj – qui tient très fort sa manette en fixant avec amertume l'écran Menu de son nouveau jeu – connaîtra alors une déception semblable à celle du lion qui, impuissant, regarde une gazelle se pousser au loin. Il fera ensuite une tentative désespérée pour échapper à son triste destin d'aller «faire semblant d'avoir du fun en déballant un cadeau avec des mitaines de four». Il fera ce qu'il n'avait pas fait depuis la fois où, en cinquième année, il avait *faké* une maladie pour ne pas avoir à passer un examen de flûte à bec dans son cours de musique.

Il regardera sa conjointe et lui dira:

«On est-tu obligés d'y aller? J'ai comme mal au ventre...»

Désespéré à l'idée de dormir sur un divan-lit inconfortable dans le sous-sol d'un membre obscur de sa famille, il s'aventurera même du côté sombre du *fakage* – c'est-à-dire qu'il utilisera

---

1. *A Beautiful Mind*, Ron Howard, Universal Pictures, 1999, couleur, 134 minutes. Ce film est aux *nerds* de maths ce que le film *Coyote Ugly* est à votre cousine barmaid.

l'état de santé précaire d'un des membres de la famille pour donner du poids à ses arguments, avec une phrase du genre :

«En plus, avec ton mononcle Maurice qui a la santé fragile… Eille! Faudrait surtout pas qu'il pogne ce que j'ai…»

La conjointe n'aura pas à formuler de réponse à voix haute. Un simple regard voulant dire : «Viens-tu vraiment de dire ça?» suffira pour que l'humain pas tellement fier de son coup se la ferme et aille dans la douche.

Fait intéressant : peu importe à quel point l'humain y va à reculons en étirant le plus possible, il finira invariablement par avoir chaud en manteau d'hiver dans le portique en attendant sa blonde qui n'est pas prête. On appelle ce phénomène le syndrome du «m'a aller t'attendre dans le char».

Malgré sa réticence initiale, la magie de Noël se pointera éventuellement le bout du nez. Il aura presque du plaisir à débattre avec une cousine de la différence entre une tourtière et un pâté à la viande. Une espèce de chaleur bienfaisante se répandra dans son corps alors qu'il se gavera de viande, de sauce aux canneberges et d'une énième cuillère de patates pilées bien crémeuses… Ce qu'il ne sait pas, c'est que cette chaleur représente la menace d'un triple pontage dû à l'ingestion de trois kilos de la bouffe grasse de grand-môman Muguette. Qu'à cela ne tienne, au diable la retenue pour ce soir : de toute façon, il est bien connu que le petit Jésus annule avec sa magie chacune des calories en trop ingurgitées pendant le repas de Noël…

Ce sentiment de bien-être durera bien après les trois ou quatre sucres à la crème de fin de repas, jusqu'à ce qu'il vive ce qu'on appelle le «syndrome du pipeline»: cet inconfortable moment où il réalisera qu'une importante quantité de gaz lui fermente dans les entrailles sans qu'il puisse l'évacuer. En effet, chez grand-maman Muguette, il n'y a qu'une seule toilette, et celle-ci semble dater de l'époque où le concept n'était pas encore au top. Il s'agit

souvent de la génération de toilette juste après l'époque de «prends-toé une chaudière, pis va-t'en dans cour», ce qui fait qu'en fin de compte, soit le débit d'eau est trop faible et nécessite 12 *flushs*, soit la toilette bouche à rien.

Seul dans un coin, mal à l'aise et plié en deux, l'humain fera des rêves éveillés de la toilette de la station-service qu'il a croisée sur la route en s'en venant vers la maison de grand-maman. Il se dira qu'il pourrait «aller prendre une marche» pour s'y rendre et, ainsi, avoir de l'intimité. La seule toilette de la maison est collée sur le salon, la porte est ultramince et, pour ajouter à l'inconfort, il se trouve que le débit de circulation y est élevé, étant donné que toutes les bottes sont cordées dans le bain. De plus, il ne pourra faire abstraction de la présence de Ti-Mousse, le gros chat qui louche et qui se lèche le rouge à lèvres sur le panier à linge sale.

Dans ce cas, il est recommandé à l'humain d'établir une stratégie s'il ne veut pas imploser. *Le Petit Roberge un petit peu illustré* suggère la technique du cheval de Troie, qui consiste à infiltrer amicalement le groupe d'enfants en faisant semblant d'avoir du *fun* à jouer à la tag, en profiter pour se soulager et, ensuite, sacrer son camp en leur mettant l'odeur nauséabonde sur le dos.

Une fois cette étape franchie, l'humain pourra, l'esprit tranquille, aller s'installer dans un coin pour pratiquer son activité favorite, soit juger le monde en faisant l'inventaire du type de personnages rencontrés lors d'un party de famille :

1. Le (ou la) «OK! Là, je comprends»: c'est l'oncle, la tante, le cousin, la cousine, le beau-frère, la belle-sœur, etc., qui permet à l'humain de répondre à certaines questions, ou de mettre un visage sur de mystérieux genres de personnes qu'il n'avait jamais rencontrés auparavant. Par exemple :

«Mais qui doute encore du réchauffement climatique?», «Mais qui dépense de l'argent pour voter à *La voix*?», «Mais qui achète encore des CD de Sylvain Cossette?», «Mais c'est qui les épais qui NE FONT PAS DE RECYCLAGE?» ou «Mais qui achète ça des grosses canisses de sangria déjà préparée?»

2. Le «point tournant», aussi appelé la «quand est-ce que ça a dérapé?»: ça, c'est une cousine avec laquelle l'humain partage de bons souvenirs, d'une époque où celle-ci était une personne équilibrée. À un moment donné, sans explication, elle s'est métamorphosée en une barmaid avec des fausses boules pis un tatouage de barbelé, elle s'est mise à triper sur Éric Lapointe et elle a fait trois enfants (issus de trois relations avec trois motards différents).

3. Le (ou la) cobra: a priori, rien ne distingue le cobra des autres convives. Cependant, un verre de trop le transformera en un redoutable reptile qui crache le trop-plein de venin qu'il a accumulé au fil des ans. La nature imprévisible du cobra fait en sorte qu'il est difficile à maîtriser, et ce, même si c'est dans son propre intérêt. Un membre de la famille tentera à ses risques et périls de lui dire: «Michel, j'pense que t'as assez bu, là…» Ce à quoi Michel répondra: «Heille, toé, si tu mettais autant d'énergie sur ta blonde qu'à pas te mêler de tes affaires, Linda t'aurait pas trompé avec le G.O. à Cancún.»

Cette séance de jugement permettra à l'humain de tenir jusqu'au troisième et dernier bloc de la soirée: celui de L'ÉCHANGE DE CADEAUX!

C'est le moment dans un party de famille où tous les membres s'échangent un cadeau *cheap* acheté sur le *fly* en se disant: «Eille! R'garde, c't'un cadeau! Si y'aime pas ça, il le câlissera[2] aux vidanges.»

La rédaction du *Petit Roberge un petit peu illustré* attribue l'origine des cadeaux de marde à la fois où deux Rois mages sont rentrés dans un Dollarama de Bethléem pis qu'ils y ont acheté les deux premières affaires qu'ils ont eues dans leur champ de vision, soit de la myrrhe pis de l'encens, pour donner dans un *shower* où ils se rendaient.

Le troisième – que l'on surnommait l'asti de Balthazar paresseux – trop lâche pour débarquer de son chameau, a dit à ses deux chums d'un air blasé: «M'a y donner de l'or; il s'achètera ben ce qu'y voudra, l'kid.»

Depuis ce jour, on s'offre des bébelles pas utiles et mal emballées, qui vont passer l'année dans le garage, avant qu'on les réemballe pour les redonner dans un prochain échange de cadeaux – mais à la job, cette fois.

Après ce rituel, les convives s'échangent des regards et attendent de voir qui va lancer le premier «Bon, ben, on va faire un boutte, nous autres», qui donnera le courage aux autres de faire de même et d'ainsi mettre fin au party de famille.

Veuillez noter qu'il est possible que vous vous recroisiez à la toilette de la station-service située près de chez grand-maman.

---

2   Du verbe *câlisser*, qui signifie «jeter sans ménagement quelque chose en éprouvant une certaine joie».

Party de job *n.m.*

Événement annuel trop souvent responsable du syndrome de l'employé qui rentre amoché le lendemain… parfois à un endroit où il ne travaille plus, parce qu'il a tellement bu la veille qu'il a oublié que pendant l'échange de cadeaux, il a crié à son boss : « Hey, boss ! Personnellement, j'aurais donné une grosse boîte de Cottonelle… C'est le cadeau parfait pour un trou de cul ! »

Le mythique party se déroule presque toujours de la même façon, et ce, peu importe l'entreprise. Voici un exemple. Vous pouvez remplacer les noms par ceux des innocents que vous connaissez :

Josée

C'est vers la fin du mois d'octobre qu'apparaîtra mystérieusement au-dessus de la machine à eau, sur le babillard de la salle des employés, une feuille 8½ x 11 jaune fluo qui annonce la date de l'inévitable party de Noël de l'entreprise.

Ce prospectus captera immédiatement l'attention de Josée du service à la clientèle, qui sera tellement excitée par cette occasion de séduire le beau René à la comptabilité qu'elle aura besoin d'une double gorgée de son Pepsi diète pour faire passer sa bouchée de sandwich mayonnaise-goberge. (Josée aime dire que c'est du homard – ça fait plus glamour, car elle est consciente que la goberge, c'est un peu le baloney de la mer.)

Le soir du party, Josée botchera[1] la fin de son shift pour revenir plus tôt chez elle afin de se mettre belle. Pendant qu'elle appliquera une généreuse quantité de fixatif dans le but de se faire un toupet à la Sonia Benezra, Josée, confiante, préparera son plan de séduction. Ce plan, presque aussi élaboré que *L'art de la guerre* de Sun Tzu[2], consistera à reproduire la chorégraphie de *Footloose* et à chanter *Provocante* de Marjo au karaoké en faisant des petits clins d'œil cochons à ses collègues ! René ne pourra y résister ! Josée – qui, dans sa tête, s'est mise aussi poupoune que Julia Roberts dans le film *Pretty Woman* – montera dans sa Sunfire blanche avec des tapis sauve-pantalons Tweety Bird, puis foncera jusqu'au lieu des réjouissances en écoutant à répétition *Livin' la vida loca*, s'imaginant en train de frencher René dans l'entrepôt.

Arrivée à destination, après avoir enlevé ses bottes et enfilé les talons hauts qu'elle aura traînés dans un petit sac à souliers, elle saluera les employés déjà présents en cherchant nerveusement « son » René du regard.

Déçue d'apprendre de la bouche de sa chum Guylaine des ressources humaines que René n'est pas encore arrivé, elle ira se prendre un petit verre de punch préparé par ladite Guylaine, qui a été généreuse avec le rhum coco acheté au hors taxes lors de son dernier

---

1 Du verbe *botcher*, qui signifie « terminer négligemment quelque chose en se disant : "Ah, pis d'la marde !" ».

2 Nous n'avons pas vraiment lu ce livre, mais il faut admettre que ça fait cultivé de faire référence à Sun Tzu. De plus, ça sonne un peu comme le nom d'un bonhomme de *Mortal Kombat*.

voyage en Martinique. La tentation sera forte d'aller se bourrer dans la salade de macaronis qui flotte dans la mayo... mais faisant preuve d'une volonté de fer, elle résistera, pour ne pas trop manger et risquer ainsi de fendre ses pantalons de cuirette en dansant sur *Gangnam Style*.

Lorsque René finira par arriver, un peu éméché parce qu'il fait partie des «*badass* de partys de job» qui commencent à boire avant dans une brasserie avec les autres *boys*, il sera rapidement apostrophé par Josée, également fort avancée dans le processus. Elle quittera la danse du train en courant pour aller le voir, sans se rendre compte qu'elle a un sourire de dents mauves de vin rouge et un bout de persil qui servait à décorer le plateau de petits sandwichs aux œufs entre les palettes. En faisant du mieux qu'elle peut pour construire une phrase, sans pour autant considérer la distance trop ténue entre leurs visages, elle lui beuglera quelque chose qui ressemble à :

«T'À L'HEURE M'A DANSER SU' *FOOT-LOOSE*!»

René, terrifié par cette interaction impromptue avec la fille du service à la clientèle (avec qui il ne se souvient pas d'avoir échangé plus de trois mots), aura un haut-le-cœur en voyant la face de celle-ci ornée d'un rouge à lèvres criard qui commence à ressembler à un barbeau sur sa joue. En faisant un pas en arrière pour éviter l'assaut de Josée, il trébuchera dans la table du buffet et renversera l'immense bol à punch de Guylaine.

Pour Guylaine, – qui, depuis le début de la soirée, aura tenté de divertir ses collègues avec des jeux, des devinettes et des bien-cuits bourrés d'anecdotes dont personne ne se souvient – le fait de voir la moquette engloutir son délicieux rhum coco de la Martinique sera la goutte de trop. Elle fondra en larmes, prenant officiellement possession du titre officiel de «fille lourde qui braille dans les partys de job».

Josée, pour sa part, devant le rejet de René, gardera la tête haute. Elle ravalera sa dignité et trouvera une solution de rechange dans son plan de séduction: «Si René de la comptabilité veut pas de toé... revire-toi de bord, pis baisse tes attentes: y'a d'autres poissons au party!»

Ti-Bob

Témoin des déboires de Josée, Robert du *shipping*, tel le loup de la meute un peu défectueux qui passe en dernier pour manger ce qui reste, guette sa proie aux défenses affaiblies par le vin *cheap*.

Trois semaines plus tôt, reclus dans un département que les autres employés fréquentent rarement, Robert – alias «Ti-Bob» du *shipping* – verra l'invitation 8½ x 11 comme une occasion de briller aux yeux de ses collègues de travail qui, à cause de sa nature réservée, se doutent à peine de son existence.

Encore puceau malgré ses 45 ans, Ti-Bob, rempli par l'espoir qu'apporte souvent le temps des Fêtes, se dira que le party d'employés sera peut-être l'occasion pour lui de ne pas se rendre à son quarante-sixième anniversaire avec sa cerise encore intacte. D'un pas déterminé, Ti-Bob fera marcher ses petites cannes de monsieur dont les bas blancs paraissent parce qu'il a de l'eau dans cave jusqu'au bureau de son patron.

Après s'être fait accueillir par un «vous travaillez ici, vous?», Ti-Bob proposera ses services comme DJ pour la soirée. En effet, depuis quelques décennies, Ti-Bob du *shipping*, féru de gadgets et de technologies, s'est muni d'un kit de DJ, ainsi que d'une impressionnante collection de vinyles dont les titres varient de Ace of Base à ZZ Top. Collection qui, au moment de l'écriture de ces lignes, accumule la poussière dans le bungalow qu'il partage avec sa vieille mère un peu folle.

Heureux de sauver de l'argent, le patron acceptera volontiers les services de Ti-Bob du *shipping*. Le soir du party, dans sa salle de bain, Robert rabattra donc son côté de cheveux plus long par-dessus son crâne dégarni et appliquera même une généreuse quantité de «pouche-pouche» noircisseur de fond de tête. Sa vieille mère viendra alors frapper violemment à la porte de la salle de bain en lui criant:

«Robert! Fais-tu encore des dégueulasseries avec mes catalogues Sears?

— Non, mom! Je me peigne… c'est mon party de job à soir.

— Arrête de cacher ta calvitie… Je te l'ai dit: tu ne devrais jamais avoir honte de la calvitie que le ti-Jésus t'a donnée! Si tes cheveux tombent, c'est parce qu'il a toute concentré ses rayons du bon Dieu su' ta tête! Pis en plus, je ne veux pas que tu y ailles… Ça va d'être bourré de catins en jupes courtes qui se maquillent!!!

Ti-Bob du *shipping*, écœuré de vivre sous le joug tyrannique et émasculant de sa vieille mère, partira en claquant la porte. Dans son véhicule, il crinquera dans le tapis le volume de la plus grande chanson de rébellion: *We're Not Gonna Take It* des Twisted Sisters.

Ti-Bob du *shipping* cédera sa place à DJ Bob. Pour la première fois depuis son embauche en 1981, il se sentira important. Ses collègues viendront le voir à la console pour lui demander du Gloria Estefan ou la toune dont on ne se rappelle pas du titre, mais que la basse fait «tan… ta tan tan ta tan tan, tan… ta tan tan ta tan[3]». L'instant d'une soirée, DJ Bob sera le héros à qui on offre un shooter. Sentant les effets enivrants du Goldschlager, il trouvera le courage nécessaire pour demander à Josée du service à la clientèle – qui vient de se faire revirer de bord par René – de venir danser un slow collé sur *In the Air Tonight* de Phil Collins.

Le reflet quasi magique de l'éclairage sur la boule disco et la fumée sortant de la *smoke machine* louée dans un Loutec contribueront à fournir une atmosphère propice aux rapprochements. La tension sexuelle sera palpable alors que les deux amants improbables s'enlaceront. Elle, avec son *muffin top* et sa branche de persil entre les palettes. Lui, qui lui arrive au menton et dont le dissimulateur de calvitie commence à couler tant il fait chaud. Elle se penchera, puis, sous les regards éberlués de leurs collègues, ils s'embrasseront en faisant tourner leurs langues comme des hélicoptères. Cet épisode sera gravé longtemps dans la mémoire du personnel, qui, dès le lundi suivant, se fera un devoir de leur rappeler qu'ils se sont frenchés au party d'employés. Cependant, au moment où ça se produit, rien n'existe plus sur la piste de danse que la douce sensation de leurs langues qui s'entremêlent et la voix apaisante de Phil Collins qui résonne dans la nuit, du haut des vieux haut-parleurs grésillants de ce sous-sol de restaurant de Laval…

---

3   C'est *Seven Nation Army*, des White Stripes.

Party de sous-sol *n.m.*

Événement situé tout en haut de la pyramide de la vie sociale des adolescents. Le simple fait d'y être invité est un signe de reconnaissance de ses pairs. C'est l'équivalent de la cérémonie des Oscars pour ados – sauf que les limousines sont remplacées par des lifts de parents, et le champagne par un mix brunâtre de boissons louches rapportées d'Acapulco, trouvées dans le fond d'une armoire et embouteillées avec ruse par un fin renard dans un vieux deux litres de Coke vide.

Il est impossible de parler du party de sous-sol sans parler du rituel préparatoire, appelé *pomponnage*.

Le pomponnage consiste pour l'adolescent à monopoliser une salle de bain pendant trois heures dans le but de se mettre *swell*, éliminant alors la couche d'ozone à lui seul avec une quantité impressionnante d'Axe Body Spray. Chacune des minutes du pomponnage est utilisée à bon escient : une heure est consacrée au trio douche-caca-trimage de fourche, au cas où.

Message aux parents qui pourraient tomber sur cet ouvrage : OH QUE OUI QU'ILS SE TRIMENT AVEC LE CLIPPER FAMILIAL !!!

Une autre heure sert uniquement à se mettre du gel Dippity-Do et à organiser méticuleusement chacun des petits pics-pics de cheveux manuellement dans le but d'avoir l'air dépeigné. Pas dépeigné genre « je viens de me lever, pis mon derrière de tête a l'air d'avoir un gros cul »… Non ! Dépeigné cool ! Dépeigné genre : « étonne-toé pas si je sors un surf de ma boîte de truck ».

Finalement, la dernière heure est la plus importante. Elle sert à attendre que les boutons qu'il vient de se péter dans la face arrêtent de couler pour que l'ado puisse enlever les petits bouttes de Kleenex durcis qu'il s'est mis dessus.

Une fois les préparatifs terminés, l'adolescent se rendra à la demeure du camarade qui tient le rôle d'hôte du party, aussi appelé *maître de cérémonie*. Les prérequis pour occuper cette prestigieuse fonction sont les suivants :

1. Avoir un sous-sol, ou, encore mieux, une maison complète à sa disposition. Idéalement avec plus d'une salle de bain, parce qu'inévitablement, il y a toujours une Évelyne qui va aller s'y enfermer pour brailler ou un William qui ne sait pas boire et qui gît sans connaissance sur la céramique dans une flaque de son peu-pi.

2. Jouir d'une popularité auprès de ses camarades ou avoir un grand cercle d'amis. Quoique si le maître de cérémonie organise souvent des partys, la popularité viendra d'elle-même… Comme le dit le célèbre dicton : « Si tu lances des pétates frites, crains pas que les mouettes vont venir. »

3. Avoir des parents qui sont vraiment smattes, ou qui s'en crissent, ou qui sont juste vraiment trop naïfs et qui ne poseront pas trop de questions en voyant le petit Jérôme (qui a mangé des genres de brownies toute la soirée) s'obstiner avec une patère en l'accusant d'avoir volé ses *shoes*.

Le party de sous-sol est également l'occasion rêvée pour les rapprochements. On y trouve des activités comme jouer à la bouteille ou jouer à Vérité ou conséquence, ou encore THE SLOW. THE SLOW consiste à danser pas super bien sur une toune d'Aerosmith avec une fille qui a une tête de plus que soi, tout en trouvant le bon moment pour dissimuler, ni vu ni connu, une érection naissante entre sa bedaine et sa boucle de ceinture.

Attention! Nous préférons vous avertir que le passage suivant pourrait choquer certains lecteurs. Comme Le Petit Roberge un petit peu illustré *s'est donné le mandat d'instruire, il se fait un devoir de rapporter les faits avec exactitude et de manière scientifique, et ce, au risque d'offenser.*

Si l'adolescent joue bien ses cartes, il aura peut-être la chance d'aller plus loin avec un ou une partenaire dans la partie pas finie du sous-sol. Car c'est l'objectif ultime d'un party de sous-sol que d'explorer sa sexualité bourgeonnante – en d'autres mots, jouer à touche-pipi dans une pièce en gyproc, entre la sécheuse pis un père Noël en plastique!

Il paraîtrait même que c'est comme ça que Shakespeare voulait que *Roméo et Juliette* se termine.

Il y a fort à parier qu'encore aujourd'hui, la vue du gyproc rappelle de bons souvenirs à plusieurs personnes... En espérant qu'elles soient plus douées qu'elles ne l'étaient à l'époque pour se la dissimuler derrière la boucle de ceinture!

(Il est important de rappeler que l'équipe du *Petit Roberge un petit peu illustré* prône une approche de la sexualité où règne le respect. Nous suggérons fortement aux jeunes qui liraient cet ouvrage de se référer à des œuvres plus sérieuses en ce qui a trait à la sexualité... et à pas mal tous les autres sujets traités dans ce livre.)

Pénis *n.m.*

Nom masculin… ÉVIDEMMENT!

Contrairement à son homologue féminin, le vagin – chef-d'œuvre artistique de la nature – le pénis, lui, fut conçu par le bon Dieu lui-même, un vendredi après-midi à cinq heures moins quart, juste avant d'aller s'ouvrir une bouteille de rouge pour célébrer la fin de sa semaine de marde.

C'est à cet instant précis qu'il réalisa que le bonhomme qu'il venait de fabriquer n'avait rien pour uriner. C'est donc en deux minutes, sur le coin d'une table, avec son manteau sur le dos, prêt à partir, qu'il a ramassé de la *plasticine* et des cure-pipes pour gosser un motton de peau avec une couture tout en longueur et un cap aux couleurs inédites et changeantes.

Depuis ce jour, l'homme est aux prises avec un genre de tétine molle en forme d'*egg roll* avec une bouche de poisson et un col roulé qui pendouille entre ses jambes. Déjà, on sait que quelque chose est fait à la va-vite lorsque les gens ressentent le besoin d'en couper des bouts dès la naissance.

Vous ne verrez jamais un homme s'acheter une voiture neuve et immédiatement arracher les rétroviseurs parce que «c'est plus propre de même». Bref, en termes d'ingénierie, le vagin est clairement un produit Apple, alors que le pénis est un Nokia.

Malheureusement pour les femmes, une gang d'épais a décidé il y a quelques siècles que le brouillon de peau dans les shorts de l'homme valait plus que le délicat origami de chair. Encore aujourd'hui, certains propriétaires de pénis se permettent de dominer le sexe opposé à cause de leur morceau de peau, et l'équipe de ce dictionnaire (majoritairement propriétaire d'un *egg roll* pas joli) tient à s'en excuser profondément.

Le pénis est muni d'un gland à son extrémité, ce qui le rend particulièrement sensible au toucher, aux bisous et aux vibrations lors des voyages en autobus scolaire vers la polyvalente.

C'est dans la période appelée *adolescence* que l'homme approfondira sa relation avec son pénis. Il comprendra très tôt que c'est le pénis qui mène sa vie. Sans raison ni stimuli extérieurs, la verge de l'homme s'allonge, durcit et demande à être calmée avec des frotti-frotta – et ce, même s'il se trouve devant une dizaine de personnes, en train de faire une présentation orale sur le cycle de l'eau, en shorts de soccer. Le pénis n'en a rien à cirer de tes projets, c'est une division à part dans ton cerveau.

Plutôt mal conçu, et situé en plein milieu du corps de l'homme, le pénis pendouille mollement entre les cuisses de celui-ci, ce qui le rend particulièrement vulnérable aux éléments extérieurs. D'ailleurs, très tôt dans l'histoire de l'humanité, l'homme des cavernes a compris qu'il y avait sûrement une option plus sécuritaire que se battre contre des mammouths le *shaft* au vent. Ce fut très certainement à cet instant que l'homme inventa les bobettes.

Derrière le fameux pénis se trouvent les testicules. Elles sont là, mais elles ne volent pas la vedette. C'est un peu comme les autres filles qui chantaient avec Beyoncé, sauf qu'ici, elles se trouvent dans un sac de peau qui ressemble à la surface d'un ballon de basket dégonflé et poilu.

Les scientifiques affiliés au projet du *Petit Roberge un petit peu illustré* ont réussi à mettre la main sur un vieil échange entre Dieu et un de ses collègues de travail, le jour de la création de l'organe masculin :

(Toc-toc-toc.)

« Hey, Dieu ? Viens-tu au 5 à 7 pour la fête à Pouliot ??

— Oui, oui… J'essaie juste de trouver une place sur mon bricolage pour les petites boules *full* sensibles qui contiendraient l'autre moitié qui va avec l'œuf qu'on a mis dans le ventre de la femme…

— … Mets ça icitte, en dessous du… Ouach ! C'est ben laid, ça…

— Je sais…

— OK ! J'ai une idée. Mets ça en dessous de son pénis, dans un petit sac de peau…

— Sont *full* sensibles ; faudrait les protéger, non ?

— Ben non ! Enweille le gros, on va manquer notre lift.

— Kin ! On va appeler ça des… test… ti ti-cul… ti cul icules… TESTICULES !

— Ahahah ! Bonne idée, Dieu ! »

Pétates frites *n.f.pl.*

Nom féminin. Pluriel (parce qu'il y a toujours plus d'une patate dans le sac).

La plupart du temps, les meilleures pétates frites sont préparées dans un snack-bar de bord de route, dans lequel on trouve une guirlande de *scotch tape* remplie de mouches mortes accrochée après un menu bourré de fautes d'orthographe.

Ledit menu est en fait un gros tableau Pepsi blanc sale avec des lettres noires posées tout croche, style bricolage d'enfant. Il se dresse au-dessus de la plaque à boulettes, tout juste à côté des photos un peu floues d'un cheeseburger déposé sur une assiette en carton, le tout accompagné d'une infographie *WordArt* faite par le petit cousin du patron qui a étudié en graphisme au cégep.

Les pétates frites de snack-bar sont souvent préparées par un homme à la santé douteuse et coiffé d'un ti-filet sur ce qui lui reste de sa couronne de cheveux. Il arbore une moustache jaunie de tabac, un tablier sale et un casier judiciaire plutôt lourd. Les pétates frites sont servies par une waitress répondant au nom de Loulou, qui vous appelle «mon pit» et qui possède un décolleté plongeant qui vous laisse voir sa grosse poitrine rouge vin de madame qui passe l'hiver en Floride. Les pétates frites vous sont toujours remises dans un sac en papier brun… Vous savez, du papier brun, reconnu pour son efficacité à transporter de la bouffe chaude et huileuse?

Les pétates frites se mangent de différentes façons :

- avec du sel et du vinaigre (pour les baby-boomers);

- avec du ketchup (pour la génération X);

- avec de la mayo (pour les petits gros comme l'un des auteurs);

- avec de la mayo épicée sur une planche de bois (pour ceux qui ont besoin de se sentir différents des autres);

- à huit adolescents autour d'un sac de frites, au casse-croûte à côté de l'école secondaire.

Mais la technique la plus traditionnelle restera toujours :

- trop chaude, niveau lave en fusion, parce qu'on a été incapable d'attendre d'être arrivé à la table de pique-nique pour la manger.

L'être humain un peu tata, debout sur le bord de la petite fenêtre du snack-bar par laquelle la transaction de fast-food s'effectue, voit ses pétates frites arriver sur son cabaret et salive en regardant ses bâtonnets de friture. Il est juste humain, après tout… Un être humain est INCAPABLE d'évaluer la chaleur quand il voit des pétates.

Le tata pourrait s'arrêter au premier indice que représente la fumée qui se dégage du sac. Hélas, il continue et se brûle les doigts en prenant ses deux grosses frites. Est-ce que ce deuxième indice l'empêche de s'infliger davantage de douleur ? Eh bien non.

Son douteux réflexe est plutôt de se les garrocher dans la yeule plutôt que de les relancer sur le cabaret.

S'ensuit la fameuse danse de la bouche qui brûle à cause des pétates frites trop chaudes.

Ça commence avec la langue, ensuite c'est le dedans de joues et même les dents. L'humain tata mastiquera la gueule grande ouverte à la recherche d'un peu d'air frais pour tempérer cet inconfort buccal. Il tentera, de manière désespérée, de chercher le regard de quelqu'un pour lui exprimer son désarroi d'humain qui vient de réaliser que la langue va lui brûler pendant deux jours. Il continuera avec sa face d'épais qui ressemble à un chien qui mâche de la gomme et laissera aller un petit « esti, c'est ben chaud… » en envoyant les frites revoler de gauche à droite dans sa bouche comme une paire de souliers dans une sécheuse, et terminera le tout avec une grosse gorgée de sa liqueur fontaine. Enfin, il rotera chaud par le nez, les yeux pleins d'eau.

Note : La race humaine est vouée à disparaître, car malgré cette mésaventure, l'humain recommencera et se reprendra une pétate trop chaude dans la bouche CHAQUE fois qu'il en commandera.

Police (Steve Robichaud) *n.f.*

Nom désignant les forces de l'ordre, dont la responsabilité est de faire respecter la loi coûte que coûte… quitte à le faire au péril de sa propre vie en se donnant l'attitude de Denzel Washington dans *Training Day*, et ce, même si on est un policier à vélo dans le Vieux-Port.

Bien que le corps policier soit constitué d'un nombre important d'hommes et de femmes nobles et travaillants, un seul d'entre eux vivant pleinement son *power trip* suffira à faire passer tous les policiers pour des petits coqs. Pour les besoins de la cause, acharnons-nous sur un seul d'entre eux, l'agent fictif (mais inspiré d'une altercation réelle) Steve Robichaud.

Steve Robichaud ressentira très jeune l'appel du métier. La magnifique coupe Longueuil de Mel Gibson dans le film *L'arme fatale* ainsi que le *swag* glorieux des pecs en métal de Robocop auront laissé une marque indélébile dans son esprit impressionnable, si bien qu'il ressentira un fort besoin de combattre le crime. Trop jeune pour rentrer à Nicolet, Steve Robichaud deviendra le stooleux de l'école ou, dans la langue du milieu carcéral, «la petite *fucking SNITCH*».

Le jeune Steve Robichaud sera libre d'assouvir sa soif de justice en se vengeant des camarades de classe qui ne veulent jamais de lui dans leurs équipes de ballon chasseur : il les stoolera à la madame de la cafétéria parce qu'ils ont apporté dans un établissement scolaire une collation non conforme, c'est-à-dire une dangereuse barre tendre susceptible de contenir des arachides.

Devenu accro à l'enivrante sensation que procure le fait d'être craint et respecté, Steve Robichaud aura choisi sa voie. Il passera le reste de son adolescence à occuper des positions d'autorité. C'est d'ailleurs le jeune Steve Robichaud, qui n'a pas fini de muer et qui traverse une grosse passe d'acné, qui s'acquittera souvent de la tâche d'être le bénévole fouillant les sacs à l'entrée du parc lors de la Saint-Jean-Baptiste.

Rien ne donne autant de sensation de pouvoir à Steve que de confisquer des bouteilles de vodka-jus d'orange à de diaboliques madames qui ne veulent pas payer 5 $ pour de la Bleue Dry en fût, flatte, en écoutant des tounes de Gerry Boulet.

Une fois ses études terminées, Steve Robichaud sera affecté à un poste de police. Chaque matin, avant de commencer son quart de travail, il prendra tout ce qu'il a de compassion, de discernement et de libre arbitre pour foutre ça en boule dans sa case à côté de son linge de civil, puis il montera dans son auto-patrouille. C'est à bord de ce bolide spécialement pimpé que l'agent Robichaud, heureux comme quelqu'un qui peut passer sur les rouges quand bon lui semble, passera ses journées à remplir les coffres de l'État en donnant des *tickets* à des mères de famille qui roulent 15 km/h trop vite parce que leur plus jeune a vomi dans son siège de bébé. Et Robichaud fera ça avec la même énergie que si Pablo Escobar était venu faire un *deal* de coke, le cul à l'air dans sa face.

Son badge de policier lui donnera le courage de faire fi du danger, et il n'hésitera pas une seule seconde à revêtir un genre d'armure antiémeute (qui ressemble à un *suit* de moto-cross) pour défendre violemment le statu quo de notre bon gouvernement libéral lorsque celui-ci sera menacé par les sombres desseins de dangereux manifestants armés de... colliers de bois pis de t-shirts de Che Guevara.

Au bout d'un an, il constatera cependant que sa profession n'est pas aussi glamour qu'il le croyait alors qu'il est pogné à faire du radar caché en dessous d'un pont au lieu de combattre le crime... entre autres parce qu'il n'a pas les qualités intellectuelles ou émotionnelles pour aider la veuve et l'orphelin, résoudre des crimes ou démanteler des réseaux de prostitution. Non, lui, on l'a chargé de donner des contraventions à ceux qui fument à moins de neuf mètres d'une porte!

Dans le cas d'un échec total, le jeune aspirant Robichaud pourra se revirer de bord et étancher sa soif d'autoritarisme en devenant agent de sécurité de centre d'achats, douanier ou gardien de chalet dans un parc.

Poulet frit Kentucky *n.pr.*

Nom propre désignant une chaîne de restauration rapide américaine que l'humain moyen fréquente environ tous les cinq ans en se disant: «Me semble que j'aimais ça quand j'étais petit», pour finalement réaliser qu'il pourra certainement s'en passer un autre cinq ans.

Tout commence souvent un mardi soir où l'humain, se sentant un brin paresseux – mais surtout tanné du regard vide de ses enfants quand il leur demande ce qu'ils veulent manger – jette l'éponge et se dit: «*Fuck it*! J'm'en vais chercher du *take-out*!»

Quoique cette option lui évite de se casser le bicycle, il lui reste tout de même la difficile tâche de choisir dans quel établissement il ira chercher ses victuailles.

Trop habitué à la pizza, et n'ayant pas envie de manger les frites froides qui accompagnent son St-Hubert, il se tournera vers son resto chinois-vietnamien-thaï-canadien du coin pour se gaver de poulet général Tao. Malheureusement, ce type de resto a des heures d'ouverture aléatoires, du mercredi au samedi entre 11 h et 14 h les années non bissextiles. C'est à ce moment qu'il se tournera vers une solution qu'il n'avait pas considérée jusque-là: LE *GOOD OL'* PFK.

Pour l'humain contemporain, le PFK est l'un des derniers vestiges d'une Amérique du Nord disparue et d'une époque aux mœurs plus permissives, où il était bien vu de s'allumer une cigarette dans un hôpital ou d'apostropher une fille en lui disant qu'elle avait l'air «pas pire *brillante* pour une créature», et où un obèse morbide était simplement quelqu'un d'un peu trop porté sur les bonnes choses. Le PFK marquera, l'instant d'une soirée, une pause bien méritée de tout ce quinoa qui a envahi les assiettes au cours des dernières années.

Une fois sur les lieux du crime, l'humain sera content de constater qu'à peu près rien n'y a changé. Du menu jusqu'aux banquettes dures en plastique moulé, tout est exactement comme dans ses souvenirs. Même les employés sont restés pareils, certainement préservés par la graisse, tels des animaux dans le formol. La seule chose qui se rapproche de près ou de loin d'une innovation est le fait qu'il est désormais possible de choisir des options encore moins santé qu'en 1980. Par exemple: le fameux sandwich sans pain, constitué uniquement de bacon entre deux morceaux de poulet frit.

Bien sûr, pour les puristes, existe toujours le traditionnel «*bucket* de poulet frit». Celui-ci vient avec une boîte de patates frites qui goûtent les beignes et un gros deux litres de Coca-Cola. Dans le but de fournir une dose de légumes, PFK offrira au client un choix de salades variées: salade de patates qui baignent dans la mayo, salade de macaronis qui baignent dans la mayo ou salade de chou aussi fluo qu'un surligneur, qui baigne dans la mayo et le vinaigre.

Le tout sera nappé d'une sauce visqueuse tellement épaisse et remplie de produits douteux qu'elle peut être conservée huit ans à l'air libre sans sécher.

Conseil pratique : vous ne savez plus quoi offrir à vos enfants pour Noël ? Achetez-leur un casseau de sauce PFK ! Elle est une excellente solution de rechange à la pâte à modeler. Qui plus est, si vous avez oublié d'acheter un cadeau à votre douce, sachez que la richesse en graisse animale de cette sauce permet d'en faire un très bon substitut au masque de nuit.

En file pour commander, vous aurez la même chaîne de raisonnement que dans tous les autres fast-food :

1. C'est juste pour aujourd'hui… Pis de toute manière, j'ai fait du sport lundi dernier et j'ai pris les escaliers à la job !

2. … Mais je pourrais quand même prendre l'option santé.

3. Dans le fond, c'est juste un peu de poulet ! Pis les frites, c'est des patates… Pis des patates, c'est des légumes !

Lorsque l'humain sera finalement devant la caisse, les particules de sel et la graisse qui flottent dans l'air auront fait leur effet sur son cerveau : il finira par commander l'affaire la plus grasse du menu, avec un extra mayo pour les patates et un extra poulet popcorn pour le dessert !

Printemps *n.m.*

Saison qui succède à l'hiver et dont l'arrivée est déterminée d'une manière hautement scientifique, c'est-à-dire selon les prophéties d'un siffleux qui aurait apparemment des pouvoirs pour prédire des affaires.

Provoquant le dégel, le printemps est synonyme de renouveau. En effet, c'est lors de cette saison que Mère Nature se réveille d'un long sommeil glacé. Le givre d'une beauté cristalline se dissipe sous la clémence des rayons du soleil de mars, les oiseaux reviennent de leur doux exil en chantant gaiement… et tous les cacas de chiens de l'hiver réapparaissent et dégèlent dans la cour.

Si, à première vue, la beauté exaltante des bancs de neige à moitié fondus, crottés et remplis de petite garnotte semble redonner le goût de vivre à l'humain cerné, vêtu de mou de la tête aux pieds et encabané depuis des mois, on recommande fortement à cette personne de ne pas se départir de son habit de jogging trop rapidement, puisqu'elle sera inévitablement foudroyée par une gastro printanière.

Voici comment se déroule la propagation du virus de la gastro :

Acte 1

Les parents du petit Arnaud remarquent qu'à son réveil, il est plus grincheux qu'à l'habitude, et que ses selles ont un aspect différent. Ils se disent: «C'est louche! Peut-être est-ce dû au fait qu'hier, il a mangé une poignée de neige sale dans le *driveway*.» Ne pouvant pas s'absenter du travail comme bon leur semble, ils enverront tout de même le petit à la garderie en se disant que si l'éducatrice leur en parle, ils feront comme s'ils ne le savaient pas.

Acte 2

Arnaud ira à la garderie et deviendra malgré lui le patient zéro d'une épidémie de gastro printanière. En effet, la gastro est un virus hautement contagieux, que l'on qualifie dans le milieu scientifique d'«hostie de rat».

Ce virus a pour seul et unique but de se propager le plus possible en forçant son hôte à l'évacuer violemment par tous ses orifices. Une seule gouttelette de fluide contaminé propulsé par voie aérienne peut flotter longuement en suspension dans les airs avant d'atterrir sur le pouce d'une mitaine appartenant à la petite Magalie.

Acte 3

La petite Magalie, comme tous les enfants, est elle-même une consommatrice de neige brune louche qui semble être tombée d'un des garde-boue de l'auto familiale. Elle ne sera cependant pas infectée par celle-ci, mais bien par le virus d'Arnaud sur sa mitaine, dont elle se délecte. Au bout de trois jours, tous les membres de sa famille auront été contaminés et auront aussi contaminé pas mal tout le monde qu'ils auront croisé en cours de route.

Bien que la gastro soit un rude moment à passer, elle aura comme côté positif de faire perdre plusieurs livres au malade, ce qui représente un excellent point de départ pour ceux qui sont désireux de retrouver leur *shape* de plage.

Professeur/e *n.m. et f.*

Désigne la personne responsable de l'éducation, de l'encadrement ainsi que de l'épanouissement personnel et professionnel de jeunes humains.

Il y a un énorme respect qui vient avec l'honorable travail de professeur. C'est une lourde tâche que de préparer ces jeunes âmes à devenir les adultes de demain. Une tâche presque aussi lourde que le sac à dos d'un enfant, qui rapporte tous ses livres et ses cahiers à la maison pour faire ses devoirs… le tout bien sûr avec l'aide du parent qui, en plus d'avoir sa journée dans le cul, doit se forcer pour essayer de se rappeler comment fonctionne une ciboire de division avec un crochet.

Parenthèse : dans la vraie vie, il y a un instrument fantastique qui s'appelle la calculatrice. Ce qui est génial avec cet instrument, c'est qu'il est abordable et qu'il peut calculer N'IMPORTE QUOI ! Le plus beau, c'est qu'il fonctionne à l'énergie solaire. Même en cas de cataclysme majeur – comme une attaque de zombies ou une fin du monde où la société aurait sombré dans la barbarie, mais où vous voudriez quand même résoudre des problèmes mathématiques –, vous pourriez l'utiliser et ne JAMAIS AVOIR BESOIN DE FAIRE UNE CALVAIRE DE DIVISION AVEC UN CROCHET à la main dans un cahier Canada. Fin de la parenthèse.

Il existe plusieurs types d'enseignants :

Le (ou la) « *Imagine all the people* »

Lui, il est fraîchement sorti de l'école et il est rempli de rêves, d'illusions et de belles phrases du genre : « Je veux changer le monde un enfant à la fois. » Cette naïveté s'estompera au bout de cinq ans et il frappera un mur quand le petit Jason, qui a redoublé deux fois, aura collé une gomme sur sa chaise, provoquant un fou rire dans l'ensemble de la classe. L'hilarité générale causée par une vieille gomme adhérée à son cul en corduroy fera perdre au professeur son enthousiasme. Après six ans, il fera un *burnout* et, au bout de sept, pour endurer le reste de sa carrière, il ajoutera trois-quatre lampées de gros gin dans son café, amorçant ainsi sa transformation pour devenir le deuxième type de prof dans cette liste.

Le vieux sec (ou la vieille sèche), *aka* le Clint Eastwood

C'est généralement un prof en fin de parcours, désillusionné et rendu amer par une longue carrière pénible. Les années passées à demander « Qui vient de lancer ça ? », à se taper les mêmes oraux qui commencent par « Aujourd'hui, j'vas vous parler du Bouclier canadien » ou « Un mammifère est un… », et qui se terminent par « Faque c'est ça ! », ont fini par jeter une ombre sur son enthousiasme des premiers jours. Par contre, ce qui aura pesé le plus lourd sur son équilibre mental, c'est d'avoir à chanter « Chut chut chut chut chut… chut… chut… » dans le but d'avoir le silence à chaque christie de début de période. Le Clint Eastwood est aussi le professeur avec le plus de potentiel de se retrouver avec du petit blanc dans l'coin de la bouche. On appelle cela l'écume de l'amertume.

Il y a cependant des exceptions à la règle de l'amertume professorale. Il existe certains profs dont la dévotion extraordinaire mérite d'être saluée dans cet ouvrage.

Le (ou la) Mary Poppins

Il se distingue par son amour des élèves et sa capacité à faire preuve de créativité dans le but de rendre l'apprentissage intéressant. Ce type d'enseignant n'hésitera pas à se costumer en Samuel de Champlain pour parler de la Nouvelle-France aux jeunes, à apporter sa guitare et à jouer du Bob Dylan pour les initier à la poésie ou encore à leur faire écouter le film avec Leonardo DiCaprio qui se pique au lieu de donner son cours un vendredi après-midi.

ATTENTION : Il ne faut toutefois pas confondre le Mary Poppins avec le *wannabe* Poppins.

Le *wannabe* Poppins est facilement identifiable.

C'est le prof qui voudrait tellement être cool qu'il éloigne la *coolness*, un peu comme la crédibilité et les propos réfléchis qui s'éloignent de Marie-Chantal Toupin chaque fois qu'elle est fâchée et qu'elle abuse des majuscules sur Facebook.

Comment reconnaître le *wannabe* Poppins ? Facile. C'est souvent un prof de morale ou de religion qui s'assied à cheval sur sa chaise à l'envers, comme un mauvais figurant de *Chambres en ville*. Il parle à la classe complète en disant «tu» et, une fois de temps en temps, il se sert d'une radio empruntée à l'audiovisuel pour chanter un rap sur l'abstinence.

Le (ou la) suppléant(e)

Tel le missionnaire catholique qu'on envoyait pour parler de Jésus à des cannibales assoiffés de sang, le suppléant est jeté en pâture à une horde d'enfants qui n'ont qu'un seul but : le faire chier.

Comme une meute de loups, ils sentent la peur chez le suppléant et n'hésiteront pas à unir leurs forces pour le déstabiliser. Ils se serviront de leurs meilleures techniques, comme : attendre qu'il ait le dos tourné pour faire des bruits de pets en alternant la provenance des sons, ce qui fait en sorte que les flatulences semblent toujours venir d'un endroit différent ; aller à tour de rôle aiguiser leur crayon beaucoup trop longtemps pendant qu'il essaie d'expliquer quelque chose ; ou encore, un classique, mettre les clés de char du suppléant aux poubelles.

Dans son propre intérêt, il est recommandé au suppléant d'accepter son rôle tout en bas de la chaîne alimentaire et de se contenter de faire comme tous les bons remplaçants font depuis la nuit des temps, c'est-à-dire le strict minimum. Pour ce faire, il devra emprunter une grosse télé à roulettes munie d'un VHS et passer de vieilles vidéos éducatives tellement désuètes qu'on y parle de l'an 2000 comme s'il s'agissait d'un avenir lointain.

Le prof d'éduc

Il existe en deux formats. Celui qui a un gabarit athlétique de Guillaume Lemay-Thivierge, qui vient travailler en bicycle et qui se fait une joie d'embarquer dans toutes les parties qui se jouent dans la cour d'école. Toutes les filles tripent dessus, et à 45 ans, il a plus d'énergie qu'un hyperactif de huit ans après avoir bu un deux litres de crème soda.

Il est gentil, mais un peu trop motivé, ce qui est vraiment dangereux lorsque vous êtes un enfant à lunettes qui joue dans l'équipe adverse au ballon chasseur !

Il y a aussi le prof d'éduc «pas *top shape*». Sa bedaine de bière dépasse de son chandail trop petit de l'équipe de hockey cosom de l'école, et si ce n'était pas du fait qu'il arbore des pantalons à snaps et un sifflet, absolument rien ne nous permettrait de croire qu'il enseigne le sport. En fait, on soupçonne que la seule activité sportive à laquelle il excelle, c'est de se clencher des *ribs*, un pichet et des saucisses dans la pâte les soirs de *game* à la Cage.

Cependant, tous les profs d'éduc ont un talon d'Achille : la puberté féminine! Si une jeune fille désire ne pas participer à l'une ou l'autre des activités proposées, il lui suffit de brandir le mot en «M» : *menstruations*. L'enseignant sera déstabilisé par cet étrange mot, qui est à mille lieues des affaires qu'il connaît – comme les espadrilles, savoir gonfler un ballon de soccer et les différentes sortes de crème pour soigner le pied d'athlète. Avec une goutte de sueur qui perle sur son front et qui trahit son inconfort, il répondra : «C'correct, j'veux pas le savoir, va t'asseoir.»

La jeune pourra alors échapper au cours de piscine sous le regard envieux du petit Mathis-Alexandre, que tout le monde ridiculise à cause de son étrange sternum.

La *Misery*

C'est l'héritière directe des religieuses de l'époque Duplessis. Duplessis, c'est même souvent le nom de l'un de ses huit chats. La plupart du temps, il s'agit d'une femme malheureuse et méchante qui profite du fait qu'elle se trouve à l'abri des regards, derrière les portes closes de son local, pour répandre son venin sur les enfants. Ce comportement est probablement dû au fait qu'elle est encore vierge à 50 ans. C'est la prof qui excelle dans l'art de détecter quel élève maîtrise le moins la matière et qui s'acharne sur lui en le questionnant devant toute la classe.

À l'extérieur du cadre scolaire, elle aime : ses chats, le thé Earl Grey et tomber sur des nouvelles de tremblement de terre au tiers-monde.

En conclusion, le professeur est pour l'enfant ce qui se rapproche le plus d'un patron. Parce qu'il a sur les élèves une certaine ascendance, il leur assigne des travaux et peut leur donner de la marde ou les récompenser. Alors que le patron récompense ses employés avec de l'argent, le professeur récompense ses élèves à l'aide de lettres de l'alphabet, de mots d'encouragement ou d'une tonne de collants de chiens en *cartoon* sur lesquels il est écrit «GÉNIAL!!!».

Si l'élève est VRAIMENT, MAIS VRAIMENT dans les bonnes grâces du professeur, on lui accordera même le PRIVILÈGE d'aller torcher ses effaces à tableau… À bien y penser, ce n'est pas super comme *deal*… Il paraîtrait que même les enfants indonésiens qui fabriquent des Nike se feraient peur avant d'aller dormir en se racontant de terribles histoires au sujet des petits Blancs payés en *stickers* et forcés à rapporter du travail à la maison.

Querelle amoureuse *n.f.*

Événement qui peut surgir à tout moment, et dont les origines peuvent être multiples et diverses. Le degré de gravité peut aussi varier de très grave à **très grave**, du genre «Tu m'as trompé, mon sans-cœur! Sors d'icitte avant que je mette le feu à ton La-Z-Boy pis que je passe ton poisson rouge dans le blender!», ou encore «Pourquoi tu checkes sur Wikipédia? Tu me crois pas? Tu me fais pas confiance? À s'appelait Jennifer Grey, la fille dans *Dirty Dancing*, cibole… On sait ben. Moé, j'une épaisse, je connais rien, moi, c'est ça…»

Tel un ninja prêt à sauter sur sa victime au crépuscule, la chicane de couple est toujours là, tapie dans l'ombre, attendant le bon moment pour frapper. Elle est tellement furtive que lorsqu'on remarque sa présence, il est déjà trop tard.

Généralement, elle commence de manière anodine. Par exemple, lors d'une promenade en voiture, une femme demande à son conjoint ce qu'il désire manger pour souper. Celui-ci, concentré sur la route, lui répond la première chose qui lui passe par la tête: «J'sais ben pas, bé… du spagat'».

Elle rétorquera quelque chose comme: «Ah ouin… je peux pas… à cause de tsé le nouveau programme d'entraînement que je suis…» L'homme, toujours concentré sur la route, mais encore d'une humeur plaisante, lancera donc la balle dans le camp de sa conjointe en lui demandant: «Ben là, d'abord, toi, qu'est-ce que tu veux manger?»

Attention! Sans le savoir, le couple s'apprête à franchir le point de non-retour de la chicane. La femme lui répondra alors: «C'est moi qui t'ai posé la question en premier, c'est toi qui dois trouver de quoi.» L'homme commencera à sentir une pointe d'agacement et ne tripera pas sur ce genre de règlement inventé par sa blonde. Il lui balancera donc une phrase du genre: «C'est n'importe quoi; c'est quoi, c'te règle-là? On n'a pas huit ans, vieillis.» BANG!!! POINT DE NON-RETOUR.

Insultée dans son amour-propre, car son conjoint semble insinuer qu'elle est immature, la femme lancera un commentaire un brin incisif afin de se venger, en faisant sentir à l'homme qu'il est incompétent: «C'est beau. J'vais m'en occuper: anyway, c'est moi qui fais toute à la maison.»

Si, jusqu'à présent, la chicane de couple semblait avancer en ligne droite, elle arrivera ici à une intersection et bifurque de sa trajectoire d'origine lorsque l'homme répondra: «Qu'esse tu dis? Tu fais pas toute à la maison!»

Le couple, qui ne sait toujours pas ce qu'il va manger pour souper, se rendra à peine compte qu'il a un conflit à régler et qu'un second conflit émergera. L'homme tentera de se défendre en disant: «Tu ne fais pas toute à la maison. JE vide toujours le lave-vaisselle!!!» Cette réplique donnera une occasion en or à la femme pour reprocher un détail insignifiant qui la gosse depuis des années, et qu'elle a gardé bien caché dans son jeu, exactement pour ce genre de situation: «Tu le vides tout croche, tu veux dire... S'CUSE-MOÉ, MAIS POUR LE CLASSEMENT DES TUPPERWARE, TU SUCES GRAVE, MON HOMME.»

Le troisième conflit est alors entamé. L'homme, blessé dans son orgueil de gars qui n'aime pas se faire dire qu'il n'est pas bon dans quelque chose, lui répondra: «JE NE SUIS PAS MAUVAIS, OK?!! PARCE QUE, DE UN, ON S'EN TORCHE D'ÊTRE BON POUR LE CLASSEMENT DES TUPPERWARE! C'EST PAS UN DE MES OBJECTIFS DE VIE, OK?! MÊME QUE JE SUIS PAS MAL SÛR QUE SI T'ALLAIS FOUILLER DANS L'ARMOIRE DE TUPPERWARE D'EINSTEIN OU DE SHAKESPEARE, TU VERRAIS QUE C'EST LE BORDEL AUSSI. PIS DE DEUX, TU PEUX BEN PARLER DE RANGEMENT: T'AS DE LA MISÈRE À *GADGER* CE QUI RENTRE PIS CE QUI RENTRE PAS DANS TA VALISE DE CHAR.»

À peine deux minutes après le début de la chicane, un quatrième conflit éclatera alors que la femme, confuse mais en beau maudit, demandera: «MAIS C'EST QUOI LE *FUCKING* RAPPORT de la valise de char?» L'homme, fier d'avoir trouvé un vieux bobo à gratter, lui remémorera un incident survenu dans un IKEA quelques années plus tôt, quand sa blonde avait acheté de très gros meubles et qu'il se tuait à essayer de lui faire comprendre que les achats en question ne rentraient pas dans le véhicule, alors que celle-ci s'entêtait à dire que ça rentrait. Comme de fait, après avoir parcouru en compagnie de l'homme l'entièreté du stationnement gros comme 10 terrains de football avec les grosses boîtes pesantes sur un chariot qui roule mal, au gros soleil, et s'être battue avec les boîtes, la femme fut forcée d'admettre son erreur en voyant les boîtes dépasser de trois pieds de la valise de sa Yaris. Depuis ce jour, l'homme se fait une joie de ramener cet incident chaque fois qu'une dispute le désavantage. Malheureusement, cela entraîne une autre bifurcation inutile de la chicane, ouvrant un cinquième conflit lorsque la femme (qui était prête pour ce genre de situation, elle!) sera elle aussi tentée de puiser dans le passé pour sortir des phrases du genre:

«Ah ouin? Tu veux qu'on sorte des vieilles affaires? Parce que si c'est ça que tu veux... OK, MON HOMME, ON VA JASER DE LA FOIS QUE T'AS FRENCHÉ SOPHIE BLOUIN.»

L'homme, physiquement pas préparé à une telle attaque, bégaiera un brin, puis tentera à nouveau de se défendre d'un «ben là, CH'TAIT SAOUL... On sortait même pas encore officiellement ensemble, toi pis moi... Anyway, faudrait que t'en reviennes! Ça fait 10 ans, pis ça doit faire un million de fois que je m'excuse.»

Les souvenirs de cet événement provoqueront l'apparition d'une larme dans le coin de l'œil de la femme. Après quelques instants silencieux, l'homme lui demandera: «Tu pleures-tu?», ce à quoi il n'obtiendra pas de réponse. Se sentant *cheap*, il se mettra à se rappeler comment la chicane de couple a commencé et se trouvera ridicule. Ne sachant pas trop quoi dire pour panser de vieilles blessures, il se tournera vers la femme qu'il aime et lui dira: «J'pense qu'on a un pâté au poulet dans le congélateur.»

Rentrée scolaire *n.f.*

Nom féminin, synonyme de torture pour les enfants et les parents qui doivent replonger dans la routine des lunchs sans allergènes.

Par un bon matin de la mi-juillet, alors qu'il regarde ses petits bonhommes préférés à la télé avec ses céréales et un bon Quik, l'enfant verra une publicité de la rentrée scolaire avec des enfants qui gambadent dans leur linge carreauté propre en tenant une pomme dans leur main.

À partir de ce moment-là, il n'y a plus de retour en arrière possible pour l'enfant. Il ne pourra plus sauter par-dessus l'arrosoir de gazon avec la même innocence. Non. Car il sait que l'école recommence sous peu, et tout plaisir dans son cœur est maintenant impossible.

Il sait que la prochaine étape est d'aller à la pharmacie avec sa mère pour s'acheter un nouveau coffre à crayons, des cahiers Canada, un rapporteur d'angles et un paquet d'autres patentes tout aussi tripantes qu'une chips qui passe de travers pis qui te scratche lentement le dedans de la gorge.

Le féminin «mère» est ici utilisé par défaut. Ce n'est pas sexiste: c'est seulement que le père est facilement qualifiable de «pas-super-fonctionnel-avec-une-liste-de-fournitures-scolaires». Tout ce qu'il fait, c'est arpenter les allées en ne trouvant pas ce qu'il cherche, en lâchant des demi-sacres, pis en marmonnant à sa progéniture des affaires du genre:

«Hey, tabarn… J'peux pas croire qu'ils vous demandent quatre bâtons de colle par année, stie: j'pense même pas en avoir fini un en 35 ans de vie.»

Les scientifiques sont d'ailleurs encore à la recherche d'un père de famille excité à l'idée d'acheter des cartables.

Au contraire, la mère rusée comme un renard créera souvent l'illusion chez l'enfant qu'il est en contrôle en le laissant se choisir quelques articles. Par exemple, un pousse-mine de Batman, un aiguisoir en forme de *skateboard* et un porte-documents des Transformers. Ne vous méprenez pas sur ses intentions, il ne s'agit ici en fait que d'offrandes pour acheter la paix, question que l'enfant demeure coopératif lors des étapes suivantes.

La mère sait TRÈS bien ce qu'elle fait : elle le fait régulièrement avec son mari.

Après l'achat de 10 000 duo-tangs de toutes les foutues couleurs de l'arc-en-ciel commence l'essayage interminable de paires de culottes en corduroy et l'inévitable rendez-vous chez la coiffeuse pour aller se pimper une coupe champignon, histoire d'être *swell* sur les photos d'école.

Après ce rituel viennent les exigences des établissements scolaires, qui sont souvent ridicules. Par exemple, des cartables pas de la même taille ni de la même couleur que ceux de l'an dernier, car ce n'est pas pour la même matière. Et si vous aviez acheté un cartable deux pouces au lieu d'un cartable un pouce, *watch out*! Parce qu'on sait très bien qu'un enfant **n'apprendra jamais** de la nouvelle matière s'il n'utilise pas un nouveau cahier fraîchement acheté par ses parents. Et comme si le parent n'avait que ça à faire, il doit identifier individuellement tous les crayons HB de son rejeton, comme si c'étaient des pièces rares d'un musée.

Les théoriciens du *Petit Roberge un petit peu illustré* croient en effet que la diminution des noms composés est due à l'obligation d'identification du matériel scolaire. Parce que c'est beaucoup moins pénible d'écrire 1000 fois «Bob Côté» que «David-Alexandre Lamontagne-Thibodeau».

Pour le féliciter de ses efforts, la mère de l'écolier insistera par la suite pour faire une séance photo durant laquelle elle forcera l'enfant à prendre la pose, un pied accoté sur le mur et un pouce dans sa ganse de pantalon en tenant son sac à dos sur une seule épaule, à l'aide d'une seule bretelle. Ce souvenir, fait EXCLUSIVEMENT pour elle, sera encadré et fixé au mur du salon pour devenir LA photo gênante chaque fois que l'humain ramènera une blonde à la maison.

Les premiers jours d'école seront alors ponctués d'épreuves pour l'élève. Dès le moment où la semelle encore rigide de ses souliers à velcro flambette se posera sur la première marche de l'autobus, il devra déterminer à quelle caste il appartiendra cette année. S'il est de nature extravertie, il se joindra rapidement au groupe appelé «Les petits bums du fond du bus». Eux, ce sont ceux qui passent le voyage de dos, accotés dans la fenêtre avec le petit air fendant de quelqu'un qui vient de coller sa gomme Hubba Bubba sous un banc. S'il est de nature réservée, le petit humain optera davantage pour une place à l'avant, à côté d'un petit bizarre qui sent le lait caillé pis qui zozote.

Vos enfants se plaindront peut-être, vous vous plaindrez peut-être, mais dites-vous tous qu'il y a pire torture que la rentrée scolaire d'un enfant…

… C'est la rentrée scolaire d'un enseignant.

Sexe *n.m.*

Activité se pratiquant en solo, en couple ou bien en groupe. On peut le faire complètement nu, à moitié dévêtu, avec des vêtements aguichants ou simplement dans une tenue moulante de cuirette agrémentée d'un masque à gaz. Pour les romantiques, le tout peut être combiné à l'usage d'un bâton «stimulant» qui donne des décharges électriques sur les zones érogènes de la tendre moitié qui, elle, est ligotée et a une boule rouge dans la bouche.

Ajoutez un fond sonore de Rammstein, demandez à l'être cher de vous faire couler de la cire chaude sur les bouttes pendant qu'un monsieur cagoulé avec des lèvres en fermeture éclair vous tapoche le popotin à l'aide d'une palette, et vous obtiendrez une Saint-Valentin pas piquée des vers.

Avec ou sans accessoires, le sexe peut être pratiqué pour la reproduction ou à des fins purement récréatives. L'important, c'est qu'il soit consensuel! La sexualité et la préférence des gens ne concernent qu'eux. Tous les goûts sont dans la nature, et il ne faut pas juger.

Même ceux dont le fantasme est de se faire chevaucher comme des poneys.

Même les gens qui s'excitent en se frottant sur des ballounes.

Même les comptables de jour qui, le soir venu, s'habillent en bébés, ainsi que ceux qui raffolent de se faire donner des coups de pied dans les schnolles…

On ne peut pas les juger, mais il est tout de même normal de se demander secrètement si les choses auraient pu être différentes si, dans leur enfance, leur papa avait davantage pris le temps de jouer avec eux.

C'est habituellement à l'adolescence, après la puberté, que l'humain fera seul ses toutes premières expériences sexuelles. Chez le jeune mâle, certains signes trahiront de nouveaux comportements.

Le parent constate que le forfait Internet est défoncé mois après mois. Dès lors, son premier réflexe de parent dans le déni sera de jeter le blâme sur la nouvelle saison de House of Cards qu'il s'est tapée en une fin de semaine, ou sur toutes les vidéos apparaissant dans son fil de nouvelles Facebook où des gens se pètent de très gros boutons.

S'il commence à voir poindre l'ombre d'un doute au fond de lui-même, c'est le second signe qui viendra confirmer ses craintes. Il verra la quantité de Kleenex diminuer à une vitesse folle et apparaître un peu partout sous le lit de son ado… de grosses boules de Kleenex dures, aussi appelées «cocons de solitude».

Il est recommandé aux parents de continuer d'acheter des mouchoirs en grande quantité, voire de penser à se procurer une carte Or chez Costco s'ils ne veulent pas que leur rejeton utilise autre chose pour s'éponger. Pensez-y bien : mieux vaut gérer une consommation de mouchoirs excessive que de retrouver des bas et des t-shirts durcis et pétrifiés comme du bois sec dans le panier de linge sale.

Pour ce qui est de l'adolescente, c'est très simple… La salle de bain contenant une douche téléphone sera l'unique endroit où elle passera plus de 30 minutes sans son cellulaire et dont, bizarrement, elle sortira toujours reposée d'une bonne douche chaude…

Cette étape, quoique peu glorieuse, sera cruciale dans l'épanouissement de la vie sexuelle du jeune humain et constituera une période d'entraînement qui lui sera utile lorsque viendra le temps de passer à l'acte avec un autre individu.

Par contre, peu importe le nombre d'heures de simulation en solo, rien ne pourra complètement préparer l'adolescent à sa première mission sur le terrain.

Même s'il se donne la peine de faire les choses en grand, une fin de semaine pendant laquelle ses parents sont au chalet et qu'il s'est payé la Cadillac des préservatifs nervurés, chauffants et ultraminces, il n'y a rien à faire… Sa première expérience se résumera à trois minutes gênantes de va-et-vient mal rythmé, pantalon aux chevilles, en pieds de bas avec, en trame de fond, les dialogues et la musique de *Titanic* et le bruit d'une boucle de ceinture qui frotte sur le plancher.

Du côté des adultes, c'est chez le couple récemment formé que la vie sexuelle est à son paroxysme. En effet, l'attrait de la nouveauté pousse les deux amants à constamment vouloir agencer leurs morceaux de casse-tête. Cependant, une étude a récemment démontré que leurs ardeurs se calment à peu près au même moment où ils deviennent assez à l'aise pour franchir un mur psychologique en gazant bruyamment l'un devant l'autre. En langage scientifique, on appelle cette phase «Le mur du son».

Passé ce point de non-retour, le duo est officiellement «un vieux couple». Il troque alors les dessous affriolants, les baises passionnées et les parties génitales fraîchement rasées pour de vieilles paires de joggings mous, du zignage mensuel et une fourche hirsute arborant la même coupe de cheveux que Robert Charlebois.

Cela, en fin de compte, explique peut-être le besoin qu'ont certains de «pimenter» leur vie sexuelle en se laissant chevaucher comme des poneys !

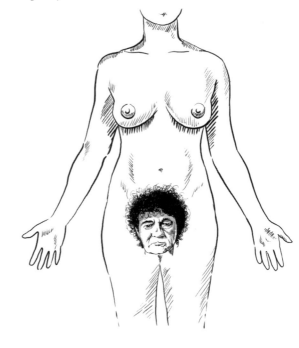

Shower de bébé *n. m.*

Cérémonie visant à célébrer l'arrivée d'un nouveau-né au sein d'une famille. Dans le ton, le *shower* s'apparente beaucoup à la fête d'anniversaire, mais il se distingue par une absence totale de bière et de plaisir.

Une des fonctions du *shower* est de venir en aide aux nouveaux parents en leur offrant du matériel dont ils auront besoin au cours des premières années de vie de leur enfant. Généralement, l'organisation est prise en main par une madame beaucoup trop motivée faisant partie de l'entourage immédiat de la future mère. Cela peut être sa mère, une tante ou sa chum de fille, mais le plus souvent, c'est une belle-mère instable psychologiquement, qui finit par s'autoproclamer «chef des opérations».

Celle-ci s'occupera des préparatifs dans les moindres détails, comme si elle revivait sa propre grossesse par procuration. Elle ne laissera rien au hasard et se chargera des tâches suivantes : aller porter une liste de cadeaux de bébé au Toys R Us et faire faire un gâteau avec un bébé épeurant en crémage sur le dessus. Finalement, elle s'assurera que la fête soit la plus désagréable possible en organisant des jeux plates tirés d'un vieux *Coup de pouce* qui traînait au salon de coiffure quand elle est allée faire faire sa repousse.

Voici quelques classiques en matière de jeux poches.

1. Des pots de purée dont on a préalablement retiré les étiquettes sont disposés sur une table, et attention !!! Les gens doivent en deviner la saveur. S'ensuit une HILARANTE confusion à deviner «c'tu des asperges ou bedon des brocolis ?». C'est en goûtant ce qu'on sert à manger aux bébés qu'on comprend pourquoi ils braillent si souvent.

2. On a passé des barres de chocolat au four à micro-ondes puis on les a mises dans des couches, et on doit identifier la barre de chocolat. Ce jeu est censé dégoûter les gens et préparer les futurs parents à changer des couches, mais honnêtement, ça ouvre surtout l'appétit. Une Oh Henry !, même fondue, sera toujours plus appétissante que le flu de bébé.

3. À l'aide d'un rouleau de papier de toilette, les invités s'amusent à estimer la grosseur du ventre de la mère. Malheureusement, personne ne gagne vraiment à ce jeu : ça finit toujours que la femme enceinte (et bourrée d'hormones) pleure parce que tout le monde la trouve grosse et qu'elle croit qu'elle ne retrouvera jamais sa taille de guêpe.

4. À l'occasion d'un bien-cuit, chaque invité est chargé de raconter une anecdote sur un des deux parents. Étant donné la présence probable d'oncles, de tantes et de grands-parents, il est déconseillé aux invités de raconter les anecdotes du genre : «En tout cas, fut un temps où Julie traînait un autre genre de poudre dans sa sacoche !»

Le déroulement du *shower* est souvent fort apprécié par la gent féminine, qui ne cessera de s'émerveiller devant chaque petit morceau de vêtement couleur pastel déballé lors des quatre heures que durera le rituel du déballage des cadeaux.

Les autres mères présentes s'empresseront non pas de conseiller la future maman, mais de lui imposer leur façon de penser. Vous serez donc témoin de violence psychologique du genre : « Quoi ? T'as pas de couches lavables ? Ben voyons, haïs-tu ton kid ?!?!?! »

Si deux mères s'opposent sur un sujet, par exemple l'allaitement, préparez-vous à un combat sans merci qui pourrait finir dans le Jell-O ou la purée d'asperges !

Si les *showers* sont une tradition davantage prisée par les femmes, les hommes y sont tout de même les bienvenus. Ils passeront la plus grosse partie de la fête mal à l'aise à faire des efforts pour ne pas avoir l'air de s'en foutre, regardant une fois de temps en temps sur leur téléphone pour suivre le score de la partie... de n'importe quelle partie... même du curling, à la limite.

S'il veut se rendre utile, l'homme peut toujours ramasser la tonne de papier de soie qui traîne au fur et à mesure que l'on déballe les cadeaux. Ça fait au moins quelque chose à faire. De plus, les filles, agitées par tant de discussions sur les bébés, risquent de trouver ça attentionné et sexy.

L'autre solution, c'est de rester à l'écart et, une fois de temps en temps, d'échanger des regards désespérés qui ont l'air de dire : « S'te plaît, *man*... Tue-moé ! »

Il est recommandé à l'invité du *shower* de se dépêcher à être un des premiers à aller acheter un cadeau figurant sur la liste pour ne pas rester pris avec les articles que personne ne veut acheter parce qu'ils sont trop chers, genre 550 $ pour un siège d'auto ou une poussette. Il aura donc tout le loisir de choisir entre les cadeaux *cheap*, comme le coupe-ongles, la girafe qui goûte la vanille ou la petite poire à morve.

Parce que n'est-il pas là, le miracle de la vie ? Créer un être humain qu'on aime tellement qu'on est prêts à pomper sa morve ?

Sortie scolaire *n.f.*

Moment de «répit» pédagogique pour les professeurs, mais surtout pour les étudiants qui apprennent à frencher en cachette sur un banc d'autobus scolaire. La sortie scolaire est souvent l'occasion de récompenser les élèves à la fin de l'année en les invitant à aller s'énerver au Biodôme!

À cette occasion, l'élève se voit attribuer une seule et unique tâche: faire signer son papier d'autorisation de sortie. Et aussi simple soit cette tâche, le papier se verra complètement oublié dans le fond de son sac à dos, au grand plaisir du parent qui devra le signer et faire un chèque pour le voyage la veille du départ après avoir reçu une mise en demeure de l'école.

Il existe plusieurs sortes de sorties scolaires. En voici quelques-unes:

La sortie au théâtre

Elle est surtout organisée pour montrer aux élèves une œuvre qu'ils ont préalablement lue, sur laquelle ils ont fait un rapport de lecture et même un examen. Au moment de la sortie, il n'est donc pas surprenant que tout le monde en ait plein son cul de Molière, et que les élèves connaissent déjà tous les thèmes abordés dans *Le misanthrope*. La sortie au théâtre devient surtout une excuse pour foxer, ou encore aller au centre d'achats ou au cinéma juste à côté. C'est aussi une bonne occasion pour déterminer qui est cool et rebelle dans la classe en séparant ceux qui foxent de ceux qui sont plates. Ces derniers ont tellement peur de se faire chicaner par leurs parents qu'ils sont prêts à écouter des acteurs tout juste sortis de l'École de théâtre interpréter Alceste et Célimène entre deux quarts de travail au Café Dépôt.

Le voyage, mais pas loin

C'est une sortie à l'extérieur de la ville. C'est souvent une destination beaucoup trop éducative, comme la Cité de l'énergie, l'hôtel du Parlement de Québec ou la ville d'Ottawa. Les aspects les plus excitants de ce genre de sortie ne sont pas les musées ou les visites guidées qui vous expliquent le rôle du whip au parlement, ou comment l'industrie forestière et hydroélectrique a forgé le pays… NON! L'important, dans ce type de sortie, c'est la *ride* d'autobus! Votre place dans ce véhicule qui vous emmènera au Musée de la monnaie est essentielle à votre avancement social. Si vous êtes celui qui s'assoit en avant avec le prof parce que vous avez le mal des transports, les chances sont élevées pour que vous chantiez des chansons d'autobus et que vous perdiez seulement votre virginité une fois rendu à l'université. Si vous êtes à l'arrière, là où le prof ne peut plus vous surveiller, vos chances de jouer à Vérité ou conséquence augmentent énormément… Et, comme chacun sait, les joutes de Vérité ou conséquence lors d'une sortie scolaire devraient plutôt être rebaptisées «Mensonges, exagération et désir d'explorer ma sexualité naissante».

Le voyage loin

Ça, c'est le *jackpot* de la sortie scolaire. Vous vous rendez dans une destination cool et lointaine POUR Y DORMIR! Quelle meilleure façon de célébrer la fin des classes que de passer quatre jours à New York ou Boston, avec vos amis et de l'argent de poche donné par vos parents? Certes, il y a des visites éducatives organisées dans des musées, mais vous avez également des temps libres pour faire du shopping. Vous irez sans doute acheter des t-shirts I LOVE NY, ou magasiner dans un H&M, malgré le fait qu'il y ait des H&M au Québec. Celui-là est spécial. C'est un H&M des *States*!

Et même si New York et Boston sont des villes fascinantes, pleines d'histoires et de culture, le vrai bonbon du voyage loin, c'est L'HÔTEL!

Pas la peine d'apporter votre appareil contre le bruxisme et votre oreiller hypoallergénique, parce que vous n'êtes pas là pour bien dormir. Vous êtes là pour passer la nuit avec vos amis dans une chambre située à quelques mètres de la chambre des filles que vous trouvez *chicks*! Tout le monde va s'être apporté des chips, des bonbons, de la liqueur et peut-être même une flasque de fort volée à des parents. Vous serez alors prêt à passer une nuit blanche et à essayer de magouiller pour que les filles viennent dans votre chambre ou vice versa. Vous élaborerez un plan en vous appelant de chambre en chambre avec le téléphone de l'hôtel, puis vous irez chercher de la glace à la machine pour vérifier si le surveillant de couloir est à son poste. Cet habile stratagème sera uniquement mis sur pied avec l'espoir de jouer à la bouteille à un moment ou à un autre de la soirée!

L'équipe du *Petit Roberge* aimerait saluer les professeurs qui exercent le métier de surveillants de couloir. Nous savons que vous êtes fatigués après une longue journée à surveiller des ados bourrés d'hormones dans un autre pays. Nous comprenons que vous puissiez vous endormir au poste. N'ayez crainte, nous ne vous en tenons pas rigueur. Grâce à vous, des jeunes vont approfondir leurs connaissances dans l'art d'embrasser avec la langue, ce qui, au bout du compte, les marquera sans doute plus qu'une christie de grosse boule avec de l'électricité vue à un moment donné dans un musée d'Ottawa.

Souper d'amis *n.m.*

Nom masculin désignant une activité sociale mise à l'agenda plusieurs mois à l'avance par la femme d'un couple. Le souper d'amis est habituellement complètement oublié par le gars. Il se le fait rappeler le jour même, alors qu'il s'était organisé une soirée en mou avec une boîte de Minces aux légumes pour s'enligner des *Game of Thrones*.

Après avoir laissé échapper quelques grognements en guise de protestation et avoir sèchement refermé son La-Z-Boy, l'homme se relèvera et ira d'un pas lourd fouiller dans sa garde-robe pour revêtir une tenue de souper d'amis.

Si, pour la femme, la tenue de souper d'amis est d'une élégance telle qu'elle pourrait être confondue avec celle d'une première dame lors d'un souper présidentiel, la tenue de souper d'amis d'un gars consiste grosso modo en une chemise pas trop fripée, une paire de jeans qui ne pue pas trop l'humidité et un pouche de parfum.

Même si elle savait pertinemment depuis plusieurs semaines qu'il y avait un souper d'amis à l'horizon, la femme allume et panique précisément pendant que l'homme se cherche deux bas sans trous de la même couleur et qu'elle met ses boucles d'oreilles, puis elle pose la question suivante :

«SHIT! Qu'est-ce qu'on apporte ?»

D'un air nonchalant, et encore un peu amer de se voir privé de sa ration de violence médiévale et des paires de seins que lui offre l'excellente série *Game of Thrones*, le gars lui répondra :

«J'sais pas… On a rien qu'à acheter une baguette de pain.»

À la suite de quoi elle rétorquera un :

«C'est moi qui pense à tout ici, hein ?»

C'est par cette séquence d'événements que s'amorcera dans le couple le traditionnel bougonnage d'avant-souper d'amis.

Le tout commencera dans la chambre à coucher, se transportera dans l'auto et connaîtra une brève interruption au moment où l'homme choisira une baguette de pain à l'épicerie.

Il mettra le paquet pour choisir une baguette de pain funky hors du commun, par exemple un pain baguette aux olives. Il voudra montrer à sa douce moitié qu'il est capable de se forcer. Cette tentative ne la surprendra guère. Parce que comme elle le lui apprendra de manière passive-agressive, il ne s'agit pas d'un pain, mais d'une fougasse[1].

Cette mascarade s'accentuera dans la voiture alors qu'elle tentera d'expliquer le chemin, qu'elle ne connaît foutrement pas et qu'elle cherchera avec son GPS de téléphone. Elle sera

---

1 Lors d'un bougonnage d'avant-souper d'amis, la femme prendra un ton baveux pour dire tout ce qu'elle dira. Comme vous reprendre pour une esti de fougasse.

mélangée entre sa gauche et sa droite, ce qui n'aidera en rien à calmer l'amertume du gars qui ne veut rien savoir d'aller à ce foutu souper.

Le bougonnage de souper d'amis s'arrête d'un coup, dès le moment où le couple sonne à la porte en s'efforçant d'avoir l'air faussement de bonne humeur devant les amis, sans savoir qu'eux aussi sont passés par exactement les mêmes étapes quelques minutes plus tôt.

Après avoir aidé les membres du couple à retirer leur manteau, les hôtes demanderont à l'homme de déposer son pain baguette aux olives sur le comptoir de la cuisine, avec les 12 autres pains baguettes aux olives. Et la blonde de l'hôte lui rappellera qu'on ne dit pas pain aux olives, mais fougasse. La blonde de l'homme, elle, prendra bien soin d'expliquer qu'elle le lui avait déjà dit.

Souvent, lors d'un souper d'amis, le choix du menu aura été adopté dans le but de rendre l'expérience la plus conviviale possible. C'est pourquoi la plupart du temps, l'humain opte pour de la fondue ou une raclette, deux plats qui consistent à choisir soi-même ses ingrédients et à faire cuire son repas une bouchée à la fois pendant six heures de temps.

Voici quelques types de couples que vous croiserez lors d'un souper d'amis :

La monarchie

Eux, ils gossent. Ils sont beaux et agencés ; des Angelina Jolie et Brad Pitt de Boucherville. Ils ont de l'argent et ils veulent que vous le sachiez. Ils sont probablement les seules personnes que vous connaissez qui possèdent un piano à queue, même s'ils n'ont jamais joué de piano à queue. Chez eux, tout est tellement propre, parfait et inhabité que votre premier réflexe, c'est de regarder dans la cour pour voir s'il n'y aurait pas une deuxième maison cachée dans laquelle ils vivent pour vrai. C'est l'amie de votre blonde que vous êtes incapable de blairer, mais que vous endurez pour lui faire plaisir.

Les nouveaux parents

Eux se déplacent comme des nomades en mission avec leurs 850 000 sacs contenant toutes les sortes de crèmes à foufounes qui existent. Tel un soldat avec une bedaine de grossesse sympathique, le père s'empressera, en entrant dans la maison, de sécuriser le périmètre et d'installer le campement. Il posera de petites gogosses en plastique dans les prises de courant et érigera le parc à dodo dans le sous-sol. Il déclarera le sous-sol « zone de bébé » et empêchera tout autre enfant de s'en approcher sous prétexte que le bébé dort. Secrètement, ce qu'il se dit dans sa tête, c'est : « Tu réveilles mon bébé, tu le fais brailler dans ma seule soirée de plaisir des six derniers mois et je te croque la tête comme si c'était un œuf Cadbury. »

Pendant ce temps, la nouvelle mère sera déjà assise à votre table en train de tirer son lait avec sa machine qui ressemble à un R2-D2 bouffeur de *tits*. À bout de n'avoir pu prendre un seul verre de vin blanc depuis bien longtemps, elle sera un peu trop à l'aise en oubliant que ce n'est pas tout le monde qui est confortable à l'idée de regarder quelqu'un tirer son lait devant une assiette de prosciutto-melon miel.

Malgré le fait qu'ils font acte de présence, il sera impossible d'entretenir une conversation avec eux. Ils écoutent à moitié et interrompent les discussions à tout moment pour allaiter, torcher des régurgits ou sentir la fourche de leur nouveau-né qui, ma foi, dompe plus qu'un intolérant au lactose après 12 milkshakes.

Ne vous en faites pas, de toute façon, c'est mieux de ne pas avoir de conversation avec eux en mangeant, puisqu'ils ne font que parler de mamelons gercés, de bouchons muqueux et d'anecdotes d'accouchement du genre « j'ai déchiré jusqu'au cul ».

Le couple d'amis du couple d'amis

Eux se caractérisent par le fait qu'un autre couple fait la liaison entre eux et vous. Cependant, une fois que le couple qui fait la liaison se retire, par exemple pour couper du pain ou chercher un *refill* de crudités, il subsiste dans l'air une ambiance lourde et malaisante rappelant celle ressentie pendant une *ride* d'ascenseur où chacun suspecte l'autre d'avoir pété.

Le couple d'amis qui a un chien, surnommé «les César Millan»

Malgré le fait qu'ils n'ont pas d'enfant, ils sont du genre à s'intégrer aux discussions de parents en étant persuadés de jouer dans la même ligue parce qu'ils ramassent deux-trois petits pipis par jour sur des gazettes dans le garage. Ils vont même jusqu'à se désigner comme «parents de chien» en s'appelant papa et maman devant l'animal.

MESSAGE À L'INTENTION DES CÉSAR MILLAN

Est-ce qu'un parent va au parc à chiens avec son kid dans une sacoche Michael Kors? Non.

Quand ton «enfant» mange dans un bol à même le plancher, que tu l'étrangles avec un *choker* pour l'éduquer et que tu le forces à chier dehors en plein hiver, tu n'es pas un parent: tu es une *front page* du *Journal de Montréal*.

Le couple d'amis gai

S'il a été établi que lors des soupers avec un couple d'amis, les conversations devaient demeurer sobres, cette règle s'annule en présence d'un couple d'amis gai. Ils sont souvent une mine d'or d'anecdotes salées, qui feront friser vos chastes oreilles de Moldus. S'ils sont dans un couple ouvert, l'effet est doublé, voire triplé. Et quand on dit histoires salées, ce n'est pas salé dans le genre «Ouin, faque on a fait l'amour sur la céramique de la salle de bain d'un Best Western à Niagara Falls.»

NON. C'est assez salé pour que vous double-checkiez que les enfants dorment, parce que s'ils entendent ça, il faudra travailler fort pour ne pas qu'ils aient peur pour le restant de leur vie de mettre les pieds dans un sauna.

Le célibataire

Le célibataire est l'ancien membre que l'on préférait d'un couple d'amis récemment séparé. Contrairement au couple gai, il n'a pas d'anecdotes salées. Au contraire, il est plutôt amer. Souvent, on «oublie» de l'appeler. Important de remarquer les guillemets. Pourquoi on l'«oublie»? Premièrement, parce qu'après deux mojitos, il devient lourd, et le poids de sa solitude écorche le moral des gens qui veulent simplement parler de rabais de circulaires, de *La voix* et des dernières frasques de *Cœur de pirate* sur Twitter.

Les soupers d'amis se concluent souvent par:

* «Bon ben, on va faire un boutte, nous autres», ou encore «Y'est tard pour les enfants… On va y aller…», quand dans le fond c'est juste que le gars remarque que sa blonde a la bouche mauve de vin et commence à feeler *horny*…

Et peu importe si la soirée fut agréable ou non, vous passez inévitablement le voyage du retour à parler dans le dos des «amis». Une fois les clés dans le contact, les ceintures attachées et les tatas avec des faux sourires envoyés par la fenêtre, on commence le traditionnel «débriefing de souper d'amis».

Vous y entendrez des succès pas-corrects-mais-tant-que-ça-reste-dans-le-char-c'est-OK, tels que :

- «Je te gage 20 $ que d'ici cinq ans, Miguel va domper Sophie pour un homme...»

- «Le gros feu sauvage que Caro a ramené de Cayo Coco, penses-tu qu'elle l'a déclaré aux douanes en débarquant de l'avion? Penses-tu qu'elle a commencé des démarches pour qu'il ait sa citoyenneté canadienne?»

Ou le classique :

- «Je te jure, chérie, ton tartare torche celui de Cindy. Le sien avait l'air d'un oiseau mort dans l'assiette.»

Spa *n. m.*

Nom masculin désignant un lieu que l'humain mâle n'aurait jamais osé fréquenter de son plein gré, c'est-à-dire sans l'intervention d'une blonde usant de la phrase suivante :

« Enweille ! Fais-moé confiance ! Ch'te jure tu vas aimer ça. »

Bien que généralement ouvert d'esprit, l'humain mâle demeure tout de même sceptique puisque la dernière fois que sa conjointe a employé ces mêmes phrases, il en a résulté l'intrusion douloureuse d'un doigt dans ses foufounes.

La tactique de la conjointe est d'acheter un chèque-cadeau à Noël pour éviter de se faire répondre *ad nauseam* « Ouin… On ira un moment donné ». Déçu, parce qu'il aurait préféré recevoir une Nintendo classique pas trouvable, mais trop *cheap* pour ne pas laisser expirer un chèque-cadeau, il acceptera d'aller « relaxer » en se sauçant dans un bain de jus de pied d'athlète chaud avec des inconnus.

Après avoir conduit pendant 45 minutes et gravi les 472 marches glissantes à flanc de montagne, l'humain essoufflé remettra l'existence de la « relaxation » en doute. Il sera accueilli par une madame *space* qui parle trop doucement et qui embouteille clairement son propre kombucha.

Celle-ci leur remettra deux serviettes chacun, une robe de chambre ainsi que des ondes positives et les enverra vivre l'extase et l'illumination. L'expérience commencera dès la sortie du vestiaire alors que les humains auront enfilé leur robe de chambre et que celle-ci leur fera un gros cul… Parce que TOUTES LES ROBES DE CHAMBRE donnent l'impression d'avoir un énorme cul.

C'est gougounes dans la neige que l'humain mâle se fera faire les gros yeux par sa blonde, après avoir lâché un « stie qu'y fait frette » trop fort qui dérangera tout le monde.

Il fera par la suite de son mieux pour contrôler ses réactions lors de l'étape consistant à submerger son corps frigorifié dans un bain chaud comme de la lave, qui aura sur lui l'effet relaxant d'une centaine d'aiguilles pénétrant ses membres gelés. Il aura l'impression d'être un blé d'Inde dans une casserole à l'épluchette de blé d'Inde, en train de cuire à proximité d'autres épis, avec de temps en temps une petite motte de cheveux qui flotte autour. Malheureusement pour lui, la prochaine étape n'est pas d'être enduit de beurre et de sel, mais plutôt d'aller dans un sauna qui sent le Vicks.

Dans le sauna, le but est d'avoir plus chaud qu'il est humainement possible de supporter, sans mourir. Deux options s'offrent alors. La première est le sauna sec, qui donne l'agréable sentiment que tes cheveux peuvent pogner en feu à tout moment et que chaque respiration est une agréable bouffée d'air d'un four à *broil*.

Il y a également le sauna humide. Celui-ci se distingue par le fait qu'un épais smog d'eucalyptus y est omniprésent, ce qui donne l'impression relaxante d'être en train de chiller à l'intérieur du poumon d'une matante qui fume des menthols. Au départ, chaque respiration sera pénible et provoquera chez l'humain la très zen impression qu'il est sur le bord de mourir d'une crise d'asthme.

Dans le sauna, l'humain – pour qui l'interdiction de parler suffit à lui donner le fou rire facile – rencontrera inévitablement une de ces trois catégories de gens qui donnent justement envie de rire :

1. La madame qui médite.

2. Le couple qui se bécote beaucoup trop.

3. Le monsieur qui s'éponge constamment la face en soupirant beaucoup trop fort.

La dernière étape consistera à essayer de plonger son corps bouillant dans un bain d'eau glacée. Voyant sa conjointe réussir cet exploit, l'humain mâle s'essaiera à son tour, puis se rendra à mi-cuisse après avoir lâché un «oh *fuck* non» et rebroussera chemin en semi-jogging dans l'eau avec les épaules qui lui montent chaque bord des tempes.

Cette réticence chez l'homme à se tremper le sachet dans un liquide à température subarctique réside en partie dans le fait qu'il porte ses organes reproducteurs à l'extérieur de son corps, tandis que la femme, elle, porte ses ovaires (aussi appelés les testicules de madame) à l'intérieur. Pour qu'elle lui sacre patience avec le bain dans la calotte glaciaire, il sera porté à se mettre deux-trois poignées de neige sur les épaules, sans pour autant se sentir moins chochotte.

Une fois ces étapes franchies, l'humain mâle pourra terminer sa journée en beauté avec un dernier malaise alors qu'il ira attendre en ligne avec d'autres personnes en gros cul de robe de chambre et avec un petit *pad* dans les mains pour se faire masser par quelqu'un qui lui chuchote mystérieusement dans les oreilles.

Une fois dans la pièce, il pourra entendre des phrases comme «Veuillez prendre de grandes respirations», «Si je pèse trop fort, vous me le dites» ou «Profitez-en pour relaxer».

Et tout au long du massage, l'humain se forcera à tenter de ne penser à rien, mais la même phrase dans la tête de tous les mâles humains résonnera : ne me masse pas trop près de l'entrecuisse, je suis mal à l'aise.

Tatouage *n. m.*

Forme d'art corporel dont la pratique consiste à imprimer un dessin que l'on trouve beau à même notre épiderme en surveillant du coin de l'œil les gros *stretchs* d'oreilles du tatoueur qui ballottent comme des bijoux en peau de bizoune.

Pratiqué depuis le néolithique, soit à l'occasion de rituels religieux ou tout simplement par souci d'esthétisme, l'art ancien du tatouage a été transmis à l'homme blanc au XVIII siècle par les tribus vivant sur les îles du sud du Pacifique, où l'on faisait d'authentiques tatouages tribaux. À ne pas confondre avec les tatouages tribaux de gars de 35 ans qui font des shows de boucane sur les coins de rue pour impressionner leur blonde qui va encore au secondaire.

Le tatouage, à cette époque, était réservé aux pirates ainsi qu'aux marins *badass* désireux de marquer leur corps d'illustrations témoignant d'une existence rude et virile. Avec le temps, cette forme d'expression a été transmise aux soldats, aux bandits et aux musiciens de groupes rock. Ensuite, elle a été récupérée par les chefs cuisiniers de restos branchés et les barmaids qui aiment l'expression « Carpe Diem », pour finalement se frayer un chemin jusqu'au barista de 100 livres qui se fait tatouer « MOKA LATTE » sur les jointures.

Le tatouage est en quelque sorte la suite logique pour l'humain adulte qui, adolescent, aimait coller des *stickers* de Pennywise sur son agenda scolaire, dans le but de démontrer aux autres à quel point il était rebelle et différent.

Cependant, le tatouage n'est plus considéré comme un geste de rébellion depuis que votre tante Sylvie s'est fait faire le symbole d'infinité sur la cheville.

Voici les exemples les plus communs de faux pas en termes de tatouages :

L'erreur de jeunesse

C'est le tatouage de celui qui aurait peut-être dû y penser deux fois et s'en tenir aux collants sur son agenda au lieu d'aller se faire tatouer le nom du groupe NO DOUBT sur le mollet, un papillon dans le bas du dos ou un genre de dessin semi-*cute*, semi-sexuel, genre des petites traces de pattes de chat sur les seins.

Le tatouage concept

C'est le tatouage que l'on sent le besoin d'expliquer à l'aide d'un long récit pas intéressant, parsemé de bribes de philosophie à deux sous probablement élaborée pendant les pauses publicitaires de *L'amour est dans le pré*. Par exemple: «Je me suis fait tatouer une manche… Mais c'est comme un arbre, parce que ça représente la vie… Pis au bout de chaque branche, y'a le nom d'un membre de ma famille… Parce que pour moi, la vie, c'est la famille… Même s'il y a une faute dans le nom de mon père!»

L'acte manqué

C'est le genre de tatouage qui naît parce que Manon s'est rendue dans une *shop* de tatouage avec sa chum de fille Nancy. Après avoir consulté le cartable des tatouages, elles ont toutes les deux décidé de se faire tatouer le mot *amitié* en lettres chinoises. Ce n'est que 10 ans plus tard, durant une visite dans le quartier chinois, que Manon réalisera qu'elle a «crème à cul» tatoué sur le bras.

Le «Checke ça, bro'!»

C'est le cousin de l'erreur de jeunesse puisqu'il est également le résultat de l'insouciance. La différence, c'est qu'il n'y a pas d'âge pour se faire faire un «checke ça, bro'». C'est un tatouage qui part souvent d'une idée lancée à la blague lors d'une beuverie entre copains, et qui aboutit au jour où le plus motivé (ou le plus épais) arrive en disant: «Checke ça, bro'!». Il lèvera son chandail pour montrer qu'il est réellement allé se faire tatouer un minou sur la bedaine, à l'endroit précis où ça donne l'impression que son nombril est un péteux de chat.

Le «Je comprends ce que t'as voulu faire, mais…»

Cette catégorie englobe plusieurs sous-catégories. Par exemple, le type de tatouage où le client demande à son tatoueur de reproduire le visage de son enfant sur une partie de son corps, mais se ramasse à la place avec une affaire mal dessinée qui ressemble plus à un *mix* entre la petite fille de *L'exorciste* et un Chucky consanguin qu'à son enfant.

Le «Je comprends ce que t'as voulu faire, mais…» réfère aussi au tatouage d'une phrase, d'une devise ou d'un couplet de chanson, mais avec un niveau d'anglais de quatrième année du primaire. Exemple trouvé sur Internet: «Its is my live – Bon Jovi.»

Le «J'veux ben être *open*… mais à quoi t'as pensé?»

C'est le genre de tatouage de ceux qui poussent les choses un peu trop loin, sans sembler se préoccuper des implications sociales d'avoir, par exemple, une grosse araignée de tatouée au milieu du visage, un revolver dans le milieu du torse ou une feuille de *weed* sur la joue. Malgré ce qu'on peut en penser, ce type de tatouage demeure cependant le meilleur moyen d'être en congé pédagogique pour le restant de sa vie.

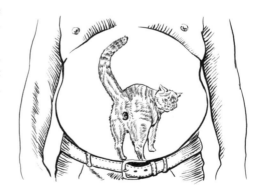

Télévision *n.f.*

Nom féminin désignant un appareil qui, auparavant, ressemblait à une sécheuse et qui projette des images. Aujourd'hui, il ressemble à un petit cadre très plat dans lequel un tableau s'anime. Contrairement à un tableau, il n'y a pas grand art qui se dégage de ce cadre, mais plutôt un bruit de fond limite gossant et la voix d'un animateur de quiz.

La boîte à images contient différents types d'émissions :

Le quiz

Un quiz est une émission où Guylaine de Chersey va sur un plateau pour gagner des pinottes parce que tout le budget est passé dans le salaire de l'animateur. Celui-ci est souvent un comédien, un humoriste ou une personnalité connue appartenant à la catégorie des «J'excelle dans rien de particulier, mais je suis correct dans tout». Il a suffisamment de charisme pour tenir la barre d'une émission, et son principal talent est de rentrer dans la chemise prêtée par la boutique qui commandite le show.

Le téléroman

Le téléroman est un type de fiction se déroulant en majeure partie à l'intérieur (faute de budget), dans lequel des comédiens jouant des personnages beaucoup trop intenses vivent chaque semaine plus de drames qu'il est humainement possible d'en vivre dans une seule vie. Curieusement, ils ne sacrent JAMAIS, peu importe la gravité de la situation.

Le téléroman n'a pas besoin d'être bon ni apprécié pour rester en ondes année après année, ses cotes d'écoute étant surtout justifiées par le fait qu'il joue au moment où la télé reste allumée sans que personne la regarde, c'est-à-dire pendant l'heure du bain des enfants. Une autre hypothèse circule voulant que la CIA aurait acheté un grand nombre de coffrets de *L'auberge du chien noir* pour torturer des terroristes détenus à Guantanamo Bay, ce qui aurait contribué à fausser les données sur la popularité de cette émission.

Une émission de gogosses

Une émission de gogosses tourne généralement autour d'acheteux de gogosses qui débarquent dans des vieilles granges, des encans et des mini-entrepôts du Texas, dans le but d'acheter des gogosses. Étant conscient que ce type d'émission n'avait à la base rien de bien intéressant, les producteurs ont cru bon d'ajouter du suspense en coupant juste au moment de dévoiler une gogosse pour aller à la pause. Ce qui crée chez nous le questionnement suivant : «Mais qu'est-ce qui peut ben y avoir dans le mini-entrepôt que vient d'acheter le gros blond en camisole avec la face rouge ?» Le spectateur s'attend à ce qu'au retour de la pause, l'arche de l'alliance du premier *Indiana Jones* y soit découverte, mais finalement le mini-entrepôt ne contient souvent qu'un vieux bicycle pas de roues, une table de chevet et un tuyau d'*exhaust* de moto usagé qui ne vaut pas une cenne.

La téléréalité

La téléréalité est le bas-fond des genres télévisuels. Contrairement au quiz qui, rappelons-nous, fait appel au comédien-humoriste appartenant au groupe des «J'excelle dans rien de particulier, mais je suis correct dans tout», la téléréalité, elle, donne une tribune au groupe appelé les «Rien dans la tête, tout dans le bronzage». La popularité de ce genre de divertissement réside largement dans le fait que le public éprouve un plaisir voyeur malsain à regarder ces magnifiques jeunes adultes aux corps dignes des dieux de l'Olympe et aux quotients intellectuels de furet rusher à cohabiter ensemble dans une maison usinée.

L'émission de service

L'émission de service existe pour parler de projets de société, dénoncer, éduquer, débattre, mais surtout pour se déculpabiliser d'avoir regardé tous les autres styles d'émissions de télé…

Toilettes chimiques *n.f.pl.*

Désigne un genre de cabine téléphonique bleue en plastique qui surchauffe sous le soleil de l'été, et de laquelle émanent d'horribles effluves. Par vent favorable, celle-ci peut permettre à des festivaliers de se soulager après avoir enligné plusieurs bières flattes.

On les nomme « toilettes chimiques », mais c'est une insulte pour le merveilleux monde de la chimie que de faire allusion à la science lorsqu'il est question de ce gros four à micro-ondes qui sent l'étable et qui occupe la fonction peu glorieuse de litière pour festivaliers guerlots.

C'est habituellement à la fin d'une belle journée dans un festival de montgolfières, après avoir englouti plusieurs hot-dogs et petits verres de bière en vous dandinant sur la toune *Je suis un homme 7Up*, qu'une envie vous prendra. Vous devrez alors vous diriger vers les cabinets de toilette temporaires les plus proches. Vous arriverez devant un mur de bécosses, aussi surnommé « le mur des Lamentations ». On l'appelle ainsi à cause des cris et des sanglots que les gens émettent en y entrant et en en sortant.

Après avoir attendu dans une file aussi longue qu'un *line-up* pour un manège cool de La Ronde, vous aurez enfin accès à une cabine. Vous ouvrirez la petite porte retenue par un ressort beaucoup trop bruyant et deviendrez automatiquement le pro du retenage de souffle. Même si votre cardio n'est pas terrible habituellement, une fois dans ce petit espace qui abrite une piscine de liquide lave-glace dans laquelle flottent des coliformes fécaux, vous aurez la capacité pulmonaire d'un plongeur en apnée de haut niveau !

Selon la légende, celui qui commettra l'erreur de prendre une wiiffff aura les poils de nez qui fondront en se collant les uns aux autres. À côté de ça, le Gange passe pour une source d'eau limpide issue de la fonte de glaciers des Alpes !

Enfermé dans cet espace à peine plus gros qu'un cercueil, prenez garde à ce que vos vêtements et vos biens entrent le moins possible en contact avec les parois de la cabine et surtout, SURTOUT orientez-vous de manière à ne jamais regarder LE TROU.

Le trou. L'affaire la plus dégueulasse de l'histoire de l'humanité. Même les bourreaux de Guantanamo Bay ne forceraient pas leurs prisonniers à regarder dans le trou. Ils se diraient : « Ben là, arrachez-leur des ongles, c'est correct. Mais ça, c'est trop intense ! »

Même la personne la plus matérialiste au monde n'irait pas chercher quelque chose qui serait tombé dans LE TROU... Son iPhone, sa bague de fiançailles qui appartenait à sa grand-mère ayant survécu à l'Holocauste, son premier-né... On s'en fout ! Si ça tombe dans le trou, c'est fini !

Dans la toilette chimique, faites ce que vous avez à faire le plus rapidement possible, parce que vous aurez hâte de pouvoir respirer de l'air frais à nouveau. Souvenez-vous aussi que tout le monde en file peut vous entendre faire votre besogne puisque ces murs EN FEUILLES DE PLASTIQUE ne sont pas insonorisés.

Dans certaines bécosses, il y a un robinet pour se laver les mains. Il paraîtrait que le gars qui a mis ça là serait le même gars qui a inventé les gags Juste pour rire… PARCE QUE C'EST UNE *JOKE*!

Qui se laverait les mains dans une bécosse?!? QUI? Honnêtement, ne serait-il pas moins dégueulasse qu'un lépreux vous crache sur les doigts?

Vous sortirez finalement, vous reprendrez votre souffle, vous aurez les yeux pleins d'eau tellement ça pue. Content d'avoir traversé ce calvaire, vous rejoindrez votre blonde pour qu'elle vous donne du Purell puis, le plus naturellement du monde, sans sembler comprendre que vous venez de vivre l'horreur, elle dira: «Le petit a envie, peux-tu l'amener à la toilette?»

Toilettes publiques *n.f.pl.*

Nom féminin désignant deux paravents minces comme du carton, auxquels, dans un souci d'économiser 2,50 $ de *plywood*, un ingénieur a décidé d'ajouter une porte trop courte — question de s'assurer que l'usager vulnérable, les culottes aux chevilles, se sente le moins à l'aise possible, quand tout le bureau peut l'identifier à l'aide de ses souliers pendant qu'il termine sa poussée.

Si le périple dans une toilette publique est un passage obligé, que ce soit au travail ou à l'occasion d'une activité récréative, pour la plupart des êtres humains, l'expérience n'est pas pour autant agréable. En effet, la physiologie humaine demande plusieurs vidanges quotidiennes, et celles-ci se divisent en deux catégories bien connues : les «numéro *uno*» et les «numéro *dos*».

Dédaigneux de nature, et préférant le confort de sa propre toilette, l'humain préférera éviter les toilettes publiques. S'il est relativement plus facile de ne pas les utiliser pour effectuer des numéros *dos* (de par la fréquence moins grande de ceux-ci), il faudra, à un moment ou à un autre, s'y rendre pour faire un numéro *uno*.

Pour la femme, l'expérience est plus compliquée. Elle doit, peu importe l'endroit et l'heure de la journée, attendre en file pendant que ses comparses se tiennent en équilibre et forcent des cuisses pour s'assurer que leurs fesses ne touchent pas au siège.

Certaines utilisent la technique de nidification, c'est-à-dire qu'elles bâtissent un coussin de papier cul afin de ne pas entrer en contact avec les germes de foufounes de la squatteuse précédente.

Dans les deux cas, ce qui devrait être une affaire de quelques secondes prend finalement une éternité et force les autres filles en ligne à faire une petite gigue d'envie de pipi.

L'homme, pour sa part, aura la plupart du temps accès à un urinoir plus facilement. Par contre, au cours de l'aventure, il risque de croiser d'autres spécimens, à commencer par :

Le jaseux

Le jaseux est un inconnu qui, pour une raison ou pour une autre, ressent le besoin de bâtir des liens en placotant de tout et de rien avec son voisin d'urinoir. Se sentant envahi, celui qui, quelques instants auparavant, éprouvait une envie pressante ressentira un blocage qui le forcera soit à attendre que le fatigant parte, soit à faire semblant d'avoir fait ce qu'il avait à faire et de partir en se sentant niaiseux, toujours pris avec son envie de pisser. Ce sentiment est surnommé «La honte du déserteur».

Le *modus operandi* du jaseux est le suivant :

Il arrive peu après un autre humain désirant se soulager, puis s'installe juste à côté de lui, sans respecter la règle ancestrale selon laquelle il est coutume, si possible, de laisser un urinoir vide entre soi et autrui.

Faisant fi des codes sociaux voulant que lorsque quelqu'un essaie d'uriner, il a la plupart du temps le goût qu'on lui sacre patience, le jaseux sera tenté d'entrer en relation avec son voisin en l'abordant avec une phrase du genre :

«Esprit que ça fait du bien !»

L'autre humain, pris de court, ne saura pas quoi répondre et se contentera de rire, mal à l'aise, espérant au fond de lui que l'échange s'arrêtera sur-le-champ.

S'il pouvait choisir, l'homme moyen préférerait avoir affaire au cousin plus inoffensif du jaseux, soit le siffleux, c'est-à-dire celui qui joint l'utile à l'agréable en sifflant du Joe Dassin pour agrémenter sa pause pipi.

Il y a aussi…

Le mousquetaire

Le mousquetaire, c'est celui qui rit au visage du danger et qui se sent suffisamment en confiance pour ne pas se la tenir. Il peut choisir d'adopter la position «Deux mains sur le mur, les jambes écartées» ou «Face d'arrogant, les mains sur les hanches». Par contre, s'il est ce qu'on appelle un «Mousquetaire alpha», il se fera un devoir de faire l'étalage à la fois de ses attributs et de son visou, se plaçant à trois pieds de l'urinoir pour employer la technique du «OYEZ ! OYEZ ! BONNES GENS ! VOYEZ À QUEL POINT NULLE DISTANCE N'EST TROP GRANDE POUR MON JET».

Puis il y a…

Le checkeux

Plus discret que ses deux congénères, le checkeux est celui qui, une fois de temps à autre, est tenté de poser son regard sur le jardin secret de son voisin.

S'il est vrai que certains checkeux doivent sans doute s'adonner au «zyeutage de moineau» dans le but de se rincer l'œil, la plupart d'entre eux le font par simple curiosité ou dans le but de se comparer.

La comparaison de l'entrejambe est un phénomène tout à fait normal, étant donné qu'il permet de jauger la taille de son organe par rapport à celui des autres.

Dans certains cas, ce comportement est bénéfique puisqu'il calme certains complexes. En effet, peu de choses sont aussi flatteuses pour le fragile ego masculin que de regarder le membre d'un autre homme, puis se dire à soi-même :

«Hé my my ! C'est un bien long col roulé pour un si petit oiseau !»

L'humain aura beau tenter de repousser l'inévitable, un jour viendra forcément où il devra se résoudre à faire un numéro *dos* dans une toilette publique. Ce jour-là, il prendra son courage à deux mains et attendra qu'il n'y ait personne dans les toilettes, puis adoptera la technique préconisée par…

Le clandestino

Personne ne sait à quoi ressemble le visage du clandestino. Personne ne l'a vu entrer et personne ne le verra sortir… Au moindre bruit laissant supposer que quelqu'un vient de pénétrer dans la salle de bain, il cesse de respirer, puis focalise chacun des neurones de son cerveau sur un but précis : retenir la cargaison et les petits pets avant-coureurs qui pourraient trahir sa présence.

On l'appelle le clandestino parce qu'il est aussi en sueur et sur le qui-vive qu'un immigrant illégal qui tente de rentrer aux États-Unis dans une valise de char.

Tel un ninja, il est d'une efficacité redoutable pour dissimuler sa présence. Il synchronise les bruits résultant de sa besogne avec le bruit d'une chasse d'eau ou du sèche-mains.

Il y a deux principales sortes de toilettes publiques :

1. La «de luxe». La plupart du temps située dans un grand restaurant, la «de luxe» est rénovée tous les deux ans pour être constamment au goût du jour. Les portes des cabines vont jusqu'au sol, se verrouillent et sont insonorisées. Elle est dotée d'un sèche-mains silencieux alimenté à l'énergie solaire, ses urinoirs sont remplacés par une cascade murale et sont éclairés à l'aide d'un jeu de lumière à DEL. Le tout est agrémenté d'une langoureuse musique *lounge* qui donne l'impression qu'on se soulage dans la suite royale d'un sultan de Dubaï.

2. À l'autre extrême, il y a la toilette de station-service. La toilette de station-service est pour sa part dotée d'un éclairage au néon anti-*junkie* mauve et d'un rouleau de papier de toilette sur lequel il ne reste qu'une moitié de carré déchirée. Les poignées du robinet sont toujours mouillées et désagréables, ce qui fait que la plupart du temps, la majorité des gens décident de passer leur tour pour le lavage de mains, préférant de loin garder leurs microbes sur leurs doigts plutôt que de risquer d'entrer en contact avec des restants de flore intestinale d'autrui.

Tout-inclus *n. m.*

Désigne un forfait d'hébergement relativement luxueux pour vacanciers occidentaux potelés désirant pogner des coups de soleil, boire des mojitos et se bourrer dans des buffets, alors que la population du pays dans lequel ils se trouvent meurt de faim.

Bien qu'il soit facile de confondre le vacancier de tout-inclus et le voyageur, il s'agit en réalité de deux espèces distinctes. Le voyageur est souvent un naïf dans le début de la vingtaine, en année sabbatique de l'UQAM, avec un fort penchant pour les tam-tams et les akis ainsi que la soif de voir du pays. Il pense que son expérience ressemblera à *L'auberge espagnole*.

Pour le vacancier, c'est une autre histoire. Son périple dans un tout-inclus commence habituellement à l'aéroport de Dorval, où il sera tenté de manger un petit quelque chose avant l'embarquement. Les choix étant limités, il se rabattra sur un bagel au fromage à la crème, un café et une clémentine dans un resto de l'aéroport. Ce festin lui coûtera à peu près le même prix que son billet d'avion.

Une fois à bord de l'avion, il sortira son chapeau de paille Corona et commencera à boire sans prendre en considération le fait que de se saouler en haute altitude est un projet merdique. Il deviendra évidemment le passager qui ne file pas et qui monopolise les hôtesses de l'air, forcées de l'emmener s'étendre en arrière.

Seul côté positif de tout ça : ça en fait un de moins pour participer à la fameuse cérémonie gênante d'applaudissements lors de l'atterrissage de l'avion.

Une fois à destination, il montera dans un autobus climatisé, où un guide local qui parle un anglais cassé constatera que le voyageur en question est un Québécois. Un Québécois est facile à reconnaître : c'est le gars avec un chandail de Che Guevara qui explique à sa blonde, grosso modo, ce qu'est la *revolucion*.

« Che Guevara a été trahi par Fidel Castro, pis là les États-Unis étaient fâchés, faque y'ont faite un embargo sur la révolution, pis là, aujourd'hui, on leur laisse un peso sur notre oreiller quand ils nous laissent des serviettes propres ! »

Le latino dira alors la seule phrase française de son répertoire. Généralement, c'est une réplique pseudo-comique avec un sacre qu'un autre Québécois lui a apprise :

« Y fa chaud en coliss hein ? Une bière mon ami ? »

Le voyageur en camisole de Che, amusé et charmé, acceptera ladite bière, mais le regrettera amèrement puisqu'il sera par la suite pogné avec une envie de pisser *DE LA MUERTE* tandis que l'autobus semblera s'arrêter pour déposer des vacanciers à tous les *resorts*, sauf le sien.

Une fois sur les lieux, après avoir soulagé sa vessie (ou changé ses shorts), le touriste, durement éprouvé par de longues heures de voyagement, sera tenté d'aller se lancer dans la mer, mais il devra attendre plusieurs heures avant l'arrivée de son costume de bain. C'est qu'au lieu de charrier lui-même sa valise, il aura préféré la laisser au préposé qui se promène en *kart* de golf… Il n'est quand même pas pour forcer en vacances, quand il y a des gens payés pour le faire, même si sa chambre est à 20 mètres du débarcadère.

En soirée, il se rendra à l'un des buffets de l'hôtel. Dans le but d'offrir une expérience «diversifiée», les chefs d'un tout-inclus changent la thématique chaque soir. Il y a une soirée mexicaine, une italienne, une française, etc. Étrangement, peu importe le pays, ce sera du spagatt ou de la pizza, que vous finirez par expulser en *spray*, avec de fortes crampes.

Le voyageur passera ensuite le reste de la semaine en alternant les activités suivantes: se lever, aller au buffet, faire de la plage, retourner au buffet, retourner à la chambre pour voir en forme de quel animal ses serviettes de bain ont été pliées, essayer de se baigner dans la mer mais choker parce qu'il a peur des *jellyfish*, revenir à la plage, épier subtilement les dames qui portent un monokini. Il se rendra alors compte que les jolies filles ne portent pas de monokini. Il semblerait qu'il s'agisse d'un luxe réservé aux cougars aux seins de silicone en cuir défraîchi, tanné par des décennies de salon de bronzage, qui déambulent avec des tasses en *stainless* remplies de pina colada en criant: «HEY RAYMOND! R'GARD LE GARS, Y VEND DES CASQUETTES DE CHE GEVANA EN CANETTES DE BIÈRE PLIÉES, ON POURRAIT ACHETER ÇA À TON FRÈRE!»

ENSUITE… Retour au buffet pour dîner, sieste pour dégriser, souper au buffet et, en soirée, spectacle exécrable de danse fait par des gens vêtus de costumes du magasin à 1 $ qui essaient de refaire *Notre-Dame de Paris* en lipsync.

Généralement, après une semaine, le voyageur a fait le tour de la question et se rend compte qu'il a mal mangé, trop bu, et qu'il a fait sa photo de lui couché sur la plage avec VARADERO 2017 écrit dans le sable.

Il est tanné de la population locale qui tente de lui vendre des cochonneries en parlant québécois («Un collier pour la belle-mère, crisse?»), mais il en a surtout plein son casque des autres Québécois qui le saluent comme s'ils étaient les meilleurs amis du monde.

Ce n'est pas parce qu'on s'entend expulser la bouffe de buffet à travers les murs de l'hôtel qu'on est amis, OK RAYMOND?

Trafic (et les gens qui le font) *n.m.*

Dans le langage populaire, le mot *trafic* est souvent employé dans une phrase juste après un mot à caractère religieux, comme *hostie* ou *tabernacle*.

Après 45 minutes de trafic pare-chocs à pare-chocs, il est recommandé d'en combiner plusieurs pour conserver sa santé mentale. Le trafic peut alors devenir : l'*hostie* de *tabernacle* de trafic du *calice*.

Plusieurs facteurs peuvent engendrer le trafic : les conditions météorologiques, les accidents et les baby-boomers à moto, à qui la société a jugé bon de distribuer des permis de conduire sans leur faire passer de test lorsqu'ils étaient jeunes.

Il existe cependant une catégorie de gens plus enclins à causer du trafic pour la simple et bonne raison qu'ils ne sont pas les plus rusés de la portée. On les appelle aussi «les épais».

Ils sont divisés en plusieurs groupes.

Il y a l'épais qui conduit trop vite pour aller au *beachclub* en se prenant pour Vin Diesel avec son char laid à 5000 $ équipé de 20 000 $ de guirlandes et de cochonneries. Physiologiquement, il est très près de son proche cousin de la famille des épais, celui qu'on surnomme l'épais en shorts-camisole sur une moto sport qui zigzague entre les voies[1]. Si les deux ne

finissent pas par s'éliminer tout seuls en se rentrant dedans et en créant ainsi ledit trafic, ils peuvent aussi être exaspérés par l'autre race d'épais.

On parle ici des épais qui chauffent à 80 km/h dans la voie de gauche.

Il y a 80 % des chances que ce genre de chauffard ait une plaque d'immatriculation de l'Ontario[2].

L'épais qui chauffe à 80 km/h dans la voie de gauche est motivé par la philosophie suivante :

«Moé, je paie assez cher de taxes que si je veux rouler à 80 dans la voie de gauche, m'a rouler à 80 dans la voie de gauche, OK?»

Les embouteillages peuvent aussi être créés par un épais d'une autre sorte. Celui-là est surnommé l'épais «Jedi *Multitask*». En réalité, il s'agit d'un humain normal qui se prend pour un Jedi en tentant de beurrer son bagel Tim Hortons entre deux bouchées de soupe, qu'il a déposée de manière peu sécuritaire sur son *dash*.

---

1 Les urgentologues du Québec font dire qu'un tatouage barbelé tribal, c'est vraiment moins *hot* quand il a été brûlé et râpé par la chaussée d'une autoroute.

2 Pour éviter de s'attirer les foudres de la population ontarienne, on aimerait souligner quelques-unes de ses qualités, comme le talent des ingénieurs qui ont dessiné les chutes Niagara, ainsi que le sens de la mélodie exceptionnel de celui qui a composé l'excellent *jingle* de la pub de Marineland. Ce petit bijou reste dans la tête et nous fait presque oublier que l'épaulard de la pub a des idées suicidaires.

Souvent, il est du genre à s'accoupler avec son équivalent féminin, baptisé «La nounoune qui se met du mascara en roulant à 120 sans regarder devant elle».

Le dernier, et non le moindre : le capitaine de l'équipe des épais qui créent du trafic, celui que l'on surnomme l'épais «D'après moé, ch'pense ça va t'être correct».

Il se caractérise par sa forte tendance à prendre **des risques inutiles**. Il est de ceux qui ne mettront pas d'essence lorsque la petite lumière de gaz s'allume, se disant : «D'après moé, ch'pense ça va t'être correct». Il est aussi celui pour qui déneiger son char signifie gratter juste une fente dans le pare-brise et rouler à 130 pendant la tempête en espérant que le vent va faire partir le reste.

Ce type d'épais est aussi celui pour qui un *flasher*, c'est un morceau de plastique pris après le volant qui ressemble à une fourchette à fondue qui fait clic, clic quand on le touche, pis qui ne sert à rien. Enfin, il charge son *trailer* selon une logique de jambon, c'est-à-dire qu'il se constitue une cargaison chambranlante qu'il maintient en place par une corde jaune, une courroie élastique munie d'un crochet rouillé et sa pensée magique d'épais : «D'après moé, ça va t'être correct si je roule sur l'autoroute en tenant mon matelas sur l'top d'une seule main.»

Il est facilement reconnaissable à sa grande taille d'échalote, sa gueule entrouverte et sa tendance à fixer bêtement l'horizon quand il se fouille dans le nez aux lumières rouges. Finalement, le «D'après moi, ch'pense ça va t'être correct» est responsable de la plupart des problèmes qui surviennent sur la route, mais personne n'ose vraiment le lui dire en pleine face. On préfère gueuler seuls dans notre voiture pendant qu'il tente de changer de voie sans raison et qu'il bloque deux voies avec son véhicule en diagonale.

Transports en commun
et les gens qui les peuplent *n.m.pl.*

Très long nom commun qui désigne des êtres masculins ou féminins, mais surtout ces personnes DÉSAGRÉABLES qui peuplent le système de transport en commun !

En voici quelques spécimens :

Le loup de Wall Street

Le loup de Wall Street se distingue des autres usagers par le fait qu'il a tellement une carrière remplie et importante qu'il n'est pas question qu'un simple voyage d'autobus l'empêche de parler au cellulaire devant tout le monde. Enfant, il s'est sûrement fait prendre par son professeur à chuchoter avec un camarade, ce qui a amené sa prof à lui dire : «Michel… si c'est si important que ça, ce que t'as à dire, voudrais-tu le partager avec le restant de la classe ? »

Depuis ce traumatisme, Michel n'a plus de secrets, et il s'arrange pour que tout le monde soit au courant de ses transactions bancaires, du congédiement de son adjoint et de ses plans de se péter la face au party de Noël de la compagnie !

On s'entend que si le loup de Wall Street était SI business que ça, il serait au volant de sa Mercedes avec un Bluetooth dans l'oreille, pas dans l'autobus 24 en train de jaser avec une coordonnatrice sur *speakerphone* !

Le «Moé, ça m'dérange pas qu'on m'haïsse»

Lui, c'est l'usager des transports en commun qui n'a aucun problème avec le fait que tous les regards soient posés sur lui alors qu'il monopolise trois sièges avec ses sacs. Il existe plusieurs variantes du «Moé, ça m'dérange pas qu'on m'haïsse». Il y a le grand slack qui est évaché comme un prince, les jambes écartillées en prenant trop de place, ou celui qui ne laisse pas sa place aux handicapés, aux personnes âgées et aux femmes enceintes. Finalement, il y a la variante «Claude Rajotte», soit celui qui est tellement désireux d'éclairer le reste des passagers de ses goûts musicaux distingués et qui écoute sa musique tellement fort qu'on peut se demander s'il prend les demandes spéciales.

La brise

La brise fréquente la plupart du temps les transports en commun durant l'heure de pointe. Il est celui ou celle dont émane une odeur nauséabonde, à mi-chemin entre un restant de soupe à l'oignon et un vieux matelas d'éducation physique. Son utilisation d'antisudorifique est inversement proportionnelle à sa capacité de lever son bras pour tenir le poteau, s'assurant ainsi de mettre son aisselle à proximité de votre visage pendant tout le trajet.

L'hirondelle au petit matin

Cette espèce est plus rare, il faut donc être à l'affût pour l'observer. Il s'agit de l'adolescent recroquevillé et mal à l'aise qui essaie de faire comme si de rien n'était pour dissimuler le fait que les vibrations de l'autobus lui ont «réveillé le moineau».

L'épicurien

L'épicurien, c'est celui qui ne se gênera pas pour apporter son gueuleton dans l'autobus ou le métro. Généralement, plus son festin sort de l'ordinaire, plus il sent fort; et plus il sent fort, plus l'épicurien jubile. Son projet ultime serait de réussir, un jour, à se faire une raclette, un bœuf à la mijoteuse ou un méchoui en prenant l'autobus.

La dernière et non la moindre : la Fort Boyard

La Fort Boyard, c'est la personne qui est la première de la file en attendant l'autobus et qui, malgré les 20 minutes d'attente, N'A PAS PRÉPARÉ sa carte ou la monnaie pour payer... Lorsqu'elle arrive devant le chauffeur, elle farfouille dans le fond de son sac à la recherche de sa petite monnaie, ralentissant tout le monde. La Fort Boyard donne le goût aux autres passagers d'appeler Félindra pour que cette créature se fasse dévorer par des tigres.

Univers *n. m.*

Ensemble de tout, de l'infiniment petit à l'infiniment grand; une vaste étendue mystérieuse, à peine connue de l'homme… pour l'instant! Mais elle va certainement finir par être remplie de condos, de McDo et de centres commerciaux d'ici 3000, 4000 ans. En fait, ce qui risque d'arriver, c'est qu'on va probablement faire aux habitants des autres planètes ce qu'on a fait avec les Autochtones, mais en version 2.0.

On va débarquer là-bas avec suffisamment d'iPhone, on va leur donner le code du Wi-Fi et des abonnements Pornhub Premium gratuits, on va échanger le tout contre leurs terres… et bingo! En moins de temps que ça va leur prendre pour dire «merde, j'ai pu de Kleenex», on va déjà être en négociations avec la LNH pour avoir un aréna et une équipe de hockey à l'autre bout de la galaxie.

Ooohhh oui…

Depuis la nuit des temps, les astres, les comètes et les lointaines planètes fascinent l'humain… même si certains peinent à identifier la Grande Ourse!

À une certaine époque, dans l'ancien temps, ces réflexions sur le cosmos, c'était comme la syphilis: valait mieux faire son gros possible pour garder ça pour soi, parce que c'était mal vu! Et par «mal vu», on veut évidemment dire que la ville organisait une espèce de gros méchoui de quartier, mais au lieu de faire cramer un cochon, c'est VOUS qu'on cramait!

On aurait tendance à juger l'incinération de scientifiques comme un acte sauvage, mais il faut comprendre qu'avant l'arrivée d'*Unité 9*, il n'y avait pas grand-chose à faire après le souper. Pour divertir la plèbe, les autorités brûlaient des intellectuels sur la place publique et les gens venaient voir ça comme on se déplace aujourd'hui pour s'extasier devant les feux d'artifice à La Ronde. Tout porte à croire que les incultes s'apportaient une couverte, s'installaient par terre et regardaient le spectacle en lâchant un «WOW!» à l'unisson quand le gars qui avait le malheur de triper sur les télescopes crépitait particulièrement fort. C'est ce qui explique en partie pourquoi ça aura pris pas mal de temps à l'être humain avant de mettre le pied sur la Lune.

En fait, il faudra attendre la fin de la Seconde Guerre mondiale, au moment où les Américains se sont mis à recruter des nazis qui s'échappaient du procès Nuremberg, pour leur donner d'excellentes jobs dans le domaine aérospatial. Nos voisins ont en effet demandé l'aide d'anciens SS, comme Wernher von Braun, pour construire les fusées américaines. C'est grâce à leur savoir-faire en ingénierie ainsi qu'à leurs aptitudes à fitter beaucoup de choses dans des espaces restreints que les anciens nazis aidèrent les Américains à devenir les rois de la montagne sur la Lune, terminant ainsi un concours de «ma fusée est plus grosse que la tienne» qui durait depuis longtemps avec les Soviétiques.

Depuis la conquête de la Lune, les choses sont plutôt tranquilles du côté de la conquête spatiale. Il est vrai que la planète Mars est dans la mire de certains, mais on dirait que personne n'est vraiment pressé de s'y rendre... Il faut dire que c'est compréhensible : déjà qu'après huit heures de route pour aller à Canada's Wonderland, l'humain moyen en a plein son truck, imaginez faire six mois de fusée pour aller examiner des roches... Aussi bien continuer d'envoyer des chars téléguidés avec des GoPro sur le top.

Vacances *n.f.pl.*

Pluriel, toujours, parce qu'une seule journée de congé, ce n'est pas assez pour des vacances. Ça suce grave!

Pour savoir si vous êtes en vacances, il y a des indices clairs: les gougounes sont beaucoup plus confortables qu'à l'habitude, les *rhum and coke* goûtent meilleur et la chanson *Could You Be Loved* émane de vous quand vous vous promenez.

Les vacances désignent les quelques semaines annuelles de répit que le système capitaliste et les entreprises se sentent obligés de payer aux travailleurs, dans le but d'éviter que ces derniers se jettent par la fenêtre de leur bureau en hurlant «*Fuck* ma vie!». Pendant un court laps de temps, l'humain a l'impression de jouir d'une liberté absolue, ce qui lui permet de passer le reste de l'année bien enfermé dans son cubicule monotone.

Finalement, les vacances, c'est exactement la même chose que quand un propriétaire de poissons exotiques se donne la peine de décorer le fond de son aquarium avec un semblant de fond marin. Les poissons tournent quand même en rond à longueur d'année, mais ils peuvent lâcher leur fou dans un château en plastique, de temps en temps.

Plusieurs options s'offrent aux travailleurs en vacances. S'ils disposent de bons moyens financiers, ils peuvent se permettre d'emmener leur famille dans le Sud, dans ce qu'on appelle un tout-inclus[1]. Comme l'indique le nom, tout est inclus en ces lieux: la bouffe, l'alcool, les animaux exotiques reproduits en serviettes de bain ainsi que le personnel souriant qui fait tout le temps semblant d'être de bonne humeur, et ce, même lorsqu'on chiale sur la qualité du buffet. Bien sûr, certains feront preuve d'une grande empathie et n'hésiteront pas à donner un peso au petit personnel une fois de temps en temps. D'autres encore laisseront généreusement un fond de tube de pâte à dents, aussi fiers de leur coup que s'ils venaient de fournir l'accès à l'eau potable à un village du tiers-monde. Le vacancier arborant fièrement ses démarcations de «Oupelaye, j'aurais dû prendre de la 60» déposera son index sur les lèvres de la femme de chambre et, d'un air bienveillant, lui dira: «Chhuutttt… ne me remercie pas. Prends cette gentille offrande, sauvageonne, et

---

1   Pour plus de détails, voir *tout-inclus*, p. 190.

rapporte-la dans ton humble hutte… Et si tu ne me voles pas de stock, ça se pourrait même que je te garde un p'tit morceau de savon!»

D'autres préféreront passer les vacances plus près de la maison en allant faire ce qu'on appelle UN *ROAD TRIP* EN FAMILLE. En gros, un *road trip* consiste à rouler suffisamment longtemps en char pour voir sa raie se métamorphoser en un écosystème tropical marécageux, tout ça pour aller constater à quel point on a beaucoup de foutus cônes orange sur nos routes au Québec.

La destination demeure à la discrétion des vacanciers. Elle dépend principalement du niveau de patience de ceux-ci, et surtout de leur capacité à ne pas faire valser le char dans un précipice après un énième «On arrive-tu bientôt? J'ai envie de pipi!». On peut par exemple se rendre en Gaspésie pour aller se baigner, mais pas plus haut que les genoux, parce que la température de l'eau avoisine les -147 degrés. Même en période de canicule, quiconque s'y aventure se détruit l'entrejambe.

Il y a certaines personnes qui profiteront de leurs vacances pour faire les travaux qu'elles n'ont pas eu le temps d'effectuer le reste de l'année. Ces gens tailleront la haie de cèdres, verniront le *deck* ou shooteront les pissenlits un par un avec du poison en pouche-pouche en se répétant que ce n'est pas si grave s'ils n'ont pas voyagé cette année. Ils peuvent également relaxer dans une chaise de patio, semi-arrosés par un système de gicleurs pour se rafraîchir, et finalement se rendre compte de la déprimante similitude entre leur vie et celle du poisson tropical dans son décor *cheap* de semblant de fond marin.

Vente de garage *n.f.*

Tradition banlieusarde dont le but est de faire d'une pierre deux coups en se débarrassant de cochonneries qui bloquent l'entrée des vélos dans le garage, tout en essayant de faire une couple de piastres en dessous de la table.

La table de l'expression «en dessous de la table» est une table pliante Rubbermaid en plastique qui, le reste de l'année, traîne accotée sur le mur dans le fond du garage. Pour y avoir accès, il faut enjamber huit générations de bicyclettes et de skis, 2000 patentes à gosses qui font la MÊME ASTIK D'AFFAIRE QU'UNE CRAZY CARPET, MAIS QUI NE SONT PAS DES CRAZY CARPETS ainsi que l'hostifie de vélo stationnaire que vous vous êtes acheté en vous disant «Je ferai mes exercices en écoutant mes programmes», pour finalement en faire deux fois et vous rendre compte que vous vous y pétez plus souvent le gros orteil qu'autre chose. Ce qui vient, en fin de compte, confirmer que vous êtes pas mal dû pour faire une vente de garage.

Que pouvez-vous vendre dans une vente de garage?

N'IMPORTE *FUCKING* QUOI. Ce n'est pas pour rien que le mot *garage* est étrangement proche de son cousin anglophone, *garbage*. Dans la langue de Molière, cela signifie «vidanges» et représente toutes ces affaires douteuses que l'humain s'est fait offrir lors d'échanges de cadeaux de Noël dont le budget était de «pas plus que 20 piastres par parsonne». Des exemples? Un genre d'assiette laide pour disposer les fromages (encore dans sa boîte), une cabane à oiseau faite par un mononcle dans sa phase «ébénisterie» ou encore un casse-tête des chutes Niagara (10 000 morceaux).

La vente de garage est également un excellent moyen de se débarrasser d'objets qui ont jadis fait votre bonheur, mais dont vous ne vous servez plus. Par exemple: un de vos multiples kits à fondue, de vieux jouets de vos enfants qui sentent encore la bave et le régurgit, des décorations de Noël un peu trop religieuses ou le stock de vieux *comics* Archie que vous avez lus à maintes reprises. Par «à maintes reprises», ce qu'on veut dire, c'est bien sûr «chaque fois que vous êtes allés à la selle au cours des 30 dernières années».

On y trouvera aussi les jeux de société dont les coins tiennent avec du *duck tape* et dont vous savez pertinemment qu'il manque des pinouches. Eh oui, de l'acide de batterie a coulé dans le Battleship électronique, mais, que vous vous dites: qui, dans la vie, va essayer de se faire rembourser une cochonnerie dont il n'est pas satisfait, quand il l'a payée moins de 10 $? C'est d'ailleurs sur cette philosophie que repose le modèle d'affaires de la chaîne Tim Hortons.

Le consommateur averti saura toutefois que dans le but de sauver de l'argent, la meilleure option qui s'offre à lui est d'attendre les «soldes» du lundi suivant la fin de semaine des ventes de garage, en faisant le tour des vidanges pour récolter ce qui n'a pas été vendu.

Walmart *n.pr.*

Nom propre désignant le commerce qui se rapproche le plus d'une ambassade américaine. Les rumeurs disent même que si un Américain est perdu à l'étranger, il n'a qu'à se rendre au Walmart le plus près et il pourra y trouver gîte et réconfort.

Techniquement, lorsqu'il franchira la zone délimitée par les détecteurs antivol à l'entrée, le client se trouvera alors en sol américain, ce qui est facile à constater en regardant la culotte de cheval de la clientèle. C'est pour cette raison qu'une associée[1] dans la jeune… soixantaine appliquera une rigoureuse mesure de sécurité consistant à *taper* les poignées du sac contenant les bobettes que l'humain vient de s'acheter dans une autre boutique du centre commercial. Le tout sera fait à l'aide d'un indestructible petit *sticker* Walmart vert fluo. Ce collant sur vos sacs est l'équivalent de quelqu'un qui vous dirait: «Je truste ma clientèle, MAIS PAS TROP!»

Passé cette cruciale étape, le client se retrouvera parmi une faune de magasineux dignes des émissions de Canal D où les gens parlent de leurs enlèvements par des extra-terrestres. Il observera un curieux phénomène propre à cet édifice, ce que les auteurs du *Petit Roberge un petit peu illustré* ont baptisé la «disparition du temps dedans les Walmart». En effet, s'il a l'impression que seulement quelques minutes se sont écoulées depuis son arrivée au Walmart, le client regardera sa montre pour constater avec effroi que plusieurs heures sont passées on ne sait où.

Paniqué, il sera sur le bord d'appeler Denis Lévesque pour aller lui raconter son étrange histoire en ondes en se disant qu'au pire, ça ne pourra pas être un moment télé plus malaisant que la fois où ils ont fait jouer les chansons de Denis à *Tout le monde en parle* le même soir où le chanteur Seal était invité[2]. Avant de tirer des conclusions hâtives qui pointent vers l'explication surnaturelle, regardons tout d'abord ce que disent les caméras de sécurité.

---

1   *Associé* est un mot utilisé par plusieurs grandes chaînes dans le but de convaincre le personnel qu'elles ont son bien-être à cœur sans avoir à lui verser un bon salaire.

2   Oui. C'est arrivé.

10 h 45 : Une associée Walmart avec une permanente funky et un dossard de motocross bleu poudre pas de manches accueille le client dans l'enceinte du magasin.

10 h 48 : Le client est penché et fouille dans une grosse boîte de DVD en spécial à 4,99 $. Il hésite à prendre *Armageddon*. Finalement, il n'achète rien en se disant que ce film doit être offert sur Netflix.

11 h 30 : Devant le présentoir de livres, il examine la quatrième de couverture de *Millenium 1* et se dit : « La couverture est belle, pis me semble que ça a pogné, ces livres-là… » Il regarde le nombre de pages et se dit : « Tant pis. J'ai d'autres choses à faire que lire 574 pages sur l'histoire d'une gothique bizarre avec une coupe champignon. Je louerai le film sur Netflix après *Armageddon* ! » Puis, il redépose le livre sur la tablette.

12 h 23 : Les caméras ne trouvent plus le client, qui semble avoir disparu sans laisser de traces.

14 h 04 : Il est retrouvé sain et sauf dans la section des jouets. Il appuie sur les boutons des sabres laser de Star Wars en regardant autour de lui pour voir si d'autres adultes l'ont aperçu en train de se faire du fun avec des jouets d'enfant.

14 h 56 : Encore dans la section des jouets, le client a maintenant essayé TOUS les articles sur lesquels on peut lire « *Try me* ». Quand une grosse madame dont les Crocs matchent avec ses leggings entre dans l'allée, le sujet semble revenir à lui-même d'un coup sec.

Soudainement, tel un prédateur affamé dans la savane, il perçoit à l'aide de ses nasaux les doux effluves des burgers du McDo…

Il faut préciser qu'un McDo de Walmart n'est pas un McDo ordinaire. C'est un sous-McDo suggérant un menu qui offre le quart des choix d'un McDo normal, avec des paniers qui bloquent l'entrée et pas de parc pour occuper les enfants qui hurlent pendant que tu manges.

Comme tout ce magasinage l'a épuisé, le client se pogne un fantastique Big Mac, qu'il mangera seul à côté des clients qui font tous la même chose que lui, c'est-à-dire : manger en se disant « Si seulement les Big Mac étaient des légumes, *man*… ».

Après avoir acheté un sac de paires de bas pis être passé devant la section épicerie en se disant « Mais qui fait son épicerie icitte ??! », il paiera à la caisse et sortira du territoire américain avant d'avoir une envie de s'acheter une arme à feu ou de se mettre à douter du réchauffement climatique.

Une fois chez lui, l'humain se souviendra que bien qu'il se soit acheté des paires de bas, qu'il ait mangé du McDo et qu'il ait pris le temps de flâner, il n'a pas du tout pensé à faire ce qu'il était censé faire à la base, soit acheter le cadeau de Noël de sa blonde. « D'la marde, se dira-t-il, je ferai ça le 23 décembre, comme chaque année… »

Winnebago *n. m.*

Nom autochtone désignant une tribu qui habitait dans les environs du Wisconsin. Tout comme les terres de cette tribu, son nom a été volé pour être donné à un gros truck beige qui donne l'impression à l'homme blanc, le temps des vacances de la construction, de profiter de la nature dans un véhicule aux dimensions d'un demi-casier d'école secondaire (où toilette et douche coexistent).

Sans vouloir tomber dans de vieux clichés, il faut avouer que c'est un peu à cause de leur tendre moitié que certains hommes sont poussés à migrer à l'aide d'un Winnebago. Lui se contenterait volontiers d'un kit rudimentaire constitué d'une tente, d'un sac de couchage, d'un six-pack de saucisses à hot-dog et d'un sac de guimauves… Mais le fait qu'elle l'appelle en criant chaque fois qu'il y a une araignée dans la maison suffit à lui donner un aperçu de la capacité de sa moitié à faire un numéro deux, accroupie dans le bois, accotée sur un bouleau, sous le regard stupéfait d'un écureuil curieux.

Parenthèse : personne, à moins de l'avoir vécu, ne peut comprendre ce sentiment de vulnérabilité lorsqu'en plein milieu d'un numéro deux en plein air, votre regard croise celui d'un écureuil qui semble vous fixer. Sachez toutefois que l'animal est probablement effrayé lui aussi… ou simplement anéanti parce que vous avez scrappé sa réserve de noisettes. Il ne s'approchera jamais de vous, mais l'humain, les culottes autour des chevilles et le rouleau de papier de toilette dans les mains, ne pourra

s'empêcher de se dire : « Si c'est là, en ce moment précis, que les animaux décident de se venger des humains, c'est clair, chu le premier à mourir ! »

Le Winnebago est muni d'un réfrigérateur, d'un poêle au gaz ainsi que d'un évier qui peut contenir l'équivalent d'un verre d'eau et demi, ce qui n'est pas du tout optimal pour laver la vaisselle. Parce que oui, en Winnebago, on doit faire la vaisselle constamment, car soit que l'espace de comptoir est limité, soit qu'il y a seulement quatre assiettes qui rentrent dans les armoires.

Le Winnebago est le cimetière de la vaisselle laide dépareillée d'autrefois. C'est à cet endroit précis qu'elle vient mourir – dans l'armoire en mélamine, entre les vieux verres de plastique McDo avec une lune qui joue du piano, les verres en vitre avec des imprimés de trèfle, de cœur, de pique et de carreau qui sont d'anciens pots de moutarde, et des assiettes craquées transparentes avec des voiliers jaune-orange fluo qu'on donnait avec un plein d'essence chez Ultramar, jadis.

Le Winnebago, c'est le canif suisse des véhicules récréatifs ; un canif qui sentirait le chasse-moustiques, les boules à mites et les sacs de Party Mix, mais un canif pratique… Le banc se transforme en lit, la table à dîner se replie, et les trous destinés aux bières dans l'appuie-bras peuvent servir à ranger une balle antistress pour quand mononcle Jean commence à douter que son Winnebago puisse rentrer dans l'allée du service à l'auto du Tim Hortons.

Dans l'imaginaire, ce véhicule mythique est perché en haut d'une montagne et une petite famille, revigorée par une nuit en pleine nature, jouit de la vue époustouflante qu'offre un soleil levant à travers la cime des sapins… Mais la réalité est que vous allez dormir *so-so* sur un matelas pas de *springs* qui fait du bruit à cause de la housse antipipi et qu'à votre réveil, c'est tout sauf un paysage bucolique que vous verrez. La scène qui s'offrira à vous ressemblera plus à un camping peuplé de bonhommes en bedaine qui se promènent en *kart* de golf, la cicatrice de pontage dans le vent, avec à leurs côtés une bonne femme trop bronzée. Celle-ci trimballe, d'une main, un caniche laid qui lui lèche la bouche, et de l'autre, une bouteille de Casal Domingo.

Yoga *n.m.*

Nom masculin désignant une activité physique ou spirituelle que les gens entreprennent souvent avant ou après un voyage supposément marquant à Bali, ou simplement pour flasher sur les réseaux sociaux en tenue moulante. Est occasionnellement accompagné d'un besoin criant de faire son propre kombucha et ses barres tendres.

Le mot *yoga* vient du sanskrit. À ne pas confondre avec les « 100 cris », qui, eux, représentent les 100 sacres que lance un dodu tentant de rentrer son gras dans ses leggings de yoga.

Les cours de yoga sont habituellement donnés par un yogi. Et ici, on ne parle malheureusement pas d'un ours avec un chapeau et une cravate qui vole le lunch de campeurs insouciants. Non, on parle d'un gars avec beaucoup de six-packs... même si, techniquement, le prof ne sait MÊME PAS ce qu'est un vrai six-pack, car sous aucun prétexte il n'ingérerait de la bière. Il perçoit son corps comme un temple, et c'est beaucoup moins chic un temple avec de vieilles canettes d'Old Milwaukee entassées dans ses bourrelets de bas de dos.

La séance de yoga commence toujours par une salutation au soleil. Même si les fanatiques du yoga théorisent sur la profondeur et l'aspect spirituel d'une communion avec la nature, la salutation au soleil consiste, dans les faits, à envoyer des tatas à un astre gazeux situé à des milliers de kilomètres, depuis un local qui pue le swing tout en étant orné d'empreintes de mains et d'éléphants peinturés sur les murs. Il paraît que c'est *full* zen.

Le yoga se compose de plusieurs positions qui servent à entrer en contact avec son corps et à se faire des massages aux organes internes. La plus grande discipline qu'il puisse inculquer, par contre, c'est celle qui consiste à retenir ses pets, lesquels vont clairement sonner trop fort par-dessus le CD de musique de ruisseau qui joue dans le local. Rappel important : chacune des positions du yoga sonne comme un nom de pays en guerre. Genre : Urdhva Dhanurasana.

Si le yoga traditionnel n'est pas assez intense pour le *wannabe* yogi, il se tournera alors vers une autre voie : le yoga chaud ! Celui-ci consiste également à repousser les limites de sa flexibilité, mais cette fois-ci en croisant du regard des *cameltoes* suintants.

Pour la première séance de yoga chaud, il est suggéré d'y aller tranquillement et d'arrêter si l'on voit des points noirs. On parle ici de zones assombries dans votre vision et non de points noirs dans le dos de la madame en avant de vous.

Pour ne pas perdre la face, l'idéal est de spotter en entrant dans le local l'individu qui semble le moins en forme et de prendre une pause seulement si le pas en *shape* s'arrête avant vous.

Attention! Si, toutefois, vous croisez le regard des autres yogis épuisés, cela signifie que c'est VOUS que tout le monde a spotté et qu'on attend que vous abandonniez avant que tout le monde prenne une pause.

Prenez garde aux instructeurs dans les cours de yoga chaud. Ils sont encore plus musclés que ceux qui enseignent le yoga normal. Ils portent moins de vêtements et sont plus portés à vous toucher pour réajuster votre position. S'il y a bien quelque chose que l'on ne veut pas quand on est plié sur soi-même, c'est que monsieur Adonis se mette à genoux près de votre fourche afin de mieux peser sur votre ventre pour replacer votre pose du guerrier Virabhadrasana.

Il est à noter que ces instructeurs touchent les participants à leurs risques et périls. Les participants peuvent être très chatouilleux, et s'il y a un faux mouvement, avec toute la sueur qui recouvre leur corps, il est possible qu'ils sacrent le camp – et, qu'ainsi, ils créent l'effet domino, impliquant les autres qui sont à proximité. La classe entière pourrait alors former un seul gros motton de monde tout trempe.

Namaste, ciboire!

Zoo *n.m.*

Nom masculin désignant la troisième attraction, juste après La Ronde et les glissades d'eau, dans le palmarès des endroits où vous n'avez pas envie de mettre les pieds pendant les vacances de la construction.

À ce jour, personne n'a été en mesure de répondre à l'éternelle question à savoir si la prononciation exacte est «zou» ou «zo». Comme il s'agit d'un débat aussi chaud que celui qui concerne «baleine» et «ba-laine», l'équipe du *Petit Roberge* propose de changer le nom pour «l'endroit où les animaux sont tristes pendant que tu prends des photos d'eux».

En résumé, une journée au zoo consiste à rouler environ deux heures en char pour aller se mettre de la crème solaire toutes les deux minutes, histoire de ne pas brûler au soleil en regardant un lion peinard, qui se lèche les baloches, caché en dessous d'une roche. Parce que lui, même si son cerveau de félin est gros comme une clémentine, il a compris que quand il fait 45 degrés à l'extérieur, t'es mieux de rester à l'ombre!

Le concept du zoo est d'exhiber différentes espèces animales capturées aux quatre coins du globe à des enfants et à leurs parents, qui arborent tous fièrement la sacoche banane et la paire de gougounes. Les parents diront à leur progéniture que c'est pour le bien des animaux s'ils ont été arrachés à leur milieu et à leur famille, afin de vivre dans des enclos aseptisés. Pour les petits, les adultes feront valoir que si une bête ne démontre ne serait-ce qu'une once d'agressivité, elle sera mitraillée de tranquillisant par un humain vêtu de beige de la tête aux pieds… Déjà que de se faire tirer, ça doit être contrariant, quand la dernière couleur que tu vois avant de partir dans les vapes, c'est le beige, c'est foutrement injuste!

En réalité, aller au zoo est plus qu'un simple loisir: cela donne une véritable démonstration de la domination que l'homme exerce sur la nature. Le parent mettra sa vulgaire monnaie de fond de poche dans une distributrice à moulée pour que sa progéniture puisse en garrocher des poignées à de sanguinaires bestiaux. Malgré le fait qu'en d'autres circonstances, ces bêtes sauvages auraient pu l'avaler tout rond, l'homme prend le règne animal par les couilles en lui démontrant que l'espèce dominante, c'est celle qui mange un pogo en échappant de la moutarde sur son chandail pendant que l'autre pourrit dans un enclos.

Il existe plusieurs sortes de zoos :

Le zoo classique

La formule demeure inchangée depuis l'époque où des messieurs avec des grosses moustaches, des complets de safari (comme le méchant du film *Jumanji*), des bas montés jusqu'aux genoux et des carabines en forme de trompettes allaient dans d'autres pays pour ramener des animaux contre le gré de ces derniers. Ensuite, les spécimens étaient exhibés pour le plaisir de bourgeoises du XIXᵉ siècle munies de petits parasols et de petites tailles résultant de leurs corsets, mais dont les robes larges et bouffantes leur donnaient l'air d'avoir quatre gros culs.

Le zoo dont on fait le tour en char

C'est le même principe que le zoo classique, sauf qu'il vient avec environ 100 % plus de risques de vous faire scratcher[1] votre portière de voiture par les cornes d'un animal trop content de venir manger dans votre main. Celui-ci prendra bien sûr le soin de vous laisser dans la paume une sorte de dépôt humide qui pue.

À la fin de votre journée au zoo, ce même dépôt de bave se retrouvera tellement partout sur les fenêtres du véhicule que vous aurez l'impression qu'une baleine a chiqué votre Chevrolet… Le fait qu'il n'y ait pas de lave-auto à la sortie de ce genre de parc est une erreur de marketing FLAGRANTE !

Le « *Please, please*, s'il te plaît, moi ! Moi ! »

Lui, c'est le parc qui est tellement désespéré d'attirer la clientèle qu'il perd sa vocation de zoo en cours de route. Est-ce un zoo ? Est-ce un parc d'attractions ? Ou s'agit-il de glissades d'eau ?

En fait, un zoo, c'est le Éric Salvail des attractions. C'est familial, ça passe le temps, mais c'est après deux ou trois shooters que ça devient pas mal plus tolérable.

---

1   Une mince éraflure sur la carrosserie est une égratignure. Un bois de caribou qui enfonce la porte en enlevant deux pouces de peinture, ça commence à être une scratch.

Dominic Arpin *n.pr.*

Nom propre (oui, on le sait que D vient avant Z, mais on voulait lui réserver une place spéciale) désignant un grand maigre qui porte des t-shirts d'ado et qui, selon Wikipédia, serait un «journaliste québécois». Ben coudonc!

Fut un temps où «journalisme» rimait avec «éviter les balles perdues dans une zone de guerre au Darfour, dans le but d'informer le public, et ce, au péril de sa vie». Mais bon. QUI SOMMES-NOUS pour dire que ce n'est pas du journalisme que de présenter des vidéos YouTube de monde qui se pète la yeule en deltaplane? Les petites Cécile de Blainville qui n'ont pas vu la vidéo sur Internet sont contentes de faire du rattrapage le dimanche soir, à *Vlog*, et tous les matins sur les ondes de Rouge.

Habituellement, chaque vie d'humain vient avec son lot de *badlucks*, qui seront éparpillées (comme le peu de cheveux qu'il lui reste) avec une relative parcimonie tout au long de cette existence. L'affaire avec Dominic, c'est que l'univers lui a garroché le baluchon au complet, drette d'une *shot*. Ce qui est pratique avec ça, c'est que, techniquement, il ne peut plus rien lui arriver.

Statistiquement parlant, il est impossible d'avoir un tit-œil, d'avoir déjà eu le cancer, d'avoir un seul rein et de se crasher en avion. Dominic est invincible. Même s'il est un grand slaque avec une *shape* de paratonnerre, c'est le seul qui peut sortir en plein milieu d'un orage pour faire des *fuck you* dins airs, en plein milieu d'un champ, en étant certain que rien ne va lui arriver.

De plus, il met un maximum de chances de son côté en vivant une existence saine, quasi religieuse. Il fait énormément d'exercice, s'alimente sainement et, selon ses dires, NE FAIT JAMAIS L'AMOUR.

OK. Peut-être pas jamais, mais en tout cas pas souvent.

Mais quand ça arrive, *attaboy*! Il dépoussière le *deck* à cassettes, se verse une tite coupe de vin rouge et se met dans l'ambiance en faisant quelques pas de danse douteux pas sué temps. Même s'il n'en a pas l'air comme ça, c'est un coquin, le Dominic. Il est *turné on* par les p'tits colliers serrés de madames et s'excite à la vue de la moindre craque de seins qui apparaît. Malheureusement, ses tentatives de rapprochement sont la plupart du temps repoussées par celle qu'il appelle affectueusement «la roche». À l'écouter parler, on ne sait pas trop si c'est sa blonde ou sa coloc…

Tant pis, pense-t-il, chaque fois qu'il se sent cochon. Il attend alors que sa «roche» s'endorme, puis il se rend au sous-sol dans le but de se libérer de ses pulsions sexuelles en regardant des vidéos des *pipes* de Rafael Nadal. Des beaux *pipes* suitants de joueur de tennis, hein mon Dom! Sous le regard traumatisé de Mika, Dom l'explorateur urbain surfe sur le Web comme jamais une Cécile de Blainville ne l'a fait.

Geek de nature, Dominic n'est peut-être pas le plus extraverti du showbiz. En fait, si le showbiz québécois était un autobus d'école primaire, Dominic et son chum J.-F. Baril seraient les deux petits *nerds* assis en avant, ceux qui se sont mis chums avec le chauffeur pour jaser de *Star Wars*.

Sauf que Dominic Arpin serait pas pris en dernier au ballon-chasseur. Parce qu'il est athlétique, intelligent, qu'il court vite, pis qu'il est tellement maigre qu'il est *tough* à pogner avec le ballon !

Pis ça, ÇA, on envie ça, Dominic !

Depuis le mois d'août 2016, l'un des auteurs a envie de te le dire : tu danses mal, mais je ne te remercierai jamais assez de m'avoir choisi dans ton *team* du matin. Ça fait bientôt 10 ans qu'on se connaît, Dominic, et tu as toujours cru en moi et mis de l'avant mes projets. *Thanks, buddy.*

REMERCIEMENTS

À Mathieu Genest. Sans toi, j'aurais... la même carrière... en moins drôle, par exemple! Depuis *Contrat d'gars*, *Fiston*, *Papa*, la radio, les pubs et les projets moins le fun qu'on fait pour nourrir nos kids que tu es là. Des fois, on se gosse, mais tu restes le meilleur partenaire du monde.

Odrée Rousseau, charmante et si brillante écriveuse de blagues. Merci beaucoup de nous avoir aidés à mettre de l'ordre dans nos fichiers.

À Stéphane Fortin, mon gérant qui ressemble à un mannequin de L. A. Tu es parfait. Tu es supérieur à tous les autres gérants. Neuf ans déjà que tu es là à m'écouter chialer... Wow!

Tout le monde à Cardinal (mais j'ai un faible pour Antoine!). Quel homme brillant. Merci d'être aussi cool et flexible... (Pas dans le genre qui peut s'auto... Laissez faire.) Mais plus dans le type d'écriture. Merci.

À Mélanie Maynard, Dom. Arpin, Étienne Phoenix, André (FuFu), JS, Michel, Ben Simard et Martin Lemay. Ils m'ont enduré avec mon haleine de cheval tous les matins pendant un an. Trop gentil!

Tout le monde à Énergie 94.3 FM. JAMAIS vous n'avez douté de moi et votre confiance est en bonne partie une des raisons du succès de ce type de capsule. Merci.

Les auditeurs qui nous écoutent le matin. Ce sont vos encouragements qui m'ont poussé à faire ce livre (en vérité, mon comptable aussi!). Amusez-vous en lisant ce livre. Il est pour vous.

Je termine avec ma Lea, mon amoureuse, ma femme, la fille qui prend le camion de la famille et qui me laisse aller faire de la radio en grelotant sur mon scooter! Je t'aime tant! Merci.

Jonathan Roberge

Merci à mon ami Jonathan Roberge de m'avoir fait confiance et de m'avoir embarqué dans ce merveilleux projet parmi tant d'autres... T'inquiète, mon chum, on va ben finir par être riches comme Drake. Merci à Odrée Rousseau pour sa participation aux textes. Merci à Stéphane Fortin, mon gérant, qui s'est occupé de choses dont on ne soupçonnait même pas l'existence. Merci à Antoine Ross Trempe et toute l'équipe des Éditions Cardinal d'avoir cru en ces deux crottés loufoques qui ont passé les portes de vos bureaux pour vous pitcher un concept de dictionnaire de *bullshit*... Et finalement, merci à mon amoureuse, Christina Tzournavelis, qui tolère de partager sa vie avec un gars n'écoutant pas vraiment parce qu'il est trop occupé à penser à des niaiseries à mettre dans un livre.

Mathieu Genest

BIOGRAPHIES

Jonathan Roberge

Auteur, réalisateur, humoriste, comédien et improvisateur, et maintenant propriétaire d'une machine pour son apnée du sommeil lui donnant le look de Bane dans *Batman* avec son genre de masque qui l'aide à respirer, Jonathan s'est illustré dans tous ces domaines au fil des années. Il est d'ailleurs le créateur et le coauteur des populaires webséries *Contrat d'gars*, *Fiston* et *Papa* (faut pas s'énerver, ça reste toujours bien juste du Web).

Son livre *Fiston* (VLB éditeur), qu'il a lancé en novembre 2015, a fait fureur. Après s'être hissé plusieurs semaines au palmarès des meilleurs vendeurs dans les librairies du Québec, cet ouvrage est considéré aujourd'hui comme un best-seller. (D'ailleurs, il le plogue chaque fois qu'il en a la chance, si bien que ses proches se moquent de lui et l'appellent Danielle Steel dans son dos.)

Depuis août 2016, avec ses acolytes Dominic Arpin et Mélanie Maynard, Jonathan coanime une émission tous les matins de la semaine sur les ondes d'Énergie 94.3 FM («coanime» est un bien grand mot quand on sait qu'au Québec, pour avoir du succès comme humoriste à la radio, il suffit de rire fort et de taper sur la table pour montrer quand c'est drôle). Il livre quotidiennement une chronique qui connaît un énorme succès et qui s'intitule *Le Petit Roberge NON illustré*, où il donne la définition d'un mot bien à sa manière (et à celle qui plaît au CRTC, parce que recevoir des plaintes, ce n'est pas le fun).

Mathieu Genest

Scénariste diplômé de l'UQAM (heille! un diplôme, c't'un diplôme, OK?) et chanteur punk rock à ses heures (Dorothée est une salope/Les Dorothée. Il ne l'admettra jamais, mais c'est comme Les Trois Accords, juste moins *tight*), Mathieu Genest est un passionné de cinéma, de séries télé, de bandes dessinées et de littérature (OK, en gros, ça veut dire qu'il est trop paresseux pour avoir une vraie job).

Mathieu cosigne les textes de plusieurs séries Web populaires, telles que *S.O.S célibataires*, *Fiston* et *Papa*. (C'est presque vrai. *S.O.S célibataires* a été vu en tout et pour tout par 8 personnes. On dit de cette série qu'elle est le plus gros flop jamais filmé, juste derrière le film *Waterworld*, avec Kevin Costner.)

Depuis l'automne 2016, il coécrit avec Jonathan Roberge une chronique quotidienne sur les ondes d'Énergie 94.3 FM: *Le Petit Roberge NON illustré*.

Les deux complices ont décidé de faire un recueil des meilleures définitions qu'ils ont écrites jusqu'à aujourd'hui sous forme de «dictionnaire», pour le grand plaisir de tous. (Pour les auteurs, par contre, «grand plaisir» est un peu exagéré puisqu'ils préféreraient honnêtement passer leurs journées en bobettes à jouer à *Battlefront*… Disons plutôt qu'ils sont fiers d'avoir écrit le meilleur livre de toilette *ever*.)